Feu d'ange

Courtney Allison Moulton

Traduit de l'anglais par
Lynda Leith

ADA
éditions

Éditeur : François Doucet

Traduction : Lynda Leith

Révision linguistique : Féminin pluriel

Correction d'épreuves : Nancy Coulombe, Catherine Vallée-Dumas

Conception de la couverture : Matthieu Fortin

Photo de la couverture : © 2011 Amber Gray

Illustration de la couverture de Joel Tippie à partir d'une image originale d'Amber Abram

Mise en pages : Sébastien Michaud

ISBN papier 978-2-89667-816-7

ISBN PDF numérique 978-2-89683-847-9

ISBN ePub 978-2-89683-848-6

Première impression : 2013

Dépôt légal : 2013

Bibliothèque et Archives nationales du Québec

Bibliothèque nationale du Canada

Éditions AdA Inc.

1385, boul. Lionel-Boulet

Varennes, Québec, Canada, J3X 1P7

Téléphone : 450-929-0296

Télécopieur : 450-929-0220

www.ada-inc.com

info@ada-inc.com

Diffusion

Canada :	Éditions AdA Inc.
France :	D.G. Diffusion
	Z.I. des Bogues
	31750 Escalquens — France
	Téléphone : 05.61.00.09.99
Suisse :	Transat — 23.42.77.40
Belgique :	D.G. Diffusion — 05.61.00.09.99

Imprimé au Canada

Participation de la SODEC.

Nous reconnaissons l'aide financière du gouvernement du Canada par l'entremise du Fonds du livre du Canada (FLC) pour nos activités d'édition.

Gouvernement du Québec — Programme de crédit d'impôt pour l'édition de livres — Gestion SODEC.

Pour ma mère,
qui n'a jamais cessé de croire en moi
un seul instant.

1

Je regardais par la fenêtre de la salle de classe et rêvais de liberté, voulant me trouver n'importe où ailleurs qu'en train de regarder bêtement mon professeur de science économique, comme le reste de mes camarades. La dernière fois que je l'avais écouté, monsieur Meyer discourait sur la politique fiscale et c'est à ce moment-là qu'il m'avait perdue. Mes yeux roulèrent du côté de ma meilleure amie, Kate Green, qui dessinait des fleurs compliquées sur ses notes et paraissait franchement s'amuser. Entre-temps, j'en étais réduite à fixer les poils rêches et gris du torse de monsieur Meyer, qui s'échappaient en touffe du collet de son polo comme de la paille de fer envahissante, et à me demander s'il avait déjà songé à l'épilation à la cire.

Enfin, après vingt fastidieuses minutes supplémentaires, la cloche retentit à quatorze heures trente et je bondis sur mes pieds, instantanément regonflée d'énergie. Kate fourra ses papiers dans son cahier de notes et me suivit le long de l'allée entre les pupitres. Les autres élèves de dernière année et une poignée de plus jeunes sortirent rapidement en file indienne, comme si on ne leur avait accordé qu'un délai de cinq secondes pour s'enfuir et qu'autrement ils resteraient coincés ici jusqu'à la mort.

— Mademoiselle Monroe? appela monsieur Meyer dans mon dos juste avant mon départ de la salle.

Je me tournai vers Kate.

— Ton casier dans cinq minutes?

Elle hocha la tête et sortit avec le reste des étudiants jusqu'à ce que je me retrouve seule avec mon professeur. Monsieur Meyer sourit derrière ses verres épais et me fit signe de m'approcher de son bureau.

Je pris une profonde inspiration, ayant une assez bonne idée de la discussion qui m'attendait.

— Oui, monsieur?

Son sourire était chaleureux et amical, sa barbe grise rugueuse formant des plis autour de ses lèvres minces. Il repoussa ses lunettes sur son nez.

— Alors, l'interrogation rapide de la semaine dernière n'a pas été très concluante, n'est-ce pas?

Je m'armai de courage.

— Non, monsieur.

Il inclina la tête vers moi.

— L'an passé, dans mon cours d'instruction civique, vous réussissiez très bien, mais au cours des derniers mois d'école, vos notes ont commencé à se détériorer. Depuis le début de cette année scolaire, elles empirent. Je veux vous voir réussir, Ellie.

— Je sais, monsieur Meyer, dis-je.

Des prétextes me traversèrent l'esprit. En vérité, j'étais distraite. Distraite par les demandes d'admission à l'université. Distraite par les disputes continuelles entre mes parents. Distraite par les cauchemars que je faisais toutes les nuits. Bien sûr, je n'allais pas discuter de mes problèmes avec le professeur de science économique. Cela ne le regardait pas du tout. Je lui offris donc une réponse vague en retour.

— Je suis désolée. J'ai été distraite. Il s'est passé beaucoup de choses au cours de la dernière année.

Il se pencha en avant, enfonçant ses coudes dans le bureau en désordre.

— Je comprends le syndrome de la «future diplômée». L'université, les amies, le bal de fin d'année, les garçons… Il y a d'innombrables choses attirant votre attention de tous les côtés. Vous devez rester concentrée sur ce qui est vraiment important.

— Je sais, répondis-je d'un air sombre. Merci.

— Et je ne parle pas uniquement du travail scolaire, poursuivit-il. La vie va vous mettre à l'épreuve comme jamais auparavant. Ne laissez pas votre avenir changer la bonne personne que vous êtes ou vous faire oublier qui vous êtes. Vous êtes une gentille fille, Ellie. J'ai aimé vous avoir dans mes cours.

— Merci, monsieur Meyer, dis-je avec un sourire franc.

Il s'appuya sur le dossier de sa chaise.

— Ce cours n'est pas si difficile. Je sais que si vous vous appliquez juste un peu plus, vous vous en sortirez. Mon cours n'est rien en comparaison de ce qui est dehors, dans le vrai monde. Je sais que vous pouvez le faire.

Je hochai tête, supposant qu'il gardait ce petit discours pour tous les élèves qui recevaient un D dans une interrogation rapide de vingt questions, mais il parlait avec une telle sincérité que je voulais y croire.

— Merci de croire en moi.

— Je ne dis pas cela à tous ceux dont les notes commencent à se détériorer, dit-il comme s'il lisait dans ma tête. Je le pense. Je crois en vous. Seulement, n'oubliez pas de croire en vous-même vous aussi, d'accord ?

Je souris plus largement.

— Merci. On se voit demain ?

— Je serai ici, dit-il en se levant avec difficulté. Votre anniversaire approche, n'est-ce pas ?

Je lui lançai un regard perplexe.

— Ouais, comment le savez-vous ? Voulez-vous que j'apporte des petits gâteaux pour les distribuer ou quelque chose comme ça ?

Il rit.

— Non, non. À moins que vous le souhaitiez, je veux dire, sentez-vous libre. Mais, bon anniversaire, mademoiselle Monroe.

— Merci, monsieur.

Je souris et lui offris un petit salut poli de la main avant de me détourner. En quittant la salle, je ne pus m'empêcher de penser que ce sermon était un peu trop sérieux pour un professeur de science économique sur le point de prendre sa retraite en Arizona.

Je trouvai Kate à côté de son casier. Elle me regarda en fronçant les sourcils quand je m'approchai d'elle.

— Que voulait Meyer ?

Je haussai les épaules.

— Il veut que je m'applique davantage.

Elle sourit.

— Eh bien, je crois que tu es parfaite.

— Merci, dis-je en riant. Viens-tu directement chez moi pour étudier pour l'examen de mathématiques de jeudi ?

Elle secoua la tête et tira ses cheveux blonds par-dessus une épaule alors qu'elle sortait son sac à dos du casier.

— Je vais d'abord me faire bronzer, répondit-elle.

— Pourquoi ? Nous sommes en septembre et tu as encore l'air de te prélasser tous les jours à la plage.

Je lui donnai un petit coup d'épaule avec la mienne et je souris largement. Sa peau était d'une teinte dorée splendide, mais je la taquinais toujours en lui disant qu'elle finirait par ressembler aux autres poupées Barbie orange de l'école si elle continuait ainsi.

— Je suis décidée à ne pas arborer un teint terreux cet hiver, comme toi chaque année.

Kate était très belle et même lorsqu'elle se renfrognait, elle avait l'air sensuelle. Elle mesurait presque une tête de plus que moi, mais ce n'était pas un gros exploit. J'étais plus petite de quelques centimètres que la plupart des filles de mon âge.

— Je n'ai pas le teint terreux.

Je jetai un coup d'œil furtif à mon bras afin qu'elle ne le remarque pas. Mon teint n'était pas *si* terreux.

— Cette peau éblouissante ne s'obtient pas si facilement, tu sais. Elle caressa sa clavicule pour l'effet et elle rit.

Je lui tirai la langue avant que nous passions à mon propre casier. Je laissai tomber mon manuel de biologie à l'intérieur et fourrai mon matériel de littérature dans mon sac pour l'emporter à la maison. Ma dissertation sur *Hamlet* était à rendre la semaine prochaine, je devais donc m'y mettre. Un bruit sourd sur le casier adjacent me fit lever la tête.

Landon Brooks appuya son épaule contre le casier et fit courir une main dans ses cheveux caramel aux mèches plus claires réalisées par une professionnelle. Il était un de ces gars qui croyaient qu'une chevelure de surfer était la seule option, même ici, dans le Michigan, où on ne pouvait pratiquer le surf nulle part. En fait, c'était ce que ressentaient la plupart des membres de l'équipe de football. Landon était le joueur étoile de mon école, alors évidemment, tout ce qu'il trouvait formidable, tout le monde trouvait cela formidable aussi.

— Alors, qu'est-ce qui se passe avec la fête de samedi? Elle a toujours lieu?

Mon dix-septième anniversaire était jeudi, le vingt et un, et je planifiais une fête le samedi soir. Pour une raison inconnue, l'école entière était au courant et l'opinion générale était que ça allait déménager. Je n'étais pas follement populaire ni connue pour mes parties incroyables, mais habituellement, n'importe quelle fête provoquait un courant d'excitation assez important à mon école. C'est ce qui se passait dans une école d'enseignement secondaire d'une banlieue de Détroit comme Bloomfield Hills, j'imagine.

— Ouais, dis-je d'une voix fatiguée. Nous devons seulement nous assurer que le nombre d'invités reste raisonnable. Mes parents vont me tuer si une centaine de personnes se présente.

— Trop tard, intervint Kate. C'est la première fête de notre dernière année d'études secondaires, alors évidemment que tout le monde est excité. Et le bal de la rentrée a lieu le week-end prochain, alors nous avons besoin d'une bonne fête pour commencer le trimestre du bon pied. La masse devient plus agitée. Ce n'est pas comme si tu étais la Lépreuse ou une chose du genre. Les gens *t'aiment*.

— Et tu as invité Josie, tu te rappelles ? me dit Landon en me donnant un petit coup de coude.

Oh ouais. Josie Newport. Nos mères avaient été des amies intimes à l'école secondaire et elles se voyaient encore parfois. Josie et moi avions beaucoup joué ensemble lorsque nous étions plus jeunes, mais les choses changent. Elle était très populaire à l'école, mais en dehors des rendez-vous organisés par nos mères, nous nous parlions rarement et nous ne traînions jamais ensemble. Je l'avais invitée à ma fête quand nous nous étions rencontrées par hasard au salon de beauté, quelques semaines plus tôt. Je n'ai jamais compris le stéréotype selon lequel toutes les belles filles populaires sont des vaches finies. Josie était une fille très gentille. Elle était peut-être un peu sotte, mais elle ne se montrerait jamais cruelle envers quelqu'un délibérément. Je devais admettre, par contre, qu'elle avait quelques amies de qui je ne pourrais pas dire la même chose.

— Et Josie doit emmener sa cour avec elle partout où elle va, n'est-ce pas ? ajouta Kate. Cela inclut la moitié de l'école, Ell.

Je fis une autre grimace et fermai mon casier.

— Je vais régler cela.

Bien sûr, je n'allais pas réellement agir. Je n'allais pas trouver Josie Newport et lui dire : « Oh, en passant, quand je t'ai invitée, je voulais dire seulement toi et peut-être une ou deux amies. Pas tout le monde et son cousin louche. »

— Elle pensait peut-être te faire une faveur? suggéra Landon. Augmenter ta popularité, je ne sais trop?

Bien que cela fût agréable à entendre, je me doutais que c'était peu probable. Josie ne m'accorderait pas de faveur. Plus probablement, si la fête était moche, elle déménagerait simplement son entourage ailleurs. Ils seraient comme une fête dans une fête. Si la mienne était nulle, Josie en créerait simplement une nouvelle. Elle aurait déjà assez de monde pour cela.

— Bon, je m'en vais, dis-je, heureuse de mettre fin à la conversation et de sortir de l'école pour aller à la maison, même si ce n'était que pour étudier.

— D'accord, je te vois dans une heure, dit Kate.

— *Adios*, mesdemoiselles, dit Landon avec un semblant de salut militaire. Pourquoi n'étudiez-vous pas pour moi aussi afin que je n'aie pas à le faire?

Kate leva sarcastiquement les pouces dans sa direction avant de se tourner et de se diriger vers le parc de stationnement des étudiants. Elle avait obtenu son permis de conduire et sa voiture pour ses seize ans, comme la plupart des jeunes de ma connaissance. J'avais mon permis aussi, mais pas encore de voiture. Le père de Kate lui avait acheté une BMW rouge pour son anniversaire. Je trouvais que ce n'était rien d'autre qu'un miracle que Kate ne l'ait pas encore aplatie comme une crêpe. Elle conduisait comme une aveugle entrant dans un coma diabétique.

Je saluai Landon de la main, retirai mes longs cheveux roux foncé de sous la sangle de mon sac à dos et passai les portes d'entrée de l'école pour rejoindre ma mère.

Alors que je traversais la pelouse avant, je remarquai un garçon que je n'avais jamais vu avant appuyé paresseusement contre un arbre. Il portait une chemise brun et un jean, et ses cheveux, qui ondulaient autour de son visage, dans la brise, semblaient noirs jusqu'à ce que le soleil reflète leur éclat couleur noyer. Il avait l'air juste un peu trop vieux pour étudier à l'école secondaire, peut-être vingt ou vingt et un ans. Pendant que je l'observais, je ressentis une certaine affection au fond de mon cœur, mais je chassai ce sentiment. J'ignorais qui il était. Il avait peut-être reçu son diplôme une année ou deux plus tôt et je l'avais vu dans les couloirs à un moment donné? Mon école était très grande. Il était impossible que je connaisse tout le monde qui la fréquentait. Je l'observai plusieurs secondes de plus jusqu'à ce que je remarque qu'il me regardait lui aussi. Je rougis furieusement et je reportai mon regard sur le rond-point où les voitures des parents attendaient avec le moteur en marche. Sa façon de traîner là simplement était étrange, mais je supposai qu'il devait attendre un frère ou une sœur plus jeune.

La Mercedes de ma mère était presque indiscernable parmi toutes les autres Mercedes argentées s'alignant dans le rond-point. Je regardai à travers les pare-brise jusqu'à ce que je repère ma mère. Mon père et elle ne me ressemblaient pas du tout. Les cheveux de maman tenaient davantage du brun pâle que de ma riche couleur rouge chocolat. Les gens me demandaient tout le temps si je les teignais de cette couleur, comme s'ils étaient rose bonbon ou une autre nuance non naturelle. Non, mes cheveux étaient ainsi, c'est tout. Aussi, elle n'avait pas de taches de rousseur. Beaucoup de personnes croient que toutes les rousses sont entièrement recouvertes de taches de rousseur. Faux. J'en ai seulement six sur l'arête de mon nez. On peut tapoter mon visage et les compter. Il y en a *six*.

Je montai et nous échangeâmes notre conversation typique d'après l'école.

— Comment s'est passé ta journée, Ellie chérie ? demanda ma mère, comme chaque jour.

— Je ne suis pas morte, répondis-je, comme d'habitude.

— Eh bien, c'est une bonne nouvelle, fut comme toujours sa réponse.

Je regardai par la lunette arrière vers l'arbre où j'avais vu le garçon, mais il avait disparu. Mes yeux fouillèrent la pelouse, mais je ne le vis nulle part.

— Que regardes-tu ? demanda ma mère alors que nous quittions le bord du trottoir.

— Rien, répondis-je d'un ton distant.

Ma mère cria des obscénités au conducteur devant elle qui mettait trop de temps à virer au feu de circulation. Éliminant toute trace de colère dans son expression l'instant suivant, elle me sourit.

— Je suis tellement contente que ce soit la dernière semaine où je dois venir chercher ton petit derrière à l'école.

— Tant mieux pour toi.

Maman était conceptrice Web et son bureau se trouvait à la maison, de sorte qu'elle avait toujours pu me conduire à l'école et revenir me prendre, m'évitant avec bonheur de fréquenter le service de garde. Mon père, de son côté, était rarement chez nous. Il travaillait en recherche médicale et il y avait plusieurs soirs où j'allais au lit sans le voir. Parfois, je ne le croisais pas pendant une semaine. Ces derniers temps, cela avait été une bonne chose.

— Alors, tu ne m'as jamais dit ce que tu désirais pour ton anniversaire, dit ma mère.

— Une Lambo.

Elle rit.

— Ouais, d'accord, vendons la maison et achetons une Lamborghini pour ton anniversaire.

Nous sortîmes enfin de l'allée de l'école pour nous engager sur la route principale et nous nous dirigeâmes vers la maison.

— Donc, que veux-tu? Je sais que nous avons parlé d'une voiture et ton père est d'accord.

— Je ne sais pas vraiment.

— Ne m'oblige pas à choisir, me prévint-elle. Je vais t'acheter une mobylette pour tes déplacements à l'école.

— Je parie, oui, dis-je en roulant les yeux. Je ne sais pas — juste quelque chose de mignon et de sécuritaire, équipé d'une prise MP3. Je vais être bonne pour le restant de mes jours avec cela.

Je m'éveillai au son de la musique tonitruante dans mon oreille gauche. Je mis le grappin sur mon téléphone cellulaire et je pressai sur la touche «Rejeter» sans ouvrir les yeux. Quelques secondes plus tard, il sonna de nouveau. J'ouvris un seul œil pour regarder le réveille-matin. Il était six heures quinze. Proférant un juron à demi marmonné, je traînai le téléphone sur ma table de nuit et regardai le nom de l'interlocuteur sur l'écran. C'était Kate.

Je frottai mon front de ma main, m'efforçant de me sortir de ce faible brouillard d'après cauchemar. Au cours des quelques derniers mois, j'avais fait les plus étranges rêves qui ressemblaient à des films d'horreur d'époque, comme le film *Dracula*, avec Gary Oldman. Des trucs qui donnaient la chair de poule. Ils m'avaient empêchée de bien dormir les premières semaines, mais j'avais commencé à m'y habituer, et à présent, ils ne me troublaient plus autant. Un mois plus tôt, je m'éveillais encore en hurlant chaque nuit.

Trop paresseuse pour presser le téléphone contre mon oreille, je le mis en mode haut-parleur et le reposai avec un bruit mat sur ma table de nuit.

— Quel est le problème ? Mon alarme n'a pas encore sonné.

— Nom de Dieu, Ellie, allume le téléviseur.

La voix de Kate était basse et paniquée.

— C'est monsieur Meyer. Chaîne quatre.

Je tendis la main vers la télécommande, allumai et cherchai la chaîne quatre comme elle me l'avait ordonné. Je me redressai brusquement.

— Il est mort, Ellie, murmura Kate. Ils l'ont trouvé derrière ce bar, Lane's.

Mes yeux étaient fixés sur le drame en direct à l'écran.

— … l'absence de sang sur la scène indique aux enquêteurs que Frank Meyer aurait pu être assassiné dans un autre lieu et abandonné ici, derrière le Lane's Pub, avec l'arme possible du crime : un très long couteau de chasse avec un crochet. Le motif ne peut que faire l'objet de spéculations, pour le moment, car les autorités ont révélé peu de choses à propos de cette macabre découverte. Au cas où vous viendriez de vous joindre à nous, je suis Debra Michaels, en direct de la place du Commerce, où le corps gravement mutilé d'un des éducateurs les plus aimés de la communauté, Frank Meyer, de West Bloomfield, a été trouvé ce matin…

J'avais envie de vomir. J'avais vu l'emplacement derrière la journaliste, grouillant de policiers, de pompiers et d'ambulanciers. Monsieur Meyer ? Il était un des plus gentils professeurs que j'avais eus. Je l'avais vu moins de vingt-quatre heures auparavant. Comment pouvait-il être mort ? Avait-il été assassiné ? Et gravement mutilé ?

— Penses-tu que l'école est annulée ? demanda Kate.

J'avais oublié qu'elle patientait au bout du fil.

— Je vais aller parler à ma mère. Rejoins-moi ici.

Je raccrochai.

Une heure plus tard, j'étais assise sur un tabouret à l'îlot de la cuisine, fixant une assiette de crêpes intouchées. Maman cuisinait des crêpes seulement quand j'étais malade ou si j'avais eu une journée épouvantable, ou encore lorsque c'était une journée spéciale, comme Noël. Je supposai que c'était l'un de ces jours où les crêpes étaient justifiées, mais je n'arrivais pas à me convaincre d'en manger une bouchée. L'odeur trop sucrée me donnait la nausée.

Maman arriva derrière moi et enroula un bras autour de mes épaules.

— Tu dois manger, ma chérie. S'il te plaît ? Mets un peu de nourriture dans ton estomac et tu te sentiras mieux.

— Je vais seulement la vomir, grommelai-je de façon lamentable.

— Une bouchée, ordonna-t-elle. Après, je ne me sentirai pas aussi mal de devoir jeter ce déjeuner.

Je me renfrognai et piquai de mauvaise grâce dans la bouillie avant de prendre une bouchée avec ma fourchette, mais elle vacilla et atterrit sur mes cuisses. Je gémis et me cognai la tête sur la surface de travail. Maman fronça les sourcils.

— Tu dois te montrer plus intelligente que les crêpes, Ellie.

Je lui lançai un regard furieux. N'était-ce pas les adolescents qui étaient censés jouer les petits malins et non leurs parents? Elle ignora mon regard de reproches et me tendit une serviette en papier pour nettoyer mon pantalon de pyjama.

— Eh bien, j'ai enfin réussi à joindre quelqu'un à l'école. Ils ont essayé de gérer cette tragédie toute la matinée, alors toutes leurs lignes téléphoniques étaient occupées. Je suis certaine que chaque parent du comté leur a téléphoné. En tout cas, l'école est fermée aujourd'hui, mais je soupçonne qu'elle rouvrira demain. Je sais que tu aimais vraiment monsieur Meyer et l'adjointe du directeur m'a appris que des conseillers spécialistes du deuil ont été embauchés, alors si tu as besoin de parler à quelqu'un...

— Je vais bien, maman, dis-je. Je ne panique pas ni rien. Je ne me sens pas bien, c'est tout.

Elle était toujours en contrôle de tout. Elle avait un plan pour tout.

Elle me regarda avec amour.

— Tu es mon petit miracle. Je veux que tu sois bien.

Je roulai les yeux au ciel.

— Tu dis toujours ça.

— Je suis inquiète à propos de tes cauchemars, dit-elle tristement.

— Je n'en ai presque plus, mentis-je.

Je pensais qu'il valait mieux pour elle de moins s'inquiéter. J'avais encore des cauchemars à peu près toutes les nuits, mais j'apprenais à vivre avec, puisque les médicaments avaient été inutiles.

— Et si cette tragédie les provoquait de nouveau ? Je peux t'obtenir un rendez-vous avec le docteur Niles la semaine prochaine.

— Salut, maman, dis-je en la congédiant.

Je détestais cela quand elle mentionnait le psy qu'elle et mon père m'avaient envoyée consulter pendant trois mois. Tout ce que ce gars faisait était de me dire un tas de conneries que je savais déjà et de me prescrire des drogues qui ne fonctionnaient pas. Évidemment, ils pensaient tous que j'avais été guérie. Ce qu'ils ignoraient ne pouvait pas leur faire de mal.

J'expirai, laissant la tension disparaître de mon visage, et je la regardai encore une fois.

— Je ne voulais pas te mettre en colère, Ellie chérie.

— Je sais. Tu dois seulement me faire confiance quand je te dis que ça ira.

Elle marqua une petite pause avant de répondre.

— Je vais dire à ton père de te saluer avant de partir.

Maman quitta la cuisine.

Je pris mon téléphone cellulaire et expédiai un message texte à Kate, lui demandant où elle était. Quelques moments plus tard, je reçus une réponse.

Seré llla bien4to ! p-têtre.

Je regrettai immédiatement d'avoir envoyé un texto à Kate pendant qu'elle conduisait — pour des raisons évidentes.

Je jouai encore un peu dans mon assiette avec ma fourchette. Mon père entra dans la cuisine en ajustant le devant de son veston. Je levai brièvement les yeux vers lui et lui offris un petit sourire. Il tapota mon crâne maladroitement en passant devant moi.

— Désolé pour ton professeur, dit-il.

Les ridules sur son visage me révélaient qu'il était triste, mais ses yeux n'exprimaient pas la même chose. Ils étaient calmes et non affectés, son esprit ailleurs.

J'étais certaine qu'il était sincère, mais il ne savait jamais vraiment comment le montrer. Je supposai qu'il avait appris à réconforter les autres en imitant quelqu'un d'autre — comme s'il l'avait vu à la télévision à un moment donné. Cela ne semblait jamais naturel, ne donnait jamais l'impression qu'il s'en souciait.

— Merci, papa, dis-je sincèrement. Kate s'en vient.

— Oh, dit-il.

— Je ne pense pas que nous ferons grand-chose, dis-je.

— D'accord, alors. Au revoir.

— À plus.

Il aurait probablement dû dire quelque chose, par exemple qu'il espérait que j'irais bien et qu'il m'aimait, mais cela me causerait le choc de ma vie si je l'entendais prononcer ces paroles ces jours-ci. Je regardai mon père se diriger vers le garage et l'écoutai démarrer.

Quand Kate arriva, elle entra d'elle-même par la porte avant. Elle s'assit en silence sur un tabouret à côté de moi, prit ma fourchette et une bouchée de mes crêpes.

— Je n'arrive pas à croire que monsieur Meyer est mort, dit Kate, la bouche pleine.

Songer à ne plus jamais revoir son gentil visage souriant en classe me rendait vraiment triste.

— Je ne peux pas y croire non plus. Ont-ils dit autre chose au bulletin de nouvelles?

— Seulement qu'il a été gravement mutilé. J'ignore totalement ce que cela voulait dire, par contre. Ce pourrait être n'importe quoi. Il s'agissait probablement d'un psychopathe. Détroit est bien à genre cinq minutes.

Je pris une bouchée de mon déjeuner. Je me sentis immédiatement malade.

— Il me semble que je pourrais dormir encore un peu. Tu viens ?

— La meilleure idée que j'ai entendue depuis que Landon et Chris ont décidé de voler un zèbre au zoo et de le lâcher pendant la remise des diplômes pour notre farce d'étudiants de dernière année, dit-elle. Penses-tu qu'ils le feront réellement ?

— J'en doute.

2

Je passais la main sur les larges marques de griffes qui couraient le long de la porte en métal quand j'entendis les rugissements venant de quelque part au fond de l'énorme usine de textiles. L'écho des hurlements colériques fit vibrer le plancher poussiéreux sous mes chaussures, annonçant la présence du faucheur en dessous. Je fis apparaître mes deux épées comme par magie, puis passai silencieusement la porte et pénétrai dans le couloir sombre. L'air sentait la fumée et le soufre, l'odeur nauséabonde caractéristique laissée derrière par les démons, la seule chose qui reliait le monde mortel aux Ténèbres. Le sol était jonché de papiers jaunis et il ne restait rien d'autre des petites fenêtres industrielles parsemant les murs que le verre brisé. Une faible lumière venant des lampadaires bordant les rues obscures à l'extérieur entrait en filet par les fenêtres fracassées. Des ordures étaient empilées contre les murs, qui étaient couverts de bandes de peinture écaillée en décomposition. Je contournai le tout, sans faire de bruit, mais je savais que le faucheur pouvait sentir ma présence. Mon silence ne pouvait pas masquer l'énergie qui s'échappait de moi. Rien ne le pouvait, et l'appétit du faucheur était grand.

Je pénétrai dans les Ténèbres, traversant le voile fumeux et entrant dans le monde que la plupart des humains ne pouvaient pas voir. Ici résidaient les faucheurs. Les restes du monde mortel tiraient sur mes bras et mes vêtements comme des vrilles malfaisantes. Une voiture de patrouille éclaira le plancher du rez-de-chaussée de l'usine comme un feu d'artifice rouge sang, le cri de sa sirène m'assourdissant un moment. Je pris une profonde inspiration pour retrouver mon sang-froid et me dirigeai vers l'escalier de secours le plus proche. J'ouvris la porte d'un coup de pied et le bruit sourd de l'acier dévoila ma position. Je tins fermement les poignées de mes deux khépesh, mes épées en forme de faucille, en regardant par-dessus le bord de la rampe en métal de l'escalier, vers le sous-sol.

Une imposante silhouette sombre apparut brièvement à l'étage en dessous. Le faucheur rugit encore, faisant vibrer l'escalier.

Je descendis rapidement en faisant pivoter mon corps dans l'escalier de métal en spirale, à chaque tournant, déterminée à ne pas le laisser s'échapper. Mes pas étaient légers, frôlant à peine le sol sous moi. Lorsqu'il ne me resta qu'un étage à descendre, je sautai par-dessus la rampe et atterris sans incident, pliant seulement un peu les genoux et émettant un bruit sourd avec mes chaussures. J'ouvris la porte de l'escalier d'un coup de pied et me figeai pour scruter l'obscurité avec précaution. Des griffes invisibles raclèrent le béton. Il voulait que je sache qu'il était là.

Un grondement rauque se fit entendre derrière moi. Je me retournai brusquement et aperçus brièvement le faucheur, mais il disparut dans la pénombre. Je serrai les dents amèrement et du feu d'ange embrasa mes épées, les préparant au combat. Les flammes étaient la seule chose qui pouvait vraiment tuer un faucheur et j'étais la seule à pouvoir les manier. Leur lumière blanche illumina l'énorme sous-sol, mais le faucheur échappa à leur éclat et resta dans l'ombre.

Il jouait avec moi, m'attirant vers lui. Je tins mes épées en position et je le suivis quand même.

La puissance du faucheur m'entourait totalement à présent, me submergeant comme des torrents de fumée s'échappant d'un feu éteint, une puissance lourde, noire comme de l'encre, sans pitié et imprévisible. Je virevoltai et entaillai l'air avec mes deux épées. Le feu d'ange éclaira la silhouette colossale du faucheur, semblable à un ours, alors qu'il ruait, ses membres avant relevés, agitant des pattes de la taille d'une assiette à dîner. Ses yeux étaient noirs et vides comme ceux d'un requin, et sa mâchoire de Goliath s'abaissa pour libérer un rugissement qui ressemblait à un train fonçant vers mon visage.

Lorsque le faucheur donna un coup de ses griffes de trente centimètres vers ma tête, je l'esquivai en roulant. Puis, je sautai sur mes pieds et bondis en arrière. Le faucheur fonça vers moi et il ne lui fallut qu'une demi-enjambée pour me rejoindre. Il rouvrit largement la bouche, dévoilant une série d'immenses dents qui auraient pu appartenir à un tigre à dents de sabre, chaque croc facilement aussi long que mon avant-bras. Il se précipita sur moi de nouveau et son rugissement éclata encore une fois comme le tonnerre dans l'usine. Je tombai à genoux et donnai des coups d'épée sur le torse du faucheur et sur ses pattes arrière. Il s'effondra dans une giclée de sang, mais il se redressa rapidement et bondit dans les airs, atterrissant à trois mètres de moi. Sa chair grésillait là où les lames d'argent l'avaient tranché et brûlé. Il virevolta et attaqua.

Je reculai sur mon talon droit et me préparai pour la collision. Le faucheur se glissa plutôt sur ma gauche juste avant de me

rentrer dedans et il disparut un moment. Des griffes m'entaillèrent le dos, déchirant mon corps pour le transformer en viande à
hamburger. Je hurlai et tombai en avant. Je frissonnai et lâchai mes
épées. La douleur que j'attendais ne vint jamais ; je ne sentais rien
du tout.

Le faucheur fut distrait un instant par mon sang qui formait
une flaque alors que je gisais sur le sol. Il s'arrêta pour y goûter et
il émit un grognement guttural d'approbation avec sa bouche
inhumaine avant de fondre sur moi pour terminer son travail.

Je n'eus même pas le temps d'expirer avant de mourir.

Je me redressai complètement en inspirant une grosse
goulée d'air, avec l'impression qu'on avait carrément arraché
la vie de mon corps. Je tendis la main vers mon dos et sentis
une peau lisse et indemne, et je poussai un soupir de soulagement. Mes cauchemars devenaient de plus en plus réels
chaque fois que je dormais et je commençais à me demander
avec inquiétude si j'avais vraiment besoin de retourner en
thérapie.

Kate remua à côté de moi. Elle s'assit aussi et fronça les
sourcils.

— Ça va ? Mauvais rêve ?

Je remontai mes genoux sur ma poitrine et posai ma
joue contre eux.

— Ouais.

Elle me caressa les cheveux d'une manière apaisante.

— Veux-tu regarder un film ?

Je hochai la tête. Kate ne me jugeait jamais pour mes
cauchemars, ne me traitait pas comme une psychopathe et
comprenait mieux que personne que les médicaments et la
thérapie ne m'aidaient pas. Elle était la seule à m'écouter au
lieu de chercher continuellement à poser un diagnostic. Je

me repliai en boule pendant que Kate fouillait dans mon classeur de DVD sur le plancher devant mon téléviseur. Nous regardâmes trois comédies, y compris ma préférée, *Seize bougies pour Sam*, pour me rappeler que c'était ma fête le lendemain. Ce film me faisait toujours du bien, mais essayer de rendre cette journée moins merdique était inutile. Les marathons de films de bonheur — et les crêpes — étaient notre remède aux mauvais jours depuis que nous nous faisions des nattes étant petites et je me disais que le rituel nous suivrait jusqu'à l'université, l'automne prochain.

— Quel sera le suivant? demanda Kate en tirant le classeur sur mon lit. *Les collégiennes de Beverly Hills*?

Je secouai la tête. Il était passé seize heures et je commençais à avoir des fourmis dans les jambes.

— Je n'ai pas envie de regarder un autre film. Veux-tu aller faire quelque chose?

— Comme quoi? Aller au centre commercial? Nous devrions aller jeter un œil sur les articles d'automne de Gucci avant qu'il n'en reste plus.

Je grimaçai.

— Non, je ne veux pas avoir à lisser mes cheveux et à avoir l'air convenable. Nous pourrions seulement aller manger une crème glacée.

Kate s'égaya un peu.

— Ça me paraît bien. J'en ai envie.

J'enfilai un jean et un kangourou léger muni d'une fermeture à glissière par-dessus mon débardeur.

— Devrions-nous téléphoner à Landon pour qu'il nous rejoigne là-bas?

Kate hocha rapidement la tête et composa son numéro. Nous dîmes à ma mère où nous allions, nous nous dirigeâmes vers la BMW de Kate et roulâmes jusqu'à la crèmerie Cold Stone. Landon nous attendait dans le parc de stationnement, discutant avec quelques autres personnes de notre cercle d'amis : Chris, Evan et Rachel. Chris faisait partie de l'équipe de football avec Landon et ils étaient meilleurs amis depuis aussi longtemps que je me souvienne. Ils cessèrent tous de parler quand Kate et moi descendîmes de voiture.

— La journée a été folle, dit Landon. Comment allez-vous, les filles ?

— Bien, nous avons glandé, dit Kate en s'emparant de ma main et en m'entraînant plus loin.

Nous commandâmes et nous nous assîmes aux tables en métal à l'extérieur. Landon et les trois autres se joignirent à nous. Je donnai de petits coups de cuillère dans mon bol de crème glacée à saveur de pâte à biscuit avant d'en prendre une petite bouchée. Même si j'avais peu mangé dans la journée, je n'avais pas très faim. Le meurtre de monsieur Meyer me dérangeait plus que je m'y étais attendue. Personne de ma connaissance n'était mort avant, sauf mon grand-père. Il était mort paisiblement. Quelque chose de très mauvais était arrivé à mon professeur.

Les autres continuaient à discourir entre eux à propos de monsieur Meyer.

— J'ai entendu dire qu'il s'agissait d'une attaque d'ours, dit Evan, la bouche pleine. Et Meyer a essayé de se défendre avec un couteau.

— Il n'y a pas d'ours de ce côté-ci de l'État, dit Rachel.

— Il s'agissait peut-être d'un couguar dressé comme animal de compagnie, suggéra Landon. Je connais un gars qui a un ocelot.

— Ce n'est pas vrai, se moqua Chris.

— Ouais, c'est vrai.

Rachel gratta le haut du crâne d'Evan avec ses ongles.

— C'est quoi, un ocelot?

— Était-ce si horrible? demanda Kate.

Chris hocha la tête.

— Un copain à moi purge une peine dans la communauté en travaillant à la morgue parce qu'il a conduit sous influence de l'alcool et il a entendu dire que c'était une sale affaire. Genre qu'il était en morceaux, mec. Je ne pense pas qu'une bagarre de bar serait allée aussi loin, sauf si la fille qui était en cause était canon. Je serais prêt à mettre un gars en pièces s'il s'interposait entre moi et Angelina Jolie.

Je n'aimais pas la façon dont il parlait de monsieur Meyer, alors je tentai de chasser ses paroles de mon esprit, tout comme les images mentales dérangeantes. La crèmerie Cold Stone était animée; comme il était plus de seize heures, l'école primaire du coin avait libéré ses élèves et l'endroit commençait à grouiller de petits enfants qui criaient et se querellaient. Je fis de mon mieux pour les ignorer, car les garçons de cinquième année avaient tendance à draguer les étudiantes de l'école secondaire. Mes yeux parcoururent les environs, observant leurs visages distraitement, jusqu'à ce que je remarque l'étrange garçon que j'avais vu la veille, à l'extérieur de mon école.

Aujourd'hui, il portait un t-shirt noir à manches longues et un jean délavé. Il était assis seul à une table située environ à sept mètres plus loin et il regardait dans le vide. Je le connaissais. Je devais le connaître de quelque part. Quand je le regardais, de brèves visions de son visage, de ses yeux et de son sourire surgissaient dans mon esprit. Un doux parfum, que je savais le sien, me frappa, mais je n'étais pas assez près pour le sentir. La tendresse qui envahissait mon cœur m'effrayait tout en m'apportant la paix. Quand il remarqua que je le fixais, il me regarda à son tour sans détourner les yeux. Je tentai de le chasser, lui aussi, mais je me rendis compte que je ne pouvais pas ignorer tout le monde. Je me retournai vers mes amis.

— L'école devrait être ouverte demain, dit Rachel.

Kate lécha une petite boule de crème fouettée.

— Ça craint.

— Pensez-vous que nous devrons quand même terminer la dissertation de cette semaine en sciences économiques ? demanda Landon.

Chris haussa les épaules.

— Pourquoi ne le devrions-nous pas ? Nous allons simplement avoir un remplaçant jusqu'à ce qu'il trouve un nouvel enseignant permanent.

Je finis rapidement ma crème glacée sans me joindre à la conversation, puis je me levai et allai à la poubelle sur le côté du bâtiment pour jeter mon bol. Quand je me retournai, je faillis me cogner sur une grande silhouette et je sursautai, surprise. Levant les yeux, je me retrouvai face à face avec le garçon que j'avais vu la veille. Il était grand, peut-être un mètre quatre-vingts, et large d'épaules, et il se tenait beaucoup, beaucoup trop près. Sa présence m'enveloppait — pas suffocante, comme je m'y serais attendue, mais paisible. Je ne m'écartai pas de lui. Il baissa des yeux vert vif vers moi sans rien dire. Près du col de son t-shirt, il y avait d'étranges marques noires ressemblant à des tatouages. Ses cheveux foncés étaient juste un peu ébouriffés par la brise de septembre.

— Euh, salut, dis-je d'une voix rendue traînante par mon malaise. As-tu... besoin de la poubelle?

Je me sentis idiote dès que j'eus dit cela.

— Salut, dit-il.

Il m'offrit un sourire calme, un sourire qui amplifiait les doux contours de son visage, la courbe de ses lèvres, la petite ligne à côté de son œil droit qui apparaissait quand il souriait — un sourire que j'avais le sentiment d'avoir vu des millions de fois avant.

— Non, je n'ai pas besoin de la poubelle.

— D'accord...

Je commençai à le contourner pour aller rejoindre mes amis.

— Te souviens-tu de moi? me demanda-t-il.

À part une nette impression de déjà-vu, j'étais très certaine de ne pas le connaître.

— Je pense que je t'ai vu hier, à l'école.

— C'est tout?

Son expression révélait qu'il était blessé. Ouais, il était vraiment bizarre.

— J'en suis assez sûre. Cherches-tu quelqu'un?

— Non, dit-il d'un ton songeur. Tu es Elisabeth Monroe, n'est-ce pas?

— Ellie, ouais. Vas-tu à mon école?

— Non, désolé. Tu organises une fête samedi, non?

Mon dieu! Le monde entier était-il au courant?

— Ouais. Comment en as-tu entendu parler, si tu ne vas pas à mon école?

— Un ami.

Il sourit.

— Ça va, Ellie?

Landon s'était joint à nous. Il semblait agacé, presque hostile.

—Qui est ce gars?

Il détailla le garçon du regard. Le sourire de l'étranger s'évanouit.

— Appelle-moi Will, tout simplement.

Ses mots réveillèrent quelque chose de confus dans mon esprit, tout comme son sourire me paraissait familier. J'avais l'impression de l'avoir déjà entendu dire cela.

— Ne lui parle pas, mec, dit Landon en avançant d'un pas vers Will.

Je posai une main apaisante sur le torse de Landon.

— Landon, relaxe, il ne me dérange pas. Je jetais simplement mon bol. Allons-y. Contente de t'avoir rencontré, Will.

Je le saluai de la tête, puis j'entraînai Landon avec moi.

— Quel est ton problème? lui demandai-je une fois que nous fûmes hors de portée de voix.

— Rien, ne t'inquiète pas avec cela. Il ne devrait pas te parler.

— Je pensais que tu allais lui donner un coup de poing.

— S'il t'avait touchée, je l'aurais fait.

Je clignai des yeux de surprise.

— Eh bien, il ne l'a pas fait.

— Bien, maugréa-t-il.

J'essayai de ne pas rire. Landon était mon ami depuis la sixième année, mais c'était un garçon et je ne comprenais pas les garçons.

Mon père réussit à rentrer à temps pour souper, à mon grand étonnement, mais dès que nous nous assîmes tous à table, je désirai son départ. Récemment, mes parents avaient passé la plupart de nos soupers à s'efforcer de me faire parler. Je n'avais pas besoin de parler de monsieur Meyer. Je n'avais pas dix ans et je n'étais pas traumatisée. J'étais seulement triste. C'était naturel et on devait s'y attendre. Je n'avais pas besoin d'être traitée en bébé à cause de cela.

J'appréhendais l'école le lendemain matin. Ce serait encore exactement comme aujourd'hui, multiplié par un millier. Sans parler de l'examen de mathématiques toujours prévu à mon horaire. Quelle façon de passer son anniversaire! Le poing de mon père frappant la table m'arracha brutalement à mes pensées. Je me redressai comme une flèche.

— Ce n'est pas cela.

Sa voix était glaciale et dure, comme s'il retenait un cri de colère.

— Non? demanda ma mère. C'est la première soirée où tu es à la maison cette semaine. Cela ne m'étonnerait pas de découvrir que ses cauchemars sont le résultat de l'absence de figure paternelle.

— C'est ridicule. Ne fais pas dans la psycho pop, Diane.

— J'essaie seulement de trouver une solution, dit maman avec lassitude. Son professeur a été assassiné. Cela va peut-être provoquer le retour des cauchemars. Nous devrions la ramener consulter le docteur Niles.

C'était comme si elle avait complètement oublié ce que je lui avais dit ce matin. J'avais envie de leur jeter mes spaghettis au visage et de crier «Allô! Je suis ici!». C'était presque plus comique qu'enrageant quand ils se disputaient à mon sujet alors que j'étais assise juste à côté d'eux. Quand ils oubliaient totalement ma présence dans une pièce, ils mettaient en lumière qu'ils se souciaient davantage de se quereller que de ma santé mentale.

— Si tu penses que c'est nécessaire, maugréa mon père.

— Il y a beaucoup de choses que je crois nécessaires.

— Que veux-tu dire par là ?

Elle le fixa.

— Tu sais exactement ce que je veux dire.

C'était lors de soirées comme celle-là où je me prenais à souhaiter avoir un chien. J'avais besoin d'un prétexte pour sortir de ma maison et aller me promener. N'importe quoi pour ficher le camp d'ici.

— Tu n'es jamais à la maison et lorsque c'est le cas, tout ce que tu fais, c'est crier, l'accusa maman. J'ai peur de toi quand — et si — tu rentres à la maison le soir. Élisabeth aussi. Cela ne m'étonnerait pas si ses cauchemars étaient le résultat de toutes ces années où tu as crié après elle pour chaque petite chose. Il ne s'agit pas de toi et moi, Rick. Il s'agit de la façon dont tu traites ta fille.

C'était tout ce que je pouvais supporter. Je me levai de table et emportai mon assiette à la cuisine, bloquant mentalement la réponse enragée de mon père. Tous les parents se disputent — cela arrive dans toute relation —, mais les parents ne devraient pas se quereller devant leurs enfants. Ma mère et mon père se blâmaient mutuellement pour mes cauchemars, alors qu'ils en étaient probablement tous les deux la cause.

Je montai à ma chambre et m'assis sur mon lit, fixant le miroir au-dessus de ma coiffeuse. La boîte à musique rose que mon père m'avait offerte lorsque j'avais sept ans était installée entre une paire de bougies parfumées et une carte d'anniversaire que ma grand-mère m'avait envoyée plus tôt dans la semaine. Je me levai, allai vers le meuble et ouvris le couvercle de la boîte à musique. La petite ballerine en plastique à l'intérieur se déplia et se redressa. Je soulevai la boîte et tournai la clé en dessous. Une musique exquise commença à jouer et la ballerine tournoya lentement. Je la regardai danser quelques instants, me demandant comment ma vie avait pu se transformer ainsi, comment mon père était devenu une personne aussi odieuse. J'adorais cette boîte à musique, surtout aujourd'hui, parce qu'elle me rappelait le père merveilleux que l'homme en bas était auparavant. J'aurais donné n'importe quoi pour revenir dix ans en arrière — et ce n'est pas ce que devrait ressentir une fille de mon âge.

3

Refusant de laisser ma dépression s'approfondir, j'insérai un film dans le lecteur. J'optai pour *30 ans sinon rien*, car c'était l'âge que mes parents me donnaient l'impression d'avoir. Au moins, les moments heureux et drôles sauraient peut-être me remonter le moral. Je pouvais entendre les cris reprendre et s'arrêter. Quand mon horloge afficha minuit, ils avaient recommencé à se disputer.

— Bon anniversaire à moi, dis-je lamentablement.

Au cours de la minute suivante, je reçus huit messages texte contenant différentes versions de « bon anniversaire ! » impliquant trop de ponctuation, et deux textos mentionnant « j'taime, ma vieille ! »

Je décidai de passer les premières minutes de ma dix-septième année à sortir en douce par la porte d'entrée pour m'asseoir sur le porche. Je m'appuyai contre l'une des colonnes et pris une profonde inspiration. La nuit s'était installée et l'air était un peu frisquet, mais j'étais bien dans mon t-shirt.

Après avoir passé un peu de temps assise sur le porche à gratter mes ongles, je me levai et parcourus l'allée de garage pour me diriger vers le trottoir. Une fois le tour du pâté de maisons devrait suffire, décidai-je. J'avais vraiment besoin d'un chien. J'y réfléchis un moment : une voiture ou un chien pour mon anniversaire… Ouais, une voiture. Je ne pensais pas l'avoir demain, mais plus probablement au cours du week-end. Je savais que beaucoup de jeunes ne recevaient pas de voiture pour leur anniversaire, ni même de voiture tout court, et qu'ils avaient encore moins l'occasion d'en choisir une, alors je ne devrais pas me plaindre. Mais après tout, beaucoup de jeunes avaient des parents qui ne se querellaient pas. Tout le monde faisait des sacrifices.

J'entendis un grondement sourd devant moi et je m'arrêtai. Cela ne semblait pas être d'origine mécanique, comme un moteur de voiture, et je n'apercevais pas non plus de phares devant moi. Je plissai les yeux pour mieux scruter l'obscurité. Le lampadaire au-dessus de moi bourdonna et s'éteignit. Au bout du trottoir et tout au fond de la vaste pelouse de mon voisin, je ne voyais rien. Pendant un instant, je pensai au meurtrier de monsieur Meyer. Ce n'était peut-être pas une si bonne idée de me promener dehors après minuit.

— Que regardes-tu ?

Je poussai un petit cri et pivotai sur mes talons tandis que mon cœur bondissait dans ma poitrine.

C'était Will, comme s'il était apparu par magie. Il avait l'air inquiet et déterminé, mais il essayait visiblement de cacher ces émotions.

— Que fais-tu ici ? murmurai-je durement.

— Que fais-*tu* ici ? répliqua-t-il.

Je levai les bras en l'air.

— J'habite ici !

Soudain, j'eus une terrible pensée. J'avais vu Will pour la première fois la veille, le soir du décès de monsieur Meyer. Non, non, non. C'était ridicule. Will était seulement un étrange gars séduisant sur qui je tombais par hasard partout où j'allais. Cela ne faisait pas de lui un meurtrier. Ma mère ne m'avait-elle pas offert une bombe de gaz lacrymogène pour Noël ? Qu'en avais-je fait ?

— Alors, pourquoi es-tu dehors à te promener si tard dans la nuit ? demanda-t-il, me distrayant de mes pensées. Même si tu vis ici, c'est très tard pour se balader dans les environs.

— Eh bien, tu es aussi ici. J'aime être dehors la nuit. C'est apaisant.

Ce sourire bien à lui s'élargit. C'était comme s'il trouvait cela amusant.

— La plupart des gens se sentiraient nerveux.

Mes mains se posèrent sur mes hanches.

— Pourquoi ? Devrais-je l'être ?

— Quoi ?

— Nerveuse.

— Probablement.

— On ne dirait pas que tu es nerveux, toi.

— Je suis capable de me défendre.

Son sourire devint sinistre, entendu.

— Tu es le gars le plus étrange que j'aie rencontré. Et crois-moi, vous êtes tous étranges, alors ça en dit long.

Une fois que je me rendis compte de ce que j'avais dit, j'eus envie de me frapper la tête contre un mur de briques. Ma bouche aimait bien s'activer alors que cela aurait dû être mes pieds.

Il rit.

— Au moins, tu es franche sur tes sentiments.

— On dit que c'est une vertu.

Je me tournai pour me diriger vers ma maison. Il était temps de partir.

— Rends-moi service et laisse-moi tranquille. Je suis convaincue que tu vas te transformer en Ted Bundy à mes trousses d'une seconde à l'autre[1].

Je regardai autour de moi, espérant qu'un des voisins allumerait la lumière de son porche et sortirait brusquement avec un fusil de chasse à la main. J'étais assez certaine de ne pas bénéficier d'autant de chance.

— As-tu peur de moi? demanda Will, piquant un petit jogging pour me rattraper.

— Essaies-tu d'une manière passive agressive de me dire que je devrais avoir peur de toi? Et pas seulement être nerveuse?

J'étais maintenant à seulement quatre maisons de chez moi.

— Non, mais as-tu déjà entendu le proverbe qui dit : «L'homme courageux finit par mourir, mais l'homme prudent ne vit jamais»?

— Non, je ne l'ai jamais entendu, mais je vais le garder en tête. Merci pour cette sagesse proverbiale, mon ami le harceleur.

Il mit un bras en travers de ma poitrine pour m'arrêter et il regarda au loin, fixant l'obscurité avec froideur.

Son corps se raidit, mais mon instinct me dit que le vent froid n'était pas en cause. Je tournai la tête pour suivre son regard, mais je ne vis rien dans la rue devant moi. Une brise

---

1. N.d.T. : Célèbre tueur en série américain exécuté en Floride en 1989.

éparpilla une poignée de feuilles déjà tombées. Je sentis une odeur bizarre, comme des œufs et de la fumée noire.

— Sens-tu? Qu'est-ce qui cloche?

Il me contourna et se plaça entre moi et la chose qu'il fixait.

— Tu ne peux pas encore voir les Ténèbres.

— Voir quoi? Les quoi?

Je jetai un coup d'œil par-dessus son épaule. Je crus apercevoir une ombre traverser ma route, mais quand je clignai des yeux, il n'y avait rien. Il faisait trop sombre.

Son regard était fixé sur quelque chose dans l'obscurité.

— Ce n'est pas le temps! Retire-toi. Je me fous qu'il soit passé minuit. On ne peut pas la toucher, à moins que tu ne sois prêt à en subir les conséquences.

À l'évidence, il ne s'adressait pas à moi. Je pris tout à coup conscience que même si je connaissais son nom, j'ignorais totalement qui il était. Il pouvait être un toxicomane. Je n'avais jamais vu une personne sous l'influence d'autre chose que la marijuana ou l'alcool, même pas de champignons, encore moins quelque chose de pire, alors je ne savais pas du tout à quoi m'attendre. Mon corps se raidit de peur.

— Qu'est-ce qui tu as pris? J'en ai assez. Je m'en vais maintenant.

Je m'apprêtai à retourner à la maison.

— Non, attends, dit Will.

J'entendis de nouveau le grondement, mais il était plus fort, cette fois. Il ne s'agissait pas d'un moteur de voiture. Était-ce un grognement? Y avait-il un chien — un gros chien — là-bas, dans le noir? Mon cerveau voyait défiler des pensées d'attaque de chien enragé. Si le chien se trouvait assez proche pour que je l'entende, alors j'aurais dû être capable de le voir.

Un autre grognement me parvint, puis des bruits de pas très lourds — comme les pas bruyants du *Tyrannosaurus rex* secouant la tasse d'eau, dans *Le Parc jurassique*.

— Qu'est-ce que c'est que ça ? demandai-je, tremblante, mes yeux fouillant la pénombre.

J'avais l'impression d'être carrément tombée dans une version réelle d'un de mes cauchemars. Ma tête était en proie au vertige et la peur me retournait l'estomac.

Une respiration chaude, puante comme le cadavre d'un animal et venant d'une source inconnue me fouetta le visage, et je me détournai brusquement, victime d'un haut-le-cœur.

— Oh mon Dieu ! gémis-je en me couvrant la bouche.

— Viens ici, dit lentement Will, tendant la main vers moi sans esquisser un pas.

L'expression d'inquiétude que j'avais vue auparavant sur son visage s'était accentuée. Maintenant, il semblait avoir peur et cela m'effraya mille fois plus.

— Pas question ! criai-je, chancelant loin de lui.

Sa peur se changea en frustration quand je m'éloignai.

— Ne crie pas. Tu vas le pousser à attaquer.

La panique s'installa.

— Va-t'en ! hurlai-je.

Je tentai de m'enfuir en courant, mais Will m'attrapa le bras. Je me tortillai et tirai, mais sa poigne était étonnamment solide. C'était comme essayer de traîner un camion à dix-huit roues ; je ne réussis pas à le faire bouger d'un poil.

Comment quelqu'un pouvait-il avoir une telle force ? Je commençai à soulever ses doigts, mais ils étaient comme du roc.

— Il est temps d'arrêter ce jeu, dit-il, envoyant des frissons glacés dans ma colonne vertébrale.

Il m'attira brusquement sur son torse, sans effort, et pressa sa paume sur mon front.

Une vive lumière blanche apparut, m'aveuglant. Chaque centimètre de mon crâne donnait l'impression de vouloir exploser sous la pression. Le sol semblait se secouer et onduler sous mes pieds, et un vent cruel — je ne savais même pas d'où il venait — me malmena violemment, me frappant dans toutes les directions. Mes genoux commencèrent à faiblir, incapables de supporter mon poids, mais Will me retint pour que je ne tombe pas. Quand il retira sa main et me libéra, la lumière disparut tout aussi brusquement qu'elle était apparue. Je reculai en chancelant et tombai sur le coccyx, ma vision s'embrouillant. Mais à travers la brume, j'aurais pu jurer avoir vu des ailes sombres me surplombant, largement écartées. Je clignai des yeux et vis seulement la silhouette floue de Will, là où j'avais pensé qu'il y avait des ailes juste avant. Chaque muscle de mon corps était douloureux, comme si je venais de courir deux kilomètres, mais j'étais regonflée d'énergie. Il y avait une sensation d'adrénaline dans l'air et dans le sol, et chaque parcelle de mon corps picotait sous de minuscules décharges électriques, comme si je me déplaçais à cent cinquante kilomètres à l'heure, même si je n'avais pas bougé d'un millimètre. L'air environnant fut collant et enfumé pendant un moment. Je fermai les yeux très fort et les rouvris pour éclaircir ma vision. Après un court moment, la brume se dissipa. Je fixai la chaussée avec perplexité en me frottant le front.

— Ellie!

Ma vue s'éclaircit soudainement et je vis de nouveau Will. Ma vision était nette et le monde semblait plus clair. Je regardai au-delà de Will, m'émerveillant de la facilité avec laquelle je pouvais voir dans l'obscurité, distinguant chaque feuille dans les buissons de mes voisins, chaque rainure dans les bardeaux de leurs toits.

Puis, je vis le monstre : une chose ressemblant vaguement à un énorme chien couvert d'une épaisse fourrure noire se tenait de manière menaçante au-dessus de nous, dépassant facilement d'un mètre cinquante nos épaules. Il avançait pesamment sur ses quatre pattes, avec son museau rempli de dents menaçantes et déformées entre les mâchoires d'une tête lourde et énorme.

Ses pattes avaient la taille d'un pied d'éléphant et se terminaient par des griffes qui donnaient l'impression de pouvoir fendre un homme en deux.

Mais je n'avais pas peur. Le calme me submergea et mon esprit analysa la situation à la vitesse de l'éclair. D'étranges souvenirs et pensées qui ne m'appartenaient pas inondèrent mon esprit : des visages que j'avais vus et la violence dont j'avais été témoin il y avait longtemps, à des époques différentes. Je levai les yeux vers Will, dont le visage déclencha le souvenir le plus clair et le plus affectueux. Je savais que je devais me battre maintenant, mais j'avais besoin de mes armes.

La bête bondit vers moi, griffes sorties, et elle fendit l'air avec l'une de ses pattes avant, mais Will apparut entre nous.

Il attrapa le membre avant du monstre et lui assena un coup de pied de plein fouet au poitrail, l'envoyant voler en arrière, faisant éclater la boîte aux lettres de mon voisin en d'innombrables petits éclats de bois et de brique.

Cela se produisit tellement vite que je savais que je n'aurais pas dû être capable de le voir, mais c'était le cas. J'avançai, regardant la créature se remettre debout tout en lâchant un grognement sourd et menaçant.

J'allongeai mes deux bras et, par ma volonté, forçai l'apparition de mes armes dans mes paumes ouvertes. Les khépesh jumeaux apparurent comme par magie, dans un éclair de lumière scintillante. Les lames argentées et courbées brillèrent vivement. Je jetai un coup d'œil à Will. Je pouvais maintenant voir les tatouages noirs et complexes sortir de sous son chandail, serpentant le long de son bras droit jusque sur ses jointures. Je me souvins des beaux motifs insérés dans le dessin en spirale parce que je les avais déjà vus avant avec des yeux différents, à une autre époque.

Mes pensées étaient calmes et claires, d'un sang-froid troublant. À mon ordre, les lames explosèrent en flammes blanches. La lumière aveuglante dévora l'argent et la puissance parcourut mes veines. Mes doigts serrèrent les poignées fraîches et familières tandis que les odeurs de l'argent et du vieux sang envahirent mes sens aiguisés. Les épées semblaient à leur place dans mes mains, comme si j'étreignais un vieil ami.

Le monstre commença à tourner autour de moi, grognant à voix basse et libérant un sifflement surnaturel. Ses yeux étaient des puits obscurs sans fond, profondément enchâssés dans son horrible crâne déformé. Je plongeai carrément mon regard dedans, sans crainte ni hésitation.

Je me déplaçai avec la créature afin qu'elle ne se retrouve jamais derrière mon dos et d'une voix qui ne ressemblait pas à la mienne, je défiai la bête :

— Viens me chercher.

Le monstre à l'allure de loup attaqua, les pattes et les griffes déployées, son imposante mâchoire ouverte. Je m'écartai en pivotant brusquement juste au moment où ses dents se refermèrent sur le capuchon de mon kangourou au lieu de sur ma gorge. La bête tira sur le rabat en coton, m'infligeant de violents mouvements de torsion, tournant, grognant. Ses pattes agrippèrent mon corps, me tirant plus près de sa bouche afin de pouvoir mordre mon visage. J'écrasai mon coude sur son museau et il s'effondra sur ses pattes arrière en gémissant. Puis, mon coude s'abaissa vivement sur le haut de son crâne et quelque chose craqua, mais le monstre ne fit que mordre plus fort dans mon capuchon, déchirant le tissu. Il me lança brusquement sur le sol et je levai les yeux. Will le tenait à la gorge, son bras enfoui jusqu'au coude dans son épaisse fourrure, obligeant la bête à reculer.

— Maintenant ! rugit-il.

Il se débattit violemment comme un bull-terrier géant et il se libéra.

Mes yeux se fixèrent sur ma cible et mon esprit s'éclaircit pour saisir l'occasion. En moins de temps qu'un battement de cœur, je fus debout et j'enfonçai mon épée enflammée dans sa gorge molle, puis fis ressortir la pointe par le haut de son crâne. Les jambes de la créature cédèrent et sa fourrure scintilla de manière bizarre avant d'exploser en flammes. Cela se passa très vite. Le feu dévora le faucheur, l'avalant dans sa lumière blanche, le consumant jusqu'à ce que sa tête disparaisse enfin, ne laissant rien d'autre qu'une place vide et des cendres tombantes là où le monstre se tenait avant.

Puis, les ombres se refermèrent sur moi.

4

Le lendemain matin, ma tête et chaque muscle de mon corps me faisaient souffrir, comme si j'avais couru un marathon sur des talons aiguilles dans deux mètres de neige. Des épisodes fragmentés du cauchemar que j'avais fait la nuit précédente tournèrent dans mon esprit. Même si j'étais agacée d'avoir rêvé à Will, j'étais encore plus dérangée du fait que le rêve avait été plus frappant et plus effrayant que mes mauvais rêves habituels. Pourquoi portais-je toujours mon jean et mon t-shirt? Mon kangourou, par contre, manquait à l'appel. Je fouillai dans ma corbeille à linge et entre les couvertures de mon lit, mais il n'était nulle part. Comment avait-il pu simplement disparaître?

Et si ce qui s'était passé hier soir n'était pas un rêve?

Il y eut un coup frappé à ma porte.

— La vedette du jour est-elle déjà réveillée?

C'était ma mère.

— Allons, Ellie! Lève-toi!

Je me dirigeai vers la salle de bain pour me doucher, je lissai les détestables vagues dans ma chevelure avec le fer plat et enfilai un jean et un t-shirt propres. Je me dirigeai en bas pour rejoindre ma mère dans la cuisine.

— Je t'ai préparé des crêpes parce que c'est ton anniversaire, déclara ma mère avec entrain et, en souriant gaiement, elle me présenta une assiette avec une haute pile. Je sais que tu n'as pas mangé celles que je t'ai cuisinées hier, alors j'espère que tu te sens assez bien pour les apprécier davantage ce matin.

— Merci, maman, dis-je en m'assoyant au comptoir pour manger.

— Bon anniversaire, chérie, dit-elle en embrassant le dessus de mon crâne. Je t'aime.

— Je t'aime aussi. Où est papa?

Son sourire s'évanouit.

— Il a dû partir tôt. Il assiste à une réunion à Lansing. Il m'a dit de te souhaiter un joyeux anniversaire et de te dire qu'il t'aime.

Je m'obligeai à sourire, assez certaine qu'elle avait inventé la dernière partie. Il était plus probablement parti pour sa réunion sans dire un mot.

Le visage de maman s'égaya.

— Alors, j'ai pensé que nous pourrions aller t'acheter ton cadeau après l'école. Je sais que ce sera une journée très difficile avec tout ce qui s'est produit hier, mais avec de la chance, cela la rendra un peu moins horrible. Ça te tente?

Mon cœur bondit.

— Ouais.

— D'accord, alors. Je vais travailler un peu avant que nous partions pour l'école.

Elle pivota pour retourner dans son bureau.

— Assure-toi de manger. Nous passerons chez le concessionnaire automobile après l'école pour voir ce qu'il a.

Génial.

— Hé, maman ?

Elle se retourna.

— Ouais, chérie ?

— As-tu entendu quelque chose hier soir ?

Je ne savais pas trop à quoi m'attendre comme réponse de sa part.

Elle fronça les sourcils.

— Oh, ma douce, je suis tellement désolée que ton père et moi nous soyons querellés. Je suis désolée que tu aies entendu cela.

— Je veux parler d'un genre de grognement, comme un énorme chien ou un ours.

Maman me lança un regard étrange, sous-pesant mes propos. Le rouge enflamma mes joues quand je m'aperçus à quel point j'avais l'air stupide.

— Il ne s'agissait pas d'un cauchemar ?

— Non, j'étais éveillée.

Elle soupira et ses lèvres se serrèrent.

— C'était peut-être deux chiens qui se bagarraient dehors ? Je n'ai rien entendu. Tu n'entendrais pas des bruits bizarres si tu fermais ta fenêtre la nuit.

— J'image que tu as raison.

Le consensus était officiel : ce n'était qu'un rêve et j'étais folle.

Dès que j'arrivai à mon casier, je fus accueillie par Landon, qui portait un vase avec des roses. Ma mâchoire s'allongea jusqu'au sol.

— Es-tu sérieux ? demandai-je, mon regard s'étendant sur l'exubérant bouquet.

— Bon anniversaire, Ellie.

Il m'embrassa la joue. Devant cette gentillesse, je me sentais prête à imploser à tout moment.

Il me tendit le vase et je le pris.

— Je ne veux pas que ton anniversaire soit pourri, même si c'est une journée triste et tout. J'espère que cela la rendra plus agréable.

J'enroulai mon bras libre autour de ses épaules et je l'étreignis.

— Merci beaucoup, Landon ! Tu es trop bon pour moi. Cela fera assurément ma journée.

Son sourire s'élargit.

— Je dois me dépêcher d'aller en cours, mais je suis vraiment content que tu sois heureuse. On se voit plus tard.

— Salut !

Je dus retirer une pile de vieux papiers au fond de mon casier pour ménager un espace sûr pour le vase. Je connaissais Landon depuis longtemps, mais il ne m'avait jamais offert de fleurs avant. Quel chou ! Je dansais presque en me rendant à ma salle de classe.

Les cours se déroulèrent comme je l'avais prédit. Pendant les annonces du matin, le directeur prononça un long discours sur monsieur Meyer dans l'interphone. Puis, mon enseignante principale, madame Wright, en fit un autre. Les quatre premières périodes de la journée se ressemblèrent beaucoup. Les professeurs dirent un mot, enseignèrent peu et ne donnèrent aucun devoir. Mon examen de mathématiques fut remis au lundi suivant, ce qui m'allait très bien parce que je n'avais aucune envie de passer un test le jour de mon anniversaire. À la troisième période, pendant un atelier que je prenais uniquement pour augmenter la moyenne de mes notes, je le jure, nous ne fîmes rien d'autre que rester assis à nos tables à discuter des projets de sablage de la semaine suivante. Je supposai que se montrer sentimental serait trop difficile à gérer pour le pauvre monsieur Gray. Quand l'heure du repas du midi sonna, je rejoignis mes amis. Nous fîmes tous un effort pour passer un moment raisonnablement normal. Même un idiot pouvait voir à quel point monsieur Meyer avait été aimé.

Kate, Landon et moi nous assîmes à notre place habituelle, dans le coin droit, près des fenêtres ouvrant sur la cour. Evan, Rachel et Chris se joignirent à nous et, étonnamment et heureusement, tout le monde évita le sujet du meurtre de monsieur Meyer. Quand j'eus terminé mon repas, je me dirigeai vers les toilettes pour une pause rapide.

Au moment où je me lavais les mains au lavabo, quelque chose me fit m'arrêter une seconde pour me regarder dans la glace. Ma gorge se serra de peur alors que je fixais le côté droit de mon visage. Des trucs noirs — des lignes ressemblant à des fils d'araignée — rampaient depuis mon cuir chevelu jusqu'à ma joue et autour de mon œil droit, s'entrelaçant. La peur se changea en répulsion tandis que je frottais ma joue très fort, essayant d'enlever les taches noires. Les lignes continuaient à arriver, s'allongeant et couvrant de plus en plus mon visage. Je frottais, mais je ne les sentais pas sur ma peau. Étaient-elles *dans* ma peau ?

À moitié en larmes, à moitié folle de peur, je m'emparai d'une poignée de serviettes en papier et les mouillai sous l'eau du robinet. Je frottai vigoureusement mon visage avec les serviettes en papier mouillées, mais quand je les baissai, les lignes se trouvaient encore là et mes yeux étaient devenus totalement blancs, comme deux boules de billard.

Je lâchai les serviettes et reculai jusqu'à ce que mon dos se cogne contre la structure des cabinets de toilette. Je me couvris le visage à deux mains, mes doigts s'entremêlant avec mes cheveux, les tirant dans mon désespoir.

Que je levai les yeux de nouveau, je ne vis rien sur mon visage dans le miroir, sauf des sillons de larmes. Aucun truc noir. Pas de noirceur. Les lignes avaient disparu. Mes yeux étaient redevenus normaux.

J'aspergeai mon visage d'eau froide pour atténuer la rougeur et pris plusieurs longues et lentes respirations pour calmer mes nerfs. Quand je me sentis assez rassérénée pour retourner à la cafétéria, je sortis en trombe de la salle des toilettes, décidée à oublier ce qui venait juste de m'arriver. En tournant le coin, je tombai directement sur Will.

— Oh mon Dieu! m'écriai-je en combattant l'envie de le frapper. Tu m'as foutu une peur bleue! Que fais-tu à mon école? Je pensais que tu ne venais pas ici.

Je tirai nerveusement mon sac plus haut sur mon épaule et pris une profonde inspiration. C'est là que je remarquai que les tatouages noirs formant des spirales de haut en bas de son bras musclé étaient clairement visibles — les mêmes tatouages qu'il avait eus dans mon rêve. Je fixai les étranges symboles et la noirceur qui ondulait me rappela celle qui s'étendait sur mon visage quelques instants plus tôt. Mais c'était différent. Ses tatouages étaient beaux, d'une manière effroyable et surnaturelle. Ils serpentaient et dansaient sur sa peau comme s'ils étaient fiers et provocants. Je n'arrivais pas à détourner mon regard d'eux.

Il ignora ma question.

— Est-ce que ça va?

M'avait-il entendue pleurer ? Comment le savait-il ? Arrachant mes yeux de ses tatouages, je chassai mes pensées et affirmai sévèrement :

— Je vais bien.

— Je dois te parler.

Il ne souriait pas. En fait, il n'avait pas l'air gai du tout et son regard interrogateur tomba sur ma joue encore rouge. Je la couvris avec ma paume d'un air embarrassé.

— À propos de quoi ? Je dois retourner à mon repas.

Je commençai à le contourner, mais il fit un pas de côté pour se placer devant moi, me bloquant la route. Après ce qui venait d'arriver dans les toilettes, je n'étais pas d'humeur à affronter plus de folie.

— Nous devons discuter d'hier soir.

Mon estomac se serra et la peur que j'avais ressentie un moment auparavant revint en force dans mon corps.

— Je ne sais pas de quoi tu parles. J'étais à la maison, hier soir. Nous n'avons rien à nous…

— Ne t'en souviens-tu pas ?

Il se pencha vers moi, ses yeux verts grands ouverts plongeant dans mes yeux noisette. Il était tellement près qu'il était tout ce que je pouvais ressentir, voir et respirer. Mes sens se noyaient en lui.

— Me souvenir de quoi ?

Ce n'était qu'un rêve. Il le fallait. Ce qui s'était passé ne pouvait pas être réel. Je l'avais imaginé, exactement comme j'avais imaginé les toiles d'araignée noires sur mon visage.

— Le faucheur ? Celui que tu as tué ? me demanda-t-il dans un murmure sévère.

— Le quoi ? À quoi diable te drogues-tu, Will ?

J'essayai de m'écartai, mais il me retint plus solidement.

— Écoute, je ne prends pas ces trucs, quoi qu'ils soient, alors...

— Ça suffit, gronda-t-il en se penchant plus près de moi. Tu dois accepter ce qui s'est produit hier soir et ce que tu es, peu importe à quel point tu n'en as pas envie. Faire semblant qu'il s'agit seulement d'un rêve ou que je suis fou ne t'aidera pas. Cela ne fera qu'empirer les choses.

— Je ne sais pas de quoi tu parles ! sifflai-je à travers mes dents serrées.

Je m'efforçai désespérément d'empêcher ma colère de provoquer d'autres larmes.

Will respira profondément et prononça les mots suivants lentement.

— Écoute, je me sens mal et je ne veux pas t'effrayer...

— Eh bien, tu y réussis très bien !

— Écoute-moi seulement une minute et je partirai. D'accord ?

J'examinai son visage. Il était vraiment sérieux à propos de tout cela. Il valait mieux jouer le jeu avec lui.

— Bien.

Il prit une autre profonde inspiration. Il parla lentement, mais avec une intensité qui m'effraya encore plus.

— Ce que tu as vu — ce que tu as *combattu* —, hier soir, était un faucheur. Oublie les squelettes qui manient des faux dans une longue robe. Ceci est réel. La plupart n'ont pas besoin de faux parce qu'ils ont des dents et des griffes en guise d'arme. Ils te mangent. Ils mangent ta chair et boivent ton sang et ensuite, ils traînent ton âme en enfer. Ton professeur, monsieur Meyer, a été tué et mangé par le même que tu as tué hier soir. Tu es le Preliator, la seule mortelle au monde avec le pouvoir de les combattre. Et je suis ton Gardien, ton garde du corps, qui a fait le serment de te protéger et de te défendre. Et tu rends mon travail atrocement difficile.

Je le fixai quelques instants, incapable de décider comment réagir. Je choisis la voie facile.

— Tu es complètement fou.

— Merde ! dit Will en levant les bras au ciel. C'est ridicule. Je ne comprends pas pourquoi tu ne te souviens de rien. J'ai déclenché ton pouvoir, hier soir. Tu t'es réveillée et tu es entrée dans les Ténèbres par toi-même, et tu as tué le faucheur. Pourquoi ne t'en souviens-tu pas maintenant ?

Il s'écarta de moi et cramponna sa main sur le dessus de sa tête. Sa voix était rapide et inquiète.

— Cela fait peut-être trop longtemps. Avant, il s'écoulait toujours dix-huit ans entre les cycles. Ton âme dort depuis trop longtemps.

Je reculai, ma main rampant le long du mur, incapable de trouver un sens à ses paroles. Puis, je remarquai la chaîne en métal autour de son cou, enfouie sous sa chemise. L'image d'un objet brillant surgit dans mon esprit, se balançant — un signe de plus. C'était comme du déjà-vu, un souvenir que je ne me souvenais pas avoir eu, si cela avait un sens.

— Et si tu te demandes où est passé ton kangourou, regarde dans ta poubelle. Désolé qu'il ait été abîmé.

— Abîmé ?

— Y a-t-il un problème, mademoiselle Monroe ?

Je me tournai et vis un des assistants du directeur, monsieur Abbot, debout derrière moi, son regard passant de moi à Will.

— Qui est ce jeune homme ? demanda monsieur Abbot, voyant clairement que Will n'était pas un élève du secondaire.

Son regard accusateur s'attarda sur les tatouages recouvrant le bras de Will. Pour lui, les tatouages devaient être un signe évident de délinquance.

— Un ami, répondit Will. Je suis venu apporter un devoir qu'Ellie avait oublié chez moi.

Monsieur Abbot me regarda d'un air interrogateur.

— Est-ce vrai ?

Je hochai la tête.

— Oui, monsieur. Ça va.

J'ignorais pourquoi je le couvrais. Peut-être que sa folie m'avait contaminée comme un mauvais rhume ou quelque chose de pire.

Il se tourna vers Will.

— Jeune homme, je vais vous demander de quitter le campus. Vous avez rendu un bon service à Ellie en lui apportant son devoir. Cependant, vous n'êtes pas un étudiant et vous n'avez pas signé une carte de visiteur, alors vous devez partir.

Will hocha la tête.

— Ça va. Je vais dire au revoir et partir.

Il fixa intensément monsieur Abbot, refusant de broncher. Étrangement, le directeur adjoint fit un drôle d'air avant de se tourner et de partir.

— Ellie, voudrais-tu me parler après l'école ? me demanda Will.

— Pas question, dis-je en lui tournant le dos.

Il me contourna afin que nous nous tenions face à face.

— Si tu ne le fais pas, tu ne sauras pas comment convoquer tes épées et tu ne seras pas capable de te défendre.

Je sentis un frisson remonter lentement le long de ma colonne pendant que ses yeux plongeaient dans les miens, attachant nos regards, sa voix basse et carrément agressive.

— Est-ce une menace ? demandai-je avec précaution.

Son expression ne révéla rien.

— Ils viendront à ta recherche.

Le frisson se transforma en une peur violente, qui s'enfonça dans mon ventre comme un coup de poignard. Mon pouls s'accéléra et je pressai les lèvres ensemble quand je sentis le rouge monter à mon visage.

— Maintenant que j'ai réveillé tes pouvoirs, tu es la proie rêvée pour les faucheurs. Tu es à ton stade le plus vulnérable et c'est là qu'ils frapperont.

Je pris une profonde inspiration.

— Si tu ne me laisses pas tranquille, je vais crier pour alerter le service de sécurité et on va appeler les flics.

Il m'observa quelques instants. Sa mâchoire était fortement serrée et il suçait sa lèvre supérieure de frustration.

— Il faut parfois du temps pour que tu recouvres la mémoire, mais cela n'a jamais été aussi pire. Je sais que tu fais des cauchemars. Tu les as toujours eus quand tu es prête à accepter ton identité. Bien sûr, la dernière fois que je t'ai vue — la véritable toi — eh bien, c'était il y a quarante ans. Tu es partie depuis vingt-huit ans.

Ma gorge se serra.

Il me décocha un sourire stupéfiant, sauf que cette fois il présentait quelque chose de différent, quelque chose de secret.

— Bon anniversaire, en passant. Je suis désolé de ne pas te l'avoir souhaité hier soir, mais j'ai un cadeau pour toi. Tu t'es évanouie avant que je puisse te l'offrir.

Will sortit quelque chose de sa poche et il tendit la main. Un pendentif de la forme d'une paire d'ailes blanches était posé dans sa paume, pendant au bout d'une chaîne. Le collier était splendide, éthéré, ses ailes d'un blanc si brillant qu'elles scintillaient et semblaient luire sous la lumière. Quand je clignai des yeux, la lueur avait disparu.

— Qu'est-ce que c'est? dis-je, émerveillée par le pendentif ailé.

— Il t'appartient depuis toujours, dit-il en levant ma main et en plaçant le collier dans ma paume. Depuis avant que je te connaisse. Il ne se ternit jamais et ne se décolore pas. Il est toujours pareil. Éternel, même quand le destin réclame tant de choses.

Il referma délicatement mes doigts sur le pendentif, ses mains chaudes s'attardant un peu trop longtemps.

— Je te reparle bientôt.

Will se tourna et partit. J'ouvris la main pour fixer le beau collier. Caressant les ailes de mes doigts, je n'arrivai pas à décider de quoi il était fait. La surface du pendentif était lisse et lumineuse comme la nacre, mais il s'agissait en réalité de quelque chose de plus précieux que cette matière. Sa beauté m'apaisa et je glissai dans une étrange transe nostalgique; des murmures de souvenirs qui ne pouvaient pas m'appartenir surgirent dans mon esprit. Des images lointaines du visage de Will, de faucheurs se tapissant dans l'obscurité, de moi courant à travers des ruelles et des forêts, du collier dans mes mains. Des choses dont je ne devrais pas me souvenir et qui étaient pourtant là.

Je secouai la tête et fourrai le collier dans mon sac à main.

«Plus de quarante ans?»

Je me laissai tomber contre les casiers avec lassitude et je me frottai le visage à deux mains. Pourquoi Will ne pouvait-il pas me laisser tranquille? Il semblait fermement croire que j'étais un genre de super héroïne et cela devait être la chose la plus folle que j'avais entendue. Et comme si cela ne suffisait pas, il avait dit qu'il me reparlerait bientôt. Même si je connaissais peu Will, j'étais certaine qu'il s'agissait d'une promesse.

Je retournai à ma pause du midi avec mes amis et essayai de l'oublier, mais je n'y arrivai pas. La quatrième période arriva et se termina sans incident autre que Kate me distrayant de la discussion sur le devoir de la semaine. Un truc à propos de plans pour aller acheter des robes pour nos tenues de samedi soir. Heureusement, c'était le seul autre cours que j'avais avec Kate, alors je pus me concentrer un peu plus pendant les autres. La cinquième période sur l'histoire européenne fut légèrement intéressante parce qu'en fait, j'aimais l'histoire. C'était un sujet que je comprenais facilement, contrairement aux sciences économiques.

Alors que j'étais assise à ma table, ignorant mon camarade à côté qui se grattait distraitement le visage, je me surpris à penser à la nuit précédente. J'essayai de me rappeler l'horrible créature que Will appelait un «faucheur». Le monstre grondant aux yeux morts me fixait dans mes souvenirs, ses énormes griffes s'enfonçant dans la terre, prêt à bondir. Pourquoi rêverais-je de choses si atroces? Je me frottai les avant-bras, me remémorant la sensation de sa fourrure effleurant ma peau. Jamais auparavant un cauchemar ne m'avait semblé si réel, dans mon esprit, sur ma peau et dans mon cœur.

Je décidai d'imaginer un moment que Will disait la vérité. Si j'étais en effet ce qu'il prétendait, le Preliator, alors ces monstres, les faucheurs, étaient réels. Que voulait-il dire quand il avait affirmé que j'avais été absente pendant quarante-huit ans?

J'étais tellement troublée. Essayer de comprendre les déclarations de Will suffisait à me rendre folle. Je n'arrivais pas à oublier la surprise de Will parce que je ne me souvenais de rien. Évidemment, il ne s'était rien produit — ce n'était qu'un mauvais rêve et Will était fou, tout simplement. Cependant, comment pouvait-il connaître autant de détails sur mon cauchemar? Il avait même mentionné de nouveau les «Ténèbres», peu importe ce que c'était. Et ses tatouages… Je ne les avais pas vus quand je l'avais rencontré l'après-midi précédent. La première fois que je les avais vus, c'était dans mon rêve.

Dans mon rêve de la veille, Will m'avait touchée et j'étais soudainement devenue une personne différente, quelqu'un de puissant, de très effrayant. Cela me faisait peur, mais j'étais encore attirée par l'idée. Je sortis le collier ailé de mon sac à main et examinai les bords délicats et les gravures élaborées.

«Souviens-toi», me dis-je.

Je réfléchis farouchement, serrant mes paupières et refermant mes doigts autour du collier.

«Souviens-toi, souviens-toi.»

De quoi étais-je censée me souvenir? Je baissai fixement le regard sur mes notes d'histoire. Si seulement ma propre histoire était écrite sur ces pages au lieu de celle de

Charlemagne. Les événements de la nuit défilèrent en boucle dans ma tête comme un film d'horreur : le faucheur me traquant dans l'obscurité et m'attaquant alors que je balançais ces étranges épées enflammées en forme de faux. Tellement de sang…

Puis, mes yeux se troublèrent. Je les fermai très fort et les rouvris, détournant le visage de la lumière crue de la salle de classe pour fixer le plancher. La température chuta, et je frissonnai et me frottai les bras. Le sol devint flou, et mon bureau ainsi que tous les visages autour de moi disparurent, me laissant seule dans le noir, agenouillée sur un sol enneigé. Je me levai et regardai autour de moi. Je vis une forêt dense et ombragée se refermer sur moi et je sentis le vent glacial et sans pitié sur mon visage.

Tandis que je me déplaçais dans les Ténèbres, mes yeux tombèrent sur la traînée de sang parsemant la neige devant moi. Je savais que le faucheur n'était pas loin. Il avait pris presque cent vies déjà dans la région pauvre de Le Gévaudan, dans le sud de la France. Les dragons envoyés par le roi français n'avaient rien trouvé et avaient laissé une file interminable de carcasses de loups innocents dans leur sillage. Le faucheur à l'allure de loup était plus intelligent et il était plus affamé que n'importe lequel d'entre eux, et cela le rendait beaucoup plus dangereux. Ils ne pouvaient pas traquer quelque chose qu'ils ne pouvaient pas voir et qui était plus brillant qu'eux.

Soudain, je le sentis — le picotement de la puissance la plus maléfique de toutes rampant sur ma chair, roulant dans la terre, sous la neige.

Quelque chose de sombre apparut brièvement à ma droite, puis à ma gauche. Il tournait autour de moi.

Je détestais cela quand ils me prenaient en chasse à leur tour. Je tins mes épées près de moi. Les flammes ne faisaient pas fondre la neige autour de moi. Le feu d'ange brûlait seulement ce qui était malfaisant et gardait tout le reste intact.

Des pas firent crisser la neige devant moi. Le faucheur avait enfin décidé de se montrer. Il s'approcha, me permettant de mieux le voir. Il dévoila ses dents en grognant une promesse de mort et sa fourrure noire luisit sous un liquide rouge foncé. Du sang. Je ne savais pas à quoi ou à qui il appartenait.

— Tu es stupide de me traquer, Preliator, gronda-t-il à travers sa mâchoire semblable à celle d'un loup, une mâchoire qui n'aurait jamais dû être capable de prononcer des mots humains. C'est mon territoire. Les âmes sur cette terre m'appartiendront. Tu finiras ta vie ici, dans cette forêt.

Je me moquai de lui et resserrai ma prise sur mes deux poignées.

— C'est possible, mais avant de mourir, je m'assurerai que tu ne quitteras pas non plus cette forêt vivant. C'est le prix que tu dois payer pour avoir pris autant de sang.

Le faucheur leva la tête, ses yeux noirs m'observant avec curiosité.

— Et quel prix paies-tu ? Pour tout le sang que tu as versé ?

— C'est mon devoir.

Il m'ignora.

— La solitude, je suppose.

Sa voix était tellement basse que m'efforcer de l'entendre blessait mes oreilles.

— Arrête d'essayer de te mettre dans ma tête et contente-toi de te battre avec moi, Holger.

Il baissa la tête et sa gueule forma un étrange sourire vorace. Ses yeux étaient presque invisibles dans sa fourrure noire, révélés seulement par la lueur du feu d'ange sur leur surface vitreuse.

— Tu connais mon nom.

— Je connais bien plus que cela sur ton compte.

— Est-ce que cette connaissance te porte à me craindre ? demanda-t-il, effroyablement rempli d'espoir.

Il était vieux — plus vieux et plus puissant que la plupart des faucheurs que j'avais combattus ces dernières années. Trois cents ans, c'était certainement un âge dont on pouvait se vanter.

— Cela te rendrait heureux, n'est-ce pas ?

— Oui, oui, c'est vrai, dit Holger, les mots roulant sur sa langue géante. Où est ton Gardien, Preliator ?

— Pas très loin derrière.

Cela n'avait pas d'importance. Je devais détruire le faucheur par moi-même ou bien il enverrait d'autres âmes innocentes dans les Enfers.

— Eh bien, j'ai beaucoup de chance.

Il plongea, la mâchoire ouverte et les griffes écartées. Je bondis et il atterrit à côté de moi, glissant dans la neige et faisant gicler la poudre blanche et scintillante. Il sauta de nouveau vers moi et je m'élançai derrière un arbre. Il se cogna dessus, faisant tomber la moitié de la neige sur l'arbre sous la secousse et creusant un gros trou dans l'écorce avec son corps. Il rugit de fureur et chaque arbre près de lui vibra sous la force de son énergie. Sa puissance explosa et il frappa un tronc d'arbre avec sa patte, ses griffes fendant pratiquement le tronc en deux. L'arbre ploya et je levai les yeux au moment où il s'écrasait, mais je reculai avant qu'il m'épingle au sol. Bien qu'il m'ait ratée, le tronc avait coincé l'une de mes épées sous lui et les flammes s'éteignirent. J'attrapai la poignée et tirai, mais la lame ne se libéra pas.

Holger grimpa sur le tronc et son museau hargneux se retrouva à quelques centimètres de mon visage. Il fit claquer sa mâchoire et fouetta son épaisse queue sous la colère, puis il plongea sur moi, mais un coup puissant sur son crâne le fit tomber de l'arbre.

Mon cœur bondit quand je vis Will. Il frappa encore une fois la tête du faucheur, écrasant Holger au sol. Will se tourna brusquement pour me regarder en face et beugla :

— Ton épée !

Je hochai la tête et tirai encore sur le khépesh, écrasant ma botte sur le tronc pour faire levier. La lame glissa enfin et sortit. Le feu d'ange jaillit d'elle. Je tournai la tête juste à temps pour voir Holger m'attaquer là où j'étais allongée. Sa mâchoire claqua dans ma direction, mais je m'écartai en pivotant et ses dents se refermèrent sur la terre et la neige sous ma chair. Avec un cri de désespoir, je plongeai l'épée avec autant de force que possible. La lame s'enfonça profondément dans son cou et son corps s'enflamma immédiatement. La tête d'Holger se détacha de son corps et bascula sur mon visage.

Je poussai un cri à voix haute et ma chaise glissa sous moi. Le vacarme résonna dans la salle de classe tandis que mes fesses frappaient le plancher de carreaux et que la chaise tombait avec fracas.

Tout le monde autour de moi était silencieux, trop sonné pour rire, mais je n'osai pas lever les yeux. Mon corps entier s'empourpra.

« Oh mon Dieu, oh mon Dieu... »

Mes deux mains recouvrirent mon visage alors que j'étais assise sur le plancher, totalement morte de honte.

— Putain, Ellie, est-ce que ça va ? demanda mon partenaire.

Je levai les yeux pour voir son visage qui m'examinait d'en haut.

— La chaise… Elle a glissé.

5

Le reste de la journée se déroula sans autre incident. Plus de rêves éveillés, me dis-je fermement. Mes cauchemars m'effrayaient suffisamment et je n'avais aucune envie de les faire lorsque je ne dormais pas. Le souvenir de ce que j'avais expérimenté dans mon cours d'histoire était frais à ma mémoire et me brûlait comme une coupure de papier. La nouvelle de l'épisode se propagea rapidement dans l'école, de sorte qu'à la dernière période, j'étais déjà connue comme la fille qui était tombée sur les fesses pendant un cours. J'allais devoir déménager. Probablement en Alaska.

Enfin, la journée d'école se termina et je me hâtai vers mon casier. Mon moment de répit avec Kate et Landon resta bref — j'avais d'autres choses en tête. Par exemple, acheter ma voiture. Et mes cauchemars qui s'animaient.

J'acceptai avec peu d'enthousiasme de rejoindre Kate au centre commercial le samedi pour nous procurer des tenues pour ma fête, comme nous en avions discuté plus tôt dans le cours de maths. Après un au revoir hâtif et un second merci à Landon pour les roses, je me dirigeai dehors avec le vase dans les bras pour aller retrouver ma mère.

Elle paraissait aussi excitée que moi.

— Ma chérie, de qui viennent ces fleurs?

— Landon, dis-je en les sentant de nouveau.

— Eh bien, c'était très gentil de sa part, suggéra-t-elle en zieutant le vase.

— J'imagine qu'il veut se faire pardonner pour toutes les balles de neige qu'il m'a lancées au visage et qu'il a enfoncées dans mon chandail au fil des ans.

Elle hocha lentement la tête et son front se plissa brièvement.

— Si tu le dis.

Nous roulâmes jusque chez le concessionnaire d'automobiles, à quelques kilomètres de l'école, et examinâmes chaque véhicule sur place. J'avais arrêté mon choix sur une berline, alors nous décidâmes d'aller faire un essai routier avec deux voitures différentes, la vendeuse à la forte poitrine nous suivant avec joie. Je tombai amoureuse d'une petite Audi blanche avec un intérieur noir. Elle avait un caractère plus sportif que les autres et elle me semblait absolument parfaite.

Une fois que ma mère eut organisé l'achat et que nous fûmes prêtes à rentrer à la maison, je m'installai d'un bond sur le siège du conducteur de mon cadeau d'anniversaire. L'intérieur était enveloppé de cuir doux et frais et je m'enfonçai dedans.

Maman glissa la tête par la vitre du conducteur pour me sourire.

— Je vais l'appeler Guimauve, déclarai-je.

Ma mère arqua un sourcil.

— Guimauve?

— Oui, et il adore ça.

Je fis courir mes doigts tendrement sur le volant recouvert de cuir.

— Alors, que dirais-tu de rentrer à la maison au volant de ta nouvelle voiture?

— Oui! criai-je presque.

— Assure-toi de remercier ton père, une fois à la maison.

Je hochai la tête, souriant largement. J'étais presque assez follement heureuse pour oublier l'effrayant rêve éveillé que j'avais fait plus tôt dans la journée. Presque.

Je suivis ma mère jusqu'à la maison. L'Audi glissa sur les routes vallonnées comme un charme. En haut et en bas, à droite et à gauche, le véhicule se comportait bien sans effort et je me sentais en plein contrôle, détachée du monde. J'ignorais ce qui me prenait, si c'était l'excitation de posséder ma première voiture ou la fête qui approchait, mais je me sentais pleine d'énergie. Différente. Je me sentais bien. Il ne restait rien des douleurs avec lesquelles je m'étais réveillée ce matin-là.

Au moment où je pénétrais dans l'allée derrière le véhicule de ma mère, je jetai par hasard un coup d'œil à la boîte aux lettres de mon voisin, qui formait une pile d'éclats sur le sol. Mon voisin, monsieur Ashton, ramassait les fragments de bois et les morceaux de briques éparpillés sur sa pelouse. Un souvenir très net de la veille se glissa dans ma tête et le sang quitta mon visage. Une vague glaciale me submergea lorsque je sortis de la voiture, m'étourdissant au point où je dus m'appuyer sur la portière pour me retenir. Je remarquai le cratère irrégulier pas très loin dans la rue.

— C'est arrivé hier soir, dit ma mère en fronçant les sourcils. Il semble qu'un nid-de-poule aurait mené un conducteur à frapper le trottoir et ensuite la boîte aux lettres de monsieur Ashton. L'association du quartier va envoyer quelqu'un remplir le trou demain. C'est bizarre, car ces trucs ne se forment habituellement qu'au printemps.

Je m'appuyai sur ma voiture pour me retenir, étourdie, mes respirations étant longues, mais superficielles.

— C'est peut-être ce que tu as entendu hier soir? suggéra maman. Le bruit fort dont tu as parlé.

J'observai monsieur Ashton jeter les restes de sa boîte aux lettres dans une brouette et les transporter dans sa cour arrière.

— Peut-être.

Je montai à ma chambre en courant et laissai tomber le contenu de ma poubelle sur le tapis. Will devait avoir tort. Mon kangourou manquant ne pouvait pas se trouver là. Mais juste devant moi, au milieu d'un cahier de notes froissé, de mouchoirs en boulettes et d'un emballage de friandise, il y avait mon kangourou. Je le soulevai, cueillant avec précaution le capuchon entre deux doigts.

Le coton était en lambeaux, raidi par une substance mouillée et épaisse qui avait séché sur toute sa surface, et les manches et le corps étaient éclaboussés de gouttelettes de sang séché. L'ensemble dégageait une odeur fétide de bave de chien entremêlée d'un faible parfum piquant de vieux sang.

Je me ruai dans la salle de bain et vomis dans la toilette.

Ce soir-là, Kate me téléphona à dix-neuf heures afin que je la rejoigne au Starbucks. N'importe quelle raison était assez bonne pour me faire sortir de la maison et conduire ma voiture. En partant, je reniflai les roses sur ma coiffeuse et essayai de ne pas penser à ma découverte déchiquetée dans ma poubelle. J'informai ma mère de l'endroit où je me rendais et elle me donna sa permission sans trop de résistance. À mon arrivée, Kate se tenait debout à côté de son auto dans le parc de stationnement, avec Landon et Chris. Elle poussa un cri perçant lorsqu'elle vit mon véhicule neuf.

— Ah! s'écria-t-elle. Il est tellement mignon. J'approuve.

— Merci! dis-je, rayonnante. Je l'ai appelé Guimauve. N'est-ce pas parfait?

— Oh mon Dieu, oui, dit Kate en jetant un coup d'œil par la vitre du conducteur. Rubis veut qu'il devienne son petit ami.

Elle faisait référence à sa BMW rouge.

— Les filles riches et leurs stupides noms de voiture, dit Chris, soupirant en l'examinant. A4, bien. Je vais te faire la course avec ma 370Z.

Je ris.

— Pas question. Je ne vais pas me tuer, merci. Et pourquoi te donnerais-tu cette peine? Je suis presque certaine que tu m'écraserais dans ce truc de toute façon.

— Tant pis, dit-il en se tournant vers Kate. Laisse-moi affronter la E90.

Elle le fixa en souriant largement.

— Continue à rêver.

— Mesdames, vous gaspillez vos voitures, dit Landon en examinant mes pneus.

— Ce sera vraiment la merde quand nous serons des étudiants de première année à l'université de l'État du

Michigan et que nous devrons laisser nos voitures à la maison, dit Kate en faisant la moue.

— As-tu envoyé ta demande d'admission? m'enquis-je.

Elle hocha la tête.

— Ouais. Pas toi?

Je grimaçai. Mes notes n'étaient pas exactement extraordinaires, mais je me maintenais encore à flots.

— Pas encore.

— Eh bien, fais-le vite, dit-elle. Les places se comblent rapidement.

Je notai mentalement de commencer ma demande d'admission la semaine suivante. Aucun de nous ne désirait fréquenter une autre université. Bon, évidemment, lorsque j'avais six ans, je voulais aller à Harvard, mais mes objectifs étaient devenus plus réalistes depuis.

Une fois que les garçons eurent inspecté l'Audi de la grille avant au pare-chocs arrière, nous entrâmes dans le Starbucks pour commander. Kate m'acheta un cappuccino pour mon anniversaire et je le sirotai pendant que nous parlions et riions. J'étais heureuse de ne pas avoir à m'inquiéter à propos des étranges événements des deux derniers jours. En ce moment, la seule chose dont je devais me soucier était de ne pas renverser de café sur moi et de ne pas laisser Landon s'approcher davantage. Il semblait se déplacer de plus en plus près de moi pendant que je l'observais du coin de l'œil. J'étais loin de souffrir de claustrophobie, mais cela se produirait bientôt s'il se rapprochait encore.

— Alors, qu'allons-nous voir demain? demanda Chris, léchant la crème fouettée dans sa tasse.

Le vendredi soir était la soirée cinéma pour notre groupe d'amis. C'était un événement presque religieux pour nous. Je haussai les épaules.

— Je ne sais pas. Qu'est-ce qui est sorti?

— Il y a ce film sur les fantômes qui est sorti la semaine passée, suggéra Kate.

— Bof! dis-je.

J'avais atteint mon quota de situations effrayantes au cours des vingt-quatre dernières heures.

— Un film d'action, peut-être? demanda Landon.

Nous nous décidâmes pour un film à propos d'un tueur à gages aux préoccupations existentielles. La soirée cinéma ne consistait pas à voir des films dignes des Oscar. C'était fait pour passer une soirée agréable à l'extérieur. Que les clichés aillent se faire voir.

Tout à coup, je me souvins de ma dissertation de littérature. Je grondai en direction du sol.

— Je dois réellement commencer ma dissertation.

Kate fronça les sourcils.

— Déjà?

— Vraiment, Ell, dit Landon en me décochant un sourire stupide. Quelle est l'utilité de boire un café le soir si tout ce que tu vas faire est de t'endormir?

Je lui donnai une poussée sur l'épaule pour jouer.

— Bien que ta logique soit sans faille, elle ne m'aidera pas à terminer ma dissertation. Ce cappuccino, par contre, le fera.

— Bien, bien, dit Kate en agitant la main pour me chasser. T'es nulle. Pars.

— Tu ne devrais pas me dire que je suis nulle le jour de mon anniversaire, dis-je avec un grand sourire.

— Joyeux anniversaire!

Son visage s'épanouit en un large sourire.

— Merci, ma chérie.

Je rassemblai mon sac à main et mon café. Je dis au revoir et me dirigeai vers ma voiture. À la maison, je montai à ma chambre et m'aperçus immédiatement que j'avais oublié mon manuel de littérature et mes notes dans mon casier cet après-midi. Je jurai à voix haute et me laissai lourdement tomber sur mon lit.

— Merde, qu'est-ce que je vais faire? dis-je tout haut à personne en particulier.

Je fixai mon sac à dos, furieuse contre lui parce qu'il ne contenait pas ce dont j'avais besoin. Si je ne commençais pas ma dissertation ce soir, je ne la terminerais jamais. Je serais trop occupée avec ma fête. Je devais retourner à l'école pour aller chercher mes choses.

Je jetai un coup d'œil à mon réveil. Il était presque vingt et une heures, mais l'école serait assurément encore ouverte pour les cours du soir destinés aux adultes. Si elle ne l'était pas, j'aurais au moins un bon prétexte pour conduire encore. Je pouvais me montrer optimiste, au besoin.

Je saisis mon sac à dos, mon sac à main, mon cappuccino et mon téléphone cellulaire, et me remis en route vers l'école pour récupérer mon devoir oublié. Le terrain était faiblement éclairé et je découvris seulement deux autres voitures garées dans le parc de stationnement des étudiants, derrière le bâtiment. La seule clarté était fournie par des taches orangées sous les lampadaires du parc de stationnement. Je me garai donc sous l'un d'eux et non dans un endroit sombre. Je me dis que j'avais moins de chance d'être attaquée là.

Je trouvai les portes que j'empruntais habituellement chaque matin verrouillées, alors je contournai le bâtiment jusqu'à ce que j'en découvris une ouverte. À l'intérieur, je saluai d'un hochement de tête un concierge que je reconnus, qui me sourit gentiment pendant qu'il balayait le plancher, écoutant le baladeur MP3 branché dans ses oreilles. Les couloirs étaient faiblement éclairés et mes pas résonnaient gravement. C'était étonnant à quel point l'école donnait la chair de poule le soir. Je courus à mon casier, extirpai d'un coup sec ce dont j'avais besoin et le fourrai dans mon sac avant de sortir du bâtiment en joggant. Pour une raison inconnue, l'extérieur me paraissait maintenant plus sombre.

La lumière du lampadaire à côté de ma voiture clignota et bourdonna. Quelque chose tira sur mon corps et un voile brumeux couvrit ma vision. J'avais de la difficulté à avancer et je baissai les yeux sur mes bras pour voir ce qui me retenait. Le monde, pas seulement l'air, mais tout ce qui était solide, s'étira et s'évanouit comme si je traversais un mur de gélatine. Un pas de plus et je fus soudainement libérée, tandis qu'une explosion de fumée noire s'enroulait autour de mes membres et disparaissait, laissant le monde de nouveau normal.

À mi-chemin de l'autre côté du parc de stationnement, j'entendis un grognement distinct et beaucoup trop familier.

— Oh mon Dieu, murmurai-je en m'arrêtant, apeurée.

Après deux secondes atrocement longues, j'entendis un deuxième grognement vibrer dans l'obscurité.

Je filai, mes mains fouillant frénétiquement dans mes poches à la recherche de mes clés. Quelque chose de lourd martelait le pavé derrière moi, mais j'étais trop terrifiée pour regarder en arrière. Je pressai sur la touche « déverrouiller » cinquante fois avant de m'écraser contre la portière de ma voiture. Une immense silhouette sombre apparut brièvement dans le coin de mon champ de vision. Je criai et me baissai vivement juste au moment où une énorme patte traînait ses griffes sur le pare-chocs avant de ma voiture neuve.

Je tombai sur le sol, renversai mon café et mes sacs et levai les yeux pour faire face à mon agresseur : un faucheur, aussi gros que l'Audi, se dressait de manière menaçante au-dessus de moi, avec une patte sur le capot de ma voiture. Il baissa les yeux sur moi, me couvrant entièrement de son ombre, bloquant la lumière du lampadaire, son poitrail se soulevant à chaque respiration. Sous la lumière jaune, sa fourrure foncée à longs poils hirsutes brillait d'une affreuse couleur gris anthracite. Le faucheur avait la forme d'un loup, exactement comme ceux dans mon rêve éveillé et mon cauchemar de la nuit précédente.

— Je t'ai trouvée, Preliator, dit le faucheur d'une voix grave, rauque, mais étrangement féminine. Et à présent, tu es à moi.

Elle sourit jusqu'aux oreilles, dévoilant une bouche pleine de crocs qu'elle fit claquer dans ma direction.

Une ombre fila à toute vitesse derrière la faucheuse et tout à coup, elle vola au-dessus de l'Audi. Elle atterrit et glissa sur le pavé, enfonçant ses griffes dans le sol et laissant des traces blanches sur son parcours.

J'abaissai les bras et levai les yeux pour découvrir Will debout au-dessus de moi. Sous les tatouages de son bras droit, sa peau brillait vivement sous le lampadaire.

— Es-tu blessée ? me demanda-t-il en m'offrant son bras libre.

Je le pris, le fixant d'un air hébété, et il m'aida à me relever.

— Le cappuccino... Ce doit être la caféine...

Will attrapa soudainement mon épaule, me lança contre ma voiture et me regarda d'un air féroce.

— Secoue-toi, Ellie ! Le déni ne fera pas fuir cette faucheuse !

— Je ne peux pas ! Je...

— Arrête de dire que tu ne peux pas ! Tu le peux ! Tu dois te battre !

Je me retournai subitement, me cognant sur Will tandis que je cherchais la faucheuse, qui avait disparu. Dans ma terreur, j'agrippai la chemise de Will et m'approchai de lui en frissonnant, ma tête tournant violemment de tous les côtés, cherchant désespérément la faucheuse.

— Relâche-la, Gardien !

Sa voix retentit d'un endroit invisible.

Lâchant un cri rauque, je levai brusquement le regard pour voir la faucheuse accroupie sur le toit de mon Audi. Une salive épaisse coulait de sa mâchoire, tombant sur le toit et glissant sur la vitre du conducteur.

— Oh, pauvre enfant, dit la chose en roucoulant et en grondant à demi. Elle tremble. Qu'est-ce qu'il y a, ma fille ? Tu étais censée être un cauchemar, mais tout ce que je vois c'est un petit agneau gémissant. Nous n'avons même pas besoin de l'Enshi. Je vais te tuer moi-même.

Horrifiée, je me ruai pour m'enfuir, mais Will me prit par le bras.

— Encore ! s'écria-t-il, faisant claquer sa paume sur mon front pour la deuxième fois en autant de jours.

L'explosion me frappa, plus forte que la veille, et la lumière blanche m'aveugla. Le monde vibra et tourna, et j'eus encore une fois l'impression d'être piégée au centre d'une tornade. Une bourrasque de vent sinistre tourbillonna autour de moi, tirant mes cheveux et mon corps vers le ciel. Je pressai fortement les paupières, rassemblant mes forces. Will me relâcha et je retombai, mais son bras s'enroula autour de ma taille et il m'attira contre son torse. Après un moment dans les vapes, j'eus la force de me tenir debout par moi-même et il me lâcha.

Quand j'ouvris les yeux, j'appelai mes épées et elles apparurent dans mes mains, s'allongeant magiquement du pommeau de chaque poignée jusqu'au bout de chaque lame. Une simple saccade dans ma poitrine fit exploser des flammes au bout des épées, comme si elles s'allumaient par ma seule volonté. Mon pouvoir déferla en moi et l'énergie de la faucheuse, qui ressemblait à une toile d'araignée et donnait la chair de poule, chauffa mon visage comme un feu crépitant. Je pouvais ressentir — et voir — la puissance de Will tandis qu'il se tenait à côté de moi. Il avait l'air sinistre et beau.

— Je suis prête, maintenant, dis-je.

La faucheuse gronda et bondit en bas de la voiture, atterrissant avec un bruit sourd qui fit trembler la terre. Je n'attendis pas qu'elle attaque. Je m'accroupis sur le pavé, resserrai ma poigne sur chaque épée et poussai un cri épouvantable. Mon pouvoir explosa, m'assourdissant momentanément, s'échappant violemment de mon corps comme une sombre explosion de légère fumée blanche, sa force faisant vibrer le sol comme un tremblement de terre. La pression frappa la faucheuse et ma voiture de plein fouet avec assez de force pour les déplacer de plusieurs mètres. Mes oreilles bourdonnèrent pendant que j'observais la faucheuse s'arc-bouter et tenir bon. Ses yeux vides me fixaient comme des morceaux déformés de verre volcanique.

Je filai sur la faucheuse, élevant les épées au-dessus de ma tête. J'invoquai mon pouvoir et bondis, pivotant dans les airs et écrasant mon pied dans la mâchoire de la faucheuse. En descendant, j'entaillai son corps avec mes lames enflammées, lui tranchant les deux épaules. Elle baissa vivement la tête et donna des coups de dents vers moi quand j'atterris, ses crocs coupant mon bras et déchirant ma peau. Elle balança son cou et sa tête sur mon corps, m'affalant contre un lampadaire. La lumière s'éteignit alors que le verre brisé pleuvait, se dispersant tout autour de moi.

Je restai allongée là, mes yeux s'embrumant un instant, et je regardai mon bras. Des coupures s'alignaient sur ma peau à cause du verre du lampadaire et des dents de la faucheuse. J'essuyai le sang et regardai ma peau guérir juste sous mes yeux. La chair déchirée se raccommodait, comme si elle était cousue avec une aiguille et du fil invisibles, jusqu'à ce que ma peau fût lisse et sans défaut, mises à part les traînées de sang. Mon regard se releva brusquement pour voir la faucheuse avancer vers moi d'un pas lourd et bruyant. Sa mâchoire cliquetait et se déformait d'une manière grotesque tandis que les os que j'avais écrasés avec mon pied se remettaient en place et guérissaient.

— Tu as bon goût, Preliator, gronda-t-elle, étirant la mâchoire. Je pense que je vais prendre une autre bouchée.

J'attrapai l'une de mes épées et attaquai. La faucheuse me vit venir et elle lança une patte dans ma direction, faisant tourner ma tête d'un côté. Je serrai amèrement les dents, ramenai mon bras en avant et enfonçai mon poing dans sa mâchoire de toutes mes forces. Au lieu de simplement se briser encore une fois, sa mâchoire se détacha de son crâne et elle glissa sur le pavé dans une giclée de sang.

Un autre faucheur sortit de nulle part. Il bondit de l'ombre à ma gauche, ses crocs lançant un éclair blanc dans l'obscurité, mais Will plongea sa propre épée dans l'air entre nous, me coupant le souffle. Sa lame géante trancha le cou du faucheur, envoyant sa tête tournoyer dans les airs au-dessus de moi, comme si elle était devenue de la pierre. La tête et le corps frappèrent le pavé et s'écrasèrent en un millier de morceaux rocheux.

Je me retournai brusquement au moment où la première faucheuse ruait sur ses pattes arrière, faisant tourner sa tête avec rage, et j'enfonçai mon épée dans sa cage thoracique. Quand la lame enflammée toucha son cœur, elle s'effondra. Elle respira bruyamment et s'étrangla, juste avant que son corps frissonnant explose en flammes et qu'elle disparaisse à jamais.

6

Je ramassai mes lames et les essuyai sur mon jean. Will m'observa avec des yeux prudents, l'air sombre.

— Merci, dis-je.

— Vas-tu encore perdre connaissance? demanda-t-il, soulevant son épée sur ses épaules comme si elle ne pesait rien.

À présent, je la voyais mieux. La lame était large et presque aussi longue que mon corps, et la poignée était incroyablement belle, avec ses incurvations brillantes en argent et en or façonnées de façon à ce qu'elle ressemble à une aile.

— Non, ça va, dis-je. En quelque sorte. Alors... je me suis évanouie, hier soir?

— Ouais. Tu as frappé le sol pas mal durement après coup.

La chaleur monta lentement à mes joues.

— Merci de m'avoir ramenée à ma chambre.

— Je n'allais pas te laisser là, dit-il. Donc, tu te souviens?

Je haussai les épaules.

— La partie des combats m'est revenue et mes épées sont apparues quand je les ai appelées. J'avais l'impression de savoir ce que je faisais. Ce qui me faisait flipper le plus, c'était que je n'avais pas vraiment besoin de réfléchir lorsque je me battais. Mon corps avait l'air de connaître les mouvements et je me contentais de suivre la parade.

— Tu as eu beaucoup d'entraînement.

— Mais tout le reste…, dis-je distraitement, baissant les yeux sur les puissantes épées dans mes mains. C'est encore flou. C'est étrange parce que je sais que tout est là, mais je ne peux pas le déterrer. J'ignore ce que je suis.

— Tu es le Preliator, déclara Will avec une trace d'autorité dans la voix.

— Je sais qui je suis, dis-je. Je peux me souvenir de cela, mais je ne sais pas ce que je suis. Et je ne sais pas qui tu es.

La peine écrasa sa détermination de pierre, me prenant par surprise.

— Je suis ton Gardien, ton serviteur. Je suis ici pour te protéger et te guider. C'est mon devoir et c'est tout ce que je suis.

— Quel âge as-tu ? demandai-je en observant son visage.

— Six cents ans.

Mon cerveau s'embruma.

— Et moi, quel est mon âge ?

— Je ne sais pas exactement. Deux mille ans, peut-être. Nous connaissons des récits sur toi datant d'avant la Rome antique.

Je m'effondrai en boule sur le sol à côté de ma voiture. Je levai le regard sur les énormes trous et la bosse dans le pare-chocs de l'Audi. Mes parents allaient me tuer.

— Tout cela est réel, n'est-ce pas ?

— Oui.

Will s'accroupit devant moi. Il essuya ma joue. La caresse était douce, gentille, familière. Son regard était calme, mais bon.

— Tu avais du sang sur le visage.

Je hochai la tête en direction de mes armes.

— Ces épées ont l'air tellement étrange. Pourquoi suis-je capable de les faire apparaître sans effort, comme par magie ? Pourquoi s'enflamment-elles ? Comment ?

— Ce sont des khépesh, une arme ancienne, expliqua-t-il.

Je reconnus le nom présent dans mes cauchemars.

— Ce sont des lames exceptionnelles, conçues pour trancher et non pour poignarder, mais elles font le travail. Tous les deux, nous pouvons appeler nos épées grâce à notre pouvoir de magie angélique, mais une fois qu'elles se matérialisent, elles sont là. Nous ne pouvons pas en faire apparaître de nouvelles, alors il vaudrait mieux ne pas perdre l'une ou l'autre. Nous pouvons aussi les faire disparaître à volonté lorsque nous les tenons en main ou quand nous mourons. Elles s'envolent jusqu'à ce que nous les rappelions.

Il tint son épée droit devant lui et elle se volatilisa juste sous mes yeux, avec la même lumière scintillante. Il ouvrit la paume et conjura l'épée encore une fois pour me montrer à quel point c'était simple, puis il la renvoya.

— Le feu autour de tes épées est du feu d'ange, la seule chose qui soit assez efficace pour détruire les faucheurs, à part la décapitation. Ou la destruction du cœur. C'est à cela que servent ces crochets au dos de chaque lame.

J'examinai mes épées. En effet, l'extrémité du côté émoussé de chaque lame se courbait vers l'arrière pour former un crochet qui, je l'imaginai, pouvait causer beaucoup de dommages s'il était logé dans la chair tendre. J'avalai péniblement, revoyant ce qui était arrivé au cœur de la première faucheuse quand le crochet l'avait attrapé.

— Si un faucheur meurt d'autre chose que du feu d'ange, poursuivit Will, son corps se transforme en pierre au lieu de brûler. L'argent le brûle aussi, ce qui explique que nos lames en soient modelées, mais il n'a pas l'effet permanent du feu d'ange.

Je hochai la tête.

— C'est ce qui est arrivé au deuxième faucheur. Peux-tu faire apparaître le feu d'ange ?

— Non. Toi seule le peux, car tu es le Preliator.

Je levai les deux épées et me demandai comment je les avais fait s'enflammer plus tôt. Elles l'avaient fait uniquement parce que je le voulais. Pouvais-je le refaire en dehors d'un combat ? J'observai les lames. Était-ce comme un interrupteur ? Je laissai un mot me traverser l'esprit et me concentrai.

« Allumez-vous. »

Des flammes jaillirent autour des lames, sans endommager les poignées ni blesser mes mains. Elles n'étaient pas chaudes et elles ne brûlaient rien. Je posai les épées enflammées sur une jambe de mon pantalon et ne sentis aucune chaleur. Je posai le côté plat de la lame sur le bras de Will. Il me regarda étrangement, mais autrement, il ne réagit pas.

« Arrêtez. »

Les flammes disparurent.

— Génial.

J'examinai attentivement une des lames. Gravée dans l'argent, juste au-dessus de la poignée, se trouvait une série d'étranges et belles inscriptions en spirale.

— Qu'est-ce que cela signifie ?

Je levai les yeux sur lui et son regard rencontra le mien.

— C'est de l'énochien, expliqua-t-il, son attention passant brièvement sur l'épée. Le langage du divin, de la magie angélique. Tu m'as dit une fois qu'il s'agissait d'une prière de pouvoir, mais je suis moi-même incapable de la lire. Nous avons essayé de recréer les écritures sur d'autres armes afin de les rendre aussi puissantes que tes khépesh, mais jusqu'à présent, ce sont les seules armes capables de s'embraser de feu d'ange.

— C'est assez formidable, dis-je. Qui a gravé la prière sur mes épées ?

Il s'assit sur le sol à côté de moi, le dos appuyé sur la voiture.

— C'est toi.

Je clignai des yeux de surprise. Mes doigts effleurèrent les mots étranges, les bords des inscriptions m'égratignant la peau. J'éprouvai un sentiment de nostalgie, mais c'était vague, comme le souvenir d'un rêve merveilleux. Plus je les admirais, plus je me souvenais.

— Exactement comme les tatouages sur ton bras. Je les y ai mis il y a longtemps.

— Oui.

Je traçai les symboles en spirale des tatouages avec un doigt. Son bras se raidit sous ma caresse et ses respirations devinrent plus lentes et plus régulières.

— C'est tellement bizarre, dis-je. Je n'arrive pas à croire que ce que je dis à voix haute n'est pas quelque chose que j'ai inventé. Je me rappelle avoir tatoué cela sur ton bras. Je voulais que cela te protège.

— C'est un sortilège énochien, comme celui sur tes épées.

Je remarquai qu'il regardait mes doigts sur sa peau et je les retirai timidement.

— Eh bien, tu es encore ici, alors cela doit fonctionner. Pourquoi n'en ai-je pas un?

— Le sortilège est inefficace sur la peau humaine.

Comme c'était gênant.

— Comment m'as-tu trouvée? Sais-tu toujours où je suis?

— Oui. Je peux sentir ta présence par-dessus celle de tous les autres. Je sais toujours où tu te trouves et j'essaie de n'être jamais trop loin. Je t'ai retrouvée il y a quelques années et les faucheurs t'ont trouvée plus récemment.

— Me traquent-ils en ce moment?

— Pour la plupart, non. Ils ont trop peur. Mais oui, certains te traqueront. Sois contente qu'il ne s'agisse que de quelques-uns. La majorité essaie de ne pas se faire remarquer et les plus faibles ne te reconnaîtraient pas jusqu'à ce qu'ils voient tes épées s'enflammer.

— Will, je suis tellement perplexe, commençai-je. Comment puis-je être aussi âgée alors que je sais exactement où et quand je suis née? J'ai des photos de moi bébé. Je n'ai que dix-sept ans.

— Quand tu meurs, tu te réincarnes, expliqua-t-il. Ton corps et ton âme renaissent encore et encore sous la même forme humaine. Je te retrouve, habituellement lorsque tu n'es qu'une enfant, et je te protège jusqu'à ce que tu grandisses. Le jour de tes dix-sept ans, tu es prête à affronter ta véritable identité et je te réveille.

— Quand tu me trouves au moment où je suis toute jeune, comment sais-tu qu'il s'agit de moi ?

Je surpris une minuscule trace de sourire.

— Je te connais depuis très longtemps. Je sais toujours quand c'est toi.

Je laissai ma tête retomber contre ma voiture.

— Alors, je ne suis pas immortelle.

— Pas de la manière dont je le suis.

— Cela veut-il dire que tu ne peux pas mourir ?

— Je ne suis jamais mort, mais je ne suis pas invincible. Simplement, je ne vieillis pas.

— Tu es trop fort, remarquai-je. Tu as frappé cette faucheuse avec tellement de force et tu l'as soulevée uniquement par le cou. Elle était aussi grosse que ma voiture. Comment quiconque peut-il être aussi fort ?

L'expression de Will devint très sérieuse.

— Ta force surpasse la mienne, Ellie.

Je secouai la tête avec lassitude.

— Je ne comprends pas comment cela est possible. Comment tout ceci est possible. Que sont-ils, les faucheurs ?

— Ce sont des monstres, dans ce monde, dit-il avec une pointe de tranchant dans la voix qui provoqua des frissons dans mon corps. Ils chassent les humains pour leur chair et leur âme, qu'ils récoltent afin de rétablir les armées des Enfers pour la Seconde Guerre entre Lucifer et Dieu :

l'Apocalypse. Les faucheurs sont immortels et viennent sous plusieurs formes ; ce sont des machines à tuer des plus efficaces.

— Je ne comprends pas comment il peut exister des créatures aussi grosses et que personne ne le sache. Comment cela se fait-il que je n'en aie jamais vu un seul avant hier soir ?

— Les faucheurs n'aiment pas être vus, expliqua Will. Ils passent la majeure partie de leur temps dans les Ténèbres, où ils se cachent aux yeux des humains. Les médiums puissants, par contre, peuvent sentir leur présence, comme quand le sol tremble sous les roues d'un train, et ils peuvent entrer dans les Ténèbres au gré de leur volonté. Les êtres des Ténèbres peuvent voir et même interagir avec les objets et les gens dans le monde mortel, mais ils ne peuvent pas être vus ni entendus à travers le voile. Les faucheurs ont bénéficié de plusieurs milliers d'années pour parfaire leur talent de chasseur. Ils ont été vus quelques fois par des humains ordinaires, mais ces visions sont rares. Habituellement, elles se produisent lorsque les faucheurs sont insouciants. Il est encore plus rare que des faucheurs permettent intentionnellement à un humain de les voir sans le tuer, mais certains aiment jouer à cela pour s'amuser. Il y a des légendes sur eux dans presque chaque religion, et toutes les légendes les perçoivent comme un présage de mort. Mais au lieu de guider les gens dans la vie après la mort, les faucheurs les mangent et leur âme vont tout droit aux Enfers.

— Donc, il n'y a eu aucune étude sur eux, même si on les a aperçus ? demandai-je. Jamais ? Les gens croient au Yeti et au monstre du Loch Ness et je vois constamment des documentaires à propos d'expéditions pour les trouver sur la chaîne Histoire — non que je regarde beaucoup cette chaîne. Il n'existe aucune preuve de leur existence. Pourtant, les faucheurs laissent des corps derrière eux, comme celui de monsieur Meyer, et personne ne s'arrête pour s'interroger?

— Les attaques des faucheurs sont habituellement attribuées à des animaux ou à des humains psychopathes. Le Yeti et le monstre du Loch Ness ne sont pas réels.

— À l'évidence, les faucheurs le sont! Pourquoi n'y a-t-il pas eu un peu de panique après qu'on les ait vus?

Will inspira et parla lentement.

— Plusieurs ont rapporté avoir aperçu des faucheurs. Les plus célèbres sont ceux qui ressemblent à des humains, d'où la légende de la Faucheuse.

Mes yeux s'arrondirent.

— Il y a des faucheurs humains?

Il hocha la tête, examinant le sol.

— Oui, il y a des faucheurs à forme humaine, appelés « virs », et ce sont les plus puissants. Ce sont aussi les plus impudents et les plus enclins à montrer leur visage aux humains. Les autres formes sont les ursidés, les canidés, les chiroptères et autres, qui ont été pris par erreur pour des monstres parce que les humains ne savent pas ce qu'ils voient. Comme ton Yeti, les dragons ou même les loups-garous. Le faucheur que tu viens de combattre était un canidé.

Je me souvins de mon rêve éveillé à propos d'une forêt enneigée en France. Je me trouvais dans la région de Le Gévaudan, un endroit où les villageois étaient massacrés par un monstre ressemblant à un loup. Les historiens mettaient l'hystérie sur le compte du pain moisi, mais j'étais plus avisée. J'avais l'impression d'avoir vraiment été là-bas.

— Tu n'arrêtes pas de parler des Ténèbres, dis-je. Qu'est-ce que c'est?

— Les Ténèbres se trouvent dans une dimension parallèle au monde humain, expliqua-t-il. Des créatures surnaturelles y vivent, invisibles aux humains, et elles sont capables de traverser cette dimension. La plupart des humains ne peuvent pas pénétrer dans les Ténèbres, à moins qu'ils soient de véritables médiums ou des créatures comme toi et moi. Hier soir, tu es entrée dans les Ténèbres involontairement afin de voir le faucheur qui te chassait, mais tu l'as fait par pur instinct.

— Comment ai-je été créée?

— Nous ignorons ce que tu es vraiment. Ton corps et ton âme sont humains, mais ton pouvoir... c'est quelque chose de très différent. Il y a beaucoup de choses à ton sujet que nous ne comprenons toujours pas.

— Par nous, tu veux parler de toi et moi? Quelqu'un d'autre est-il au courant pour moi? Existe-t-il un autre Preliator?

— Non, tu es la seule.

— Et tu es mon seul Gardien?

— Oui, mais avant moi, d'autres t'ont protégée.

— Pourquoi n'en ai-je pas d'autres?

— À présent, c'est mon devoir à moi seul.

— Depuis combien de temps es-tu mon Gardien?

— Cinq cents ans.

Je rougis et détournai mon regard de lui.

— Tu me suis partout depuis cinq cents ans?

— Je suis ton soldat, ton protecteur. Et je ne te suis pas partout tout le temps.

— Donc, je ne suis pas humaine, n'est-ce pas ?

— Pas entièrement.

— Suis-je un médium, comme ceux qui peuvent voir les faucheurs ?

— Non.

— Alors, comment puis-je les voir ?

— Je l'ignore. Tu es le Preliator.

Je me souvins de mon bras lacéré.

— Comment suis-je capable de cicatriser aussi vite ?

— Ton pouvoir régénère ton corps quand il est blessé, expliqua-t-il.

— Comment est-ce que je meurs, si mon corps peut simplement se guérir immédiatement ?

— Certaines blessures sont trop traumatisantes pour que ton corps puisse se rétablir. Je suis pareil, tout comme tes Gardiens précédents.

— Es-tu humain ? Ou un genre de médium ?

Il marqua une pause avant de me répondre.

— Non.

— Alors, qu'est-ce que tu es ?

— Ton Gardien.

— Ce n'est pas une réponse franche, dis-je en fronçant les sourcils. Will est-il ton véritable nom ?

— Évidemment.

— Alors, qu'es-tu ?

— Ton Gardien.

Je fronçai les sourcils. J'avais encore un million de questions, mais j'avais l'impression qu'il avait évité de répondre aux plus difficiles. Tout devrait venir avec le temps, n'est-ce pas ? Je voyais des bribes d'images, de choses horribles, de batailles et de sang, éparpillées dans ma mémoire en fragments déformés. Je baissai les yeux sur le sang de la faucheuse sur mes mains et je me sentis très triste. Comment pouvais-je m'adapter à cela ? Je ne rêvais plus. Ma peau était irritée parce que j'avais frappé le sol. Mon bras me faisait mal là où il était coupé. Les rêves ne faisaient jamais souffrir. Ceci était réel. Mes cauchemars étaient devenus réels. J'avais peur et je ne voulais pas avoir à m'occuper de cela. N'était-ce pas suffisant de devoir m'inquiéter d'être admise à l'université ?

— Pourquoi suis-je incapable de me souvenir ? demandai-je. Ce n'est pas normal, pas vrai ?

Will secoua la tête.

— Non, cela ne s'est jamais produit auparavant, mais il s'est écoulé beaucoup de temps depuis la dernière fois où tu étais en vie. Habituellement, ta réincarnation est presque immédiate et tu renais quelque part dans le monde, mais cette fois, tu as mis quatre décennies à redevenir le Preliator. J'ignore pourquoi.

— Ma mémoire devrait revenir avec le temps, n'est-ce pas ?

— Elle le fera.

— Quand tu touches mon visage, tout devient si net. Ma force, mon but… Comment as-tu fait cela ?

Will se pencha en avant, posant les bras sur ses genoux.

— Comme je suis ton Gardien, j'ai la capacité de déclencher ton pouvoir. Tu étais une fille normale jusqu'au moment où tu as eu dix-sept ans, et c'est mon devoir de réveiller ton pouvoir et tes souvenirs et de te défendre dans la bataille à partir de ce moment-là.

Je me rappelai tout à coup ma dissertation de littérature et me levai tant bien que mal, cherchant mon sac à main autour de moi. Je le repérai gisant à côté de mon sac à dos, exactement là où je les avais lâchés. Ma voiture avait été déplacée de deux places de stationnement par rapport à l'endroit où je l'avais garée. Je marquai une pause, constatant l'impossibilité de ce que j'avais fait.

— C'est moi qui ai fait cela, non ?

— Tu peux faire beaucoup plus que cela avec ton pouvoir.

— Est-ce de la télékinésie ?

— Non, ton pouvoir peut seulement pousser des objets et non les tirer. C'est comme une bourrasque de vent immensément puissante faite d'énergie pure, de force de vie.

— C'est dément, grommelai-je en récupérant mes objets perdus.

Je sortis mon téléphone cellulaire et vérifiai l'heure, puis je le fourrai dans mon sac. Il était plus de vingt-deux heures. Fantastique. Je ne réussirais jamais à écrire ma dissertation et à me réveiller avec un cerveau fonctionnel demain matin. Étrangement, mon devoir me paraissait plutôt insignifiant.

— Je dois rentrer à la maison. Mes parents vont piquer une crise quand ils verront ce que cette chose a infligé à ma voiture. Que vais-je leur dire ?

Je passai la main sur les profondes marques de griffe sur le pare-chocs de l'Audi. Il devrait être repeint, probablement remplacé. Comment allais-je expliquer cela, par contre ?

— Dis-leur que quelqu'un a embouti la voiture et qu'il s'est enfui. Ton assurance devrait couvrir les dommages.

— Ils ne croiront jamais cela.

— Tu n'as pas d'autre choix.

J'émis un vilain son et me renfrognai. Mon père allait me massacrer, peu importe la raison. Détournant mes pensées de mon sort probable, je me rappelai une chose que la première faucheuse avait dite.

— As-tu entendu la faucheuse dire quelque chose à propos d'un Enshi ?

Il me fixa.

— Enshi ? Qu'a-t-elle dit précisément ?

— Elle a dit : « Nous n'avons pas besoin de l'Enshi », parce qu'elle allait me tuer elle-même. Connais-tu la signification de ce mot ? Et qui sont « nous » ?

— C'est en sumérien, dit-il d'un ton songeur. Seigneur de… quelque chose. Je vais devoir vérifier ce que signifie « shi » exactement.

— Tu parles le sumérien ? Qui le parle ? Sérieusement.

— Peux-tu me rejoindre à la bibliothèque après l'école ? Nous devrions effectuer des recherches là-dessus.

— J'ai trop de devoirs, dis-je. Que dirais-tu de samedi après-midi ? Quinze heures ?

— Ça va aller. Demain soir, nous devons nous entraîner. Tes aptitudes doivent te revenir plus vite qu'elles ne le font en ce moment.

— Mais c'est vendredi soir. C'est notre soirée cinéma.

— Autrement, tu ne dureras pas.

— Tu veux dire que je vais mourir.

Ce n'était pas une question.

— Oui.

Je haussai les épaules.

— Eh bien, nous ne voulons pas cela, mais mes amis et moi allons toujours voir un film le vendredi soir, alors ce devra être plus tard.

— Je peux attendre. La nuit est longue.

— Je vais te téléphoner quand nous aurons terminé. Quel est ton numéro?

Je m'apprêtai à récupérer mon téléphone pour programmer l'information.

— Je n'ai pas de téléphone. Tu n'as pas besoin de m'appeler.

Je lui lançai un regard interrogateur.

— Personne ne peut survivre sans un cellulaire. Vas-tu me traquer au cinéma aussi?

Il ne parut pas s'en émouvoir.

— Je suis ton compagnon depuis cinq cents ans en tant que ton Gardien, ton garde du corps. Pendant la journée, lorsque tu es à l'école, tu es en sécurité, alors je suis habituellement à la maison jusqu'au crépuscule. Je dois aussi me reposer. Je ne te suis pas partout continuellement, mais je le ressens si tu es affligée ou effrayée. Si tu es attaquée, je le saurai. Cela fait partie du lien que nous partageons.

Je me demandai s'il avait senti ma peur pendant mon hallucination dans les toilettes plus tôt à l'école et si c'était pour cette raison qu'il était venu me retrouver.

— Alors, lorsque je suis à l'école, comment t'occupes-tu? As-tu des passe-temps?

Il sourit.

— Tu aimes poser toutes ces questions, n'est-ce pas?

— J'essaie seulement de te comprendre.

Ses yeux rencontrèrent les miens avec un air de défi, mais j'étais trop fatiguée pour continuer à l'interroger.

Je soupirai.

— Je dois réellement rentrer chez moi. Je suis tellement épuisée.

Il hocha la tête.

— Je te verrai demain après ton film.

— Ouais, dis-je, pas particulièrement enthousiasmée à cette idée.

Je comprenais ce qui arrivait à ma vie, mais je n'étais pas entièrement convaincue que je voulais l'accepter. À ce stade, je ne pouvais pas nier que ma vie ne serait plus jamais normale.

7

La journée scolaire passa très rapidement. Les vendredis étaient souvent comme cela. Tout le monde, y compris les professeurs et le personnel, avait simplement envie de foutre le camp de là et de profiter du week-end. La nuit précédente, je m'étais endormie presque en touchant l'oreiller et, évidemment, je n'avais pas avancé d'un iota dans ma dissertation. Heureusement, aucun de mes parents n'avait examiné l'Audi d'assez près pour remarquer les marques de griffes géantes dans la peinture. Je savais que cela n'était qu'une question de temps et de malchance avant que ce soit le cas, par contre. Kate, d'un autre côté, les avait vues immédiatement. J'adoptai l'histoire de Will et expliquai que quelqu'un avait embouti ma voiture dans un parc de stationnement, mais je ne fus pas certaine d'avoir convaincu Kate. J'allais encore devoir trouver un moyen de les faire réparer au plus bas prix possible et sans me faire prendre par mes parents. Je rentrai à la maison tout de suite après l'école pour pondre trois des cinq pages obligatoires pour ma dissertation en littérature.

Ce soir-là, je portai le collier ailé que Will m'avait offert. L'enfiler me semblait naturel, comme si je greffais en place un cinquième membre perdu. Le sentiment était réconfortant et le bijou était beau. Je l'adorais.

Je rencontrai Kate et Landon au cinéma et nous fûmes vite rejoints par Rachel et Chris. Dès mon arrivée, Kate remarqua le collier.

— Où as-tu eu cela ? demanda-t-elle, bouche bée devant le pendentif et l'examinant avec attention. On dirait une antiquité. Tellement splendide.

— Ouais, c'est très vieux.

Je ne voulais pas lui révéler que Will me l'avait donné ou qu'il m'appartenait.

— Je vais le voler, dit Kate en s'éloignant.

Je souris et la suivis à l'intérieur. Il faisait froid dehors, alors je fus contente de porter un kangourou par-dessus mon débardeur. Nous ne bénéficierions plus de journées de vingt et un degrés en septembre.

Le film était correct, incluant quelques très bons effets spéciaux, mais je ne pouvais pas me concentrer suffisamment pour y prendre autant plaisir que mes amis. J'avais déjà oublié la majeure partie de l'intrigue au moment où nous quittâmes le cinéma. Mes copains échangeaient sur la manière dont un homme de main arrivé par hasard avait si gentiment reçu un couteau dans la tête et la manière dont le héros s'était échappé d'un train en flammes. Les garçons n'arrêtaient pas de se redire à quel point la fille dans le film était canon. Je ne pouvais que penser au fait que je rencontrais Will après et que Dieu seul savait de quelles horreurs je serais témoin. Je me surpris à regarder dans les coins les plus sombres autour de moi, craignant ce qui pourrait bondir de l'ombre. Je me demandai si je croiserais quelqu'un sur le trottoir qui pourrait être tué par un faucheur ce même soir et perdre son âme aux Enfers, peu importe le genre de vie qu'il avait menée. Si je devais être un genre d'héroïne, combien de personnes serais-je incapable de sauver ? Je ne pouvais même pas manger de frites sans renverser du ketchup sur moi. Comment pouvais-je être responsable de la vie d'un autre alors que je n'arrivais même pas à garder mon propre chemisier intact ?

— Ça va, Ell ? demanda Kate, baissant la tête pour murmurer dans mon oreille. Tu sembles tellement distante et silencieuse.

Je hochai la tête.

— Ouais, ça va. Je dois seulement m'en aller.

— Hein ? s'enquit Kate, étonnée. Est-ce que tu nous largues tôt une fois de plus ?

Landon surprit notre propos et il me rejoignit en joggant, jetant un bras autour de mon épaule.

— Il vaudrait mieux que tu ne songes pas à te défiler. Il n'est que vingt-deux heures et ta fête a lieu demain. Il doit y avoir une avant-fête et une après-fête. Et un lendemain de fête. Reste plus tard. Ta dissertation peut attendre. Je n'ai même pas commencé la mienne.

— Non, il ne s'agit pas de ma dissertation.

Je ne désirais pas mentir, mais je ne pouvais pas exactement dire la vérité non plus. Une vérité partielle ferait l'affaire.

— Je rejoins Will dans peu de temps.

Le bras de Landon se raidit autour de mon épaule.

Les yeux de Kate sortirent de leurs orbites.

— Tu veux parler de ce gars bizarre de la crèmerie Cold Stone ? Tu as un rendez-vous avec lui ?

Je levai les mains dans un geste défensif, ne voulant pas qu'ils se méprennent.

— Non, non, non. Ce n'est pas un rendez-vous, nous allons simplement passer du temps ensemble.

— Ma chérie, c'est vendredi soir, et quand il y a seulement toi et lui qui passez du temps ensemble, c'est un rendez-vous. Il est foutrement séduisant, alors amuse-toi, d'accord ?

Kate me décocha un clin d'œil.

Rachel hocha la tête.

— Ouais, c'est vrai. Laisse-moi savoir si tu ne veux pas de lui ! Je vais t'en débarrasser avec plaisir.

Elle rit et me pinça les côtes pour rire. Je me tortillai, mal à l'aise.

L'expression de Landon devint sombre et il retira son bras.

— T'es sérieuse ? Tu vas quelque part avec ce gars ? Tu ne le connais même pas !

— Ouais, penses-tu que ce soit une si bonne idée ? demanda Chris. Il doit avoir, genre, vingt ans.

— Il est correct, dis-je, la mine renfrognée. Ouais, il est un peu bizarre, mais c'est en fait un garçon très gentil. Et qu'est-ce que ça fait s'il est un peu plus âgé que moi ?

À bien y penser, aucun de nous ne connaissait vraiment son âge.

Kate haussa les épaules.

— D'accord, bon, tu me raconteras comment cela s'est passé.

— Je n'y crois pas! dit Landon, le volume de sa voix amenant des têtes à se retourner et à le fixer.

Il partit d'un pas lourd et bruyant vers le parc de stationnement.

Je fis courir une main dans mes cheveux.

— Sérieusement! Quel est son problème?

Kate rit.

— Ellie, es-tu réellement aveugle à ce point? Tu lui plais.

Je la regardai, bouche bée.

— Quoi?

— Ouais, dit Chris, l'expression de son visage m'apprenant qu'il trouvait cela beaucoup trop amusant. Nous pensions que tu le savais.

Exactement ce dont j'avais besoin. Je croyais que son nouvel intérêt extrême pour mon bien-être était quelque chose de plus anodin — j'avais dû me tromper. Je me souvins des roses pour mon anniversaire et du baiser sur ma joue. Étais-je vraiment si stupide? Landon était mignon et c'était un bon gars et tout, mais c'était Landon. Seulement… pas question. Je posai une main sur mon front.

— Je dois partir. Maintenant.

— À plus tard, Ell, dit Rachel.

— Prends soin de toi, dit Kate. Appelle-moi si tu veux que je te tire d'affaire.

Je hochai la tête.

— On se voit tôt demain? Somerset à onze heures? Nous pourrions peut-être déjeuner pendant qu'on est là-bas?

— Parfait!

Elle sourit, puis son visage perdit toute expression.

— Ellie, dit la voix de Will dans mon dos.

Je me retournai et éprouvai un choc en le voyant.

— Will! Que fais-tu ici?

Ses yeux volèrent brièvement sur le collier autour de mon cou et un sourire chaleureux retroussa ses lèvres.

— Nous devions nous rencontrer, tu t'en souviens?

— Exact, dis-je, jetant un coup d'œil en arrière vers mes amis.

Je leur dis au revoir de la main et me dirigeai vers l'endroit où je m'étais garée.

— J'ignorais que tu allais me surprendre juste à la sortie du cinéma.

— Eh bien, tu as dit que nous pouvions nous rencontrer tout de suite après, alors me voici.

— Où est ta voiture? demandai-je alors que nous montions dans la mienne et attachions nos ceintures.

— Je n'ai pas conduit jusqu'ici.

Un taxi, devinai-je.

— Où allons-nous?

— J'ai trouvé un bon endroit à Pontiac, dit-il.

— Pontiac? On va jusque-là? Pourquoi?

Ce n'était pas précisément le lieu le plus sûr pour traîner le soir. Je paniquai un peu.

— Aimerais-tu que je conduise?

— Non, c'est ma voiture, dis-je d'un ton possessif.

— Alors, ne te plains pas de l'endroit où nous allons.

Il fallut plus de temps qu'à l'habitude pour parcourir les cinquante-six kilomètres jusqu'à Pontiac à cause de la lourdeur de la circulation. Will ne dit pas grand-chose pendant le trajet et le silence gênant commençait à avoir un effet néfaste sur mon esprit.

— Tu es tendue, remarqua Will en regardant fixement par le pare-brise.

— J'ai un ninja assis à côté de moi. Évidemment que je suis tendue.

Une infime trace de sourire releva un coin de sa bouche.

— Alors, où vis-tu ? lui demandai-je, essayant de faire la conversation pendant le ralentissement.

— Ne te soucie pas de cela.

J'attendis qu'il précise sa pensée, mais il s'en abstint.

— N'as-tu pas un appartement ou quelque chose d'autre ? Comment le paies-tu ? As-tu un emploi ?

— Ne t'inquiète pas de cela.

— Pourquoi tous ces secrets ?

— Tu n'as pas posé les bonnes questions.

Il me jeta un coup d'œil et sourit.

Je me vexai, agacée.

— Tu as un endroit pour vivre, non ?

— Oui, mais je n'y suis que pour l'essentiel.

— Qu'est-ce que ça veut dire ?

— Je dois dormir, me doucher et manger, bien sûr. Je ne suis pas un robot.

Je restai là à bouillir de colère pendant un moment. À l'évidence, il n'allait pas me fournir une réponse franche, donc je changeai de question.

— Pourquoi es-tu mon Gardien ?

— Je suis très efficace au combat. Nous formons une bonne équipe.

Je lui jetai un coup d'œil.

— Encore aujourd'hui ?

— Je l'espère. Tu poses beaucoup de questions. Ce n'est pas moi qui importe en ce moment. Nous devons mettre nos efforts à te réveiller et à te faire redevenir forte.

— Eh bien, ce serait agréable si je pouvais me souvenir de tout puisque je suis censée déjà le savoir.

Tout cela paraissait tellement secret. J'avais de la difficulté à croire que je pouvais faire partie de quelque chose de tellement plus grand que moi. Je regardai par le pare-brise les voitures qui filaient en direction opposée sur l'autoroute.

— Est-ce que cela te dérange ? demanda Will.

— Quoi ?

Je clignai des yeux vers lui. Il avait une main sur le bouton de la radio.

— C'est un trajet assez long, dit-il. Je n'aime pas rester assis en silence.

— Ouais, j'imagine.

Il alluma la radio et choisit une station de rock classique. Satisfait, il s'appuya de nouveau sur son dossier.

— Pink Floyd ? dis-je en cherchant à en savoir plus, incapable d'empêcher un sourire de relever lentement les coins de mes lèvres.

— J'ai eu beaucoup de temps à moi en attendant ta renaissance, avoua-t-il. Tu as été partie si longtemps. J'ai dû trouver quelque chose à faire et j'ai découvert la musique rock.

Il fit un grand sourire.

— Je suis devenu plutôt bon à la guitare. Je te jouerai quelques tablatures des Rolling Stones un jour, si tu es chanceuse.

Je ris.

— Si je suis chanceuse, hein ?

Son sourire s'élargit promptement.

— Oh, ouais. Seulement si tu es chanceuse.

Quand nous atteignîmes enfin Pontiac, Will me fournit des directives précises et nous roulâmes dans un endroit qui semblait plutôt dangereux. Nous virâmes dans une rue très sombre, sans lampadaire, et les seuls bâtiments que je pouvais voir étaient un poste d'essence condamné par des planches et un entrepôt qui donnait l'impression d'être fermé depuis vingt ans.

— Allons-nous sérieusement garer ma voiture ici ? demandai-je nerveusement, mes yeux se déplaçant partout.

— Il n'y a personne dans les environs, dit-il. Remonte la ruelle. Elle est isolée. Si quelqu'un passe, je vais l'entendre. Aucune inquiétude. J'ai trouvé ce bâtiment la semaine dernière, alors ce devrait être un bon endroit pour s'exercer.

— Comme tu veux, chef.

Je pénétrai dans le passage qu'il avait indiqué, réussissant tout juste à faire passer ma petite berline potelée. Les pneus roulèrent sur les pierres, les détritus et les imposantes mauvaises herbes qui commençaient à ressembler à des arbres. J'atteignis le bout et fermai le moteur.

— Et maintenant ?

Il sourit.

— Nous entrons.

— Je vais attraper le tétanos là-dedans, grommelai-je.

— Ne va pas te rouler dans les tas de poussière et les clous rouillés et ça ira bien pour toi.

— Tu es un imbécile.

8

Will me guida vers la porte, mais elle était fermée par des planches. Il tira sur les feuilles de contre-plaqués sans effort et les lança sur le côté. À l'intérieur, l'entrepôt était étonnamment propre. Le bric-à-brac avait été déplacé d'un côté et il n'y avait pas de verre brisé sur le plancher. Des pneus étaient empilés dans un coin près d'un tas d'enjoliveurs rouillés et de caisses en bois. Le clair de lune pénétrait à flots par des fenêtres hautes, pour la plupart intactes. Des colonnes d'acier s'élevaient depuis le sol en béton jusqu'au plafond.

— J'ai nettoyé pour toi, dit Will, à l'évidence en essayant de réprimer son rire.

Un rire qui, j'en étais sûre, était dirigé contre moi.

Je lui lançai un regard noir.

— Pourquoi était-il fermé avec des planches si tu es déjà entré ici? Les as-tu clouées sur la porte quand tu es parti?

— Je ne suis pas entré par la porte, dit-il en pointant vers le haut.

Mon regard se déplaça vers les fenêtres.

— Nan-han.

— Une fois que tu auras compris ce que tu peux vraiment accomplir, tu ne t'étonneras plus de la manière dont je suis entré. C'est pourquoi nous sommes ici.

— Afin que tu puisses m'assassiner et me voler Guimauve ? grommelai-je distraitement en tirant sur la peinture écaillée sur la porte.

Il cligna des yeux.

— Voler quoi ?

— Oublie ça.

— Tu es une fille très étrange, dit-il en s'approchant très près de moi.

Sa proximité m'inquiéta un moment, puis je sentis fondre mon malaise. Ma réaction à sa présence était très bizarre. C'était peut-être parce qu'il était le seul au monde que je connaissais qui avait le pouvoir de me protéger. Cela aurait dû donner un sentiment d'extrême sécurité à n'importe qui, non ? Il s'agissait possiblement du « lien » qu'il disait que nous partagions.

— Que fais-tu ? m'enquis-je, les yeux ronds.

Ses doigts dessinaient doucement la courbe de mon épaule alors que son regard s'abaissait. Je haletai brusquement. S'il tentait de m'embrasser, je lui foutrais une raclée. Lien ou non.

Il fit glisser mon sac à main de sur mon épaule et il le lança.

— Tu n'en auras pas besoin.

Il se tourna et s'éloigna d'un pas.

Je relâchai longuement mon souffle.

— Tu es étrange, tu le sais ? Beaucoup plus étrange que tu penses que je le suis.

Il rit.

— Je crois que tu me l'as dit à quelques reprises.

— Faut-il que je sois dans les Ténèbres pour me battre ou réaliser ces folles acrobaties ?

— Non, dit-il. Le seul temps où tu dois pénétrer dans les Ténèbres est lorsqu'un faucheur s'y terre. Quand ils se cachent, c'est notre seul moyen de les voir.

— Donc, que puis-je réellement faire ? Si tu peux sauter à travers une fenêtre deux étages plus haut, alors que puis-je faire ?

— Tu le peux aussi. Tu n'as même pas besoin d'ailes pour le faire, en plus.

J'ignorai sa remarque de crâneur, qui n'avait aucun sens de toute façon. Je baissai la fermeture éclair de mon kangourou, le retirai d'un coup d'épaule et le lançai près de mon sac à main. Uniquement vêtue de mon débardeur, je croisai les bras sur ma poitrine.

— Ouais, d'accord. Montre-moi quelque chose, alors.

— Tu peux faire s'effondrer tout ce bâtiment.

Je maugréai, incrédule.

— Montre-moi.

— Je ne détruirai pas l'entrepôt pendant que nous sommes à l'intérieur, dit-il. Nous en aurons besoin pendant un temps, alors je vais te donner un aperçu.

Il s'écarta davantage de moi, ses yeux rivés sur les miens, et il se tint debout à côté d'une colonne d'acier. Pendant un moment — je dus cligner plusieurs fois des yeux —, on aurait dit que l'air autour de lui bougeait, comme des vagues de chaleur oscillant juste au-dessus de la chaussée lors d'une journée chaude, sauf qu'elles irradiaient de son corps. Le vert de ses iris parut s'intensifier, jusqu'à ce que ses yeux se mettent presque à flamboyer, même si je savais que c'était impossible. Puis, une bourrasque me frappa comme un camion, me renversant carrément sur le dos. Je me remis sur pied avec difficulté, bouche bée d'admiration devant Will. Je pouvais voir l'énergie s'échapper de lui par vagues. Je pouvais la sentir caresser ma peau et lécher mes jambes.

Avec un rapide mouvement de son torse, Will écrasa son avant-bras dans la colonne et l'acier émit un gémissement perçant jusqu'à ce qu'il se plie, s'arrachant presque complètement de la poutre au-dessus. De la poussière jaillit et tomba sur le plancher.

Titubante, je reculai et trébuchai. Je le fixai, craintive, perplexe et totalement sonnée.

— C-comment?

— Je pourrais la faire tomber, si je le désirais, dit-il, apaisant son pouvoir, le laissant se retirer comme la marée. Tu es plus forte que moi, Ellie. Je dois te le prouver.

— Oh mon Dieu, fut tout ce que je pus dire.

— Essaie, toi, dit-il. Je sais que tu te souviens comment. Je t'ai vu le faire depuis ton réveil. En faisant appel à ton pouvoir, tu auras la force de tuer un faucheur. Ils peuvent faire la même chose, par contre. Tu dois donc te montrer prudente, et c'est pourquoi tu as le feu d'ange. Si tu tombes sur un vir, tu ne reconnaîtras possiblement pas ce qu'il est avant qu'il soit trop tard. Les plus faibles sont ceux qui semblent les plus humains. Les puissants ne se donnent pas la peine de cacher ce qu'ils sont. Ils n'aiment habituellement pas être comparés aux humains, mais ils se métamorphoseront pour prendre la forme d'un humain, en particulier afin d'infiltrer un milieu.

— Dois-tu encore toucher mon visage pour me mettre en marche, pour faire sortir mon pouvoir? m'enquis-je.

— Non, je ne pense pas que j'aurai besoin de recommencer.

Il tendit un bras et appela son épée. L'énorme lame d'argent se matérialisa dans un trait de lumière.

— Appelle tes épées, à présent.

— Pourquoi? demandai-je, incertaine de ses motifs.

— Nous allons faire jaillir ton pouvoir afin que tu apprennes à le faire de ton propre chef. Je suis ton soldat, mais je ne suis pas ta béquille.

— Mais je...

En un éclair, il mit le tranchant de son épée sur ma gorge, mais je me baissai instinctivement, abasourdie par ma propre rapidité. Sans que je les aie invoquées consciemment, mes épées apparurent dans mes mains. Will plongea sa lame encore une fois, mais je levai subitement mes épées, arrêtant le coup de Will avec le «cling!» du métal cognant sur du métal. Il poussa vers le bas, mais je tins bon, refusant de le laisser prendre le dessus sur moi, et le feu d'ange enflamma mes lames. Le pied de Will heurta soudainement ma poitrine et m'écrasa dans une des colonnes derrière moi, mon dos craquant sur l'acier. L'air quitta brusquement mes poumons, mais Will venait vers moi trop vite pour que je reprenne mon souffle. Il donna un autre coup d'épée et je m'écartai en roulant. Sa lame résonna sur la colonne et je regardai en arrière, les yeux ronds.

— Arrête de fuir! cria Will. Combats-moi!

— Tu vas me tuer! hurlai-je d'une voix perçante.

— Seulement si tu me laisses faire!

Il bondit dans les airs et retomba sur moi, son épée élevée au-dessus de sa tête. Il trancha l'air, mais le khépesh stoppa sa lame et la détourna de mon visage. Je balançai mon autre épée et la plongeai vers lui, et Will recula alors que la lame lui coupait habilement la joue. Son visage tourna brusquement sur le côté et il gémit de douleur. Il me regarda de nouveau, ses yeux verts plus brillants que je ne les avais jamais vus; l'entaille sur sa joue se referma, laissant seulement un mince filet de sang. Le feu d'ange ne le blessait pas.

— Continue de te battre et n'arrête pas! rugit-il. Si tu arrêtes, tu es morte!

Il disparut soudainement et réapparut derrière moi. Je me retournai pour lui faire face, lançant une épée en l'air qui entra en collision avec la sienne. Je tentai de lui couper le ventre avec l'autre, mais il bondit en arrière, virevolta et donna un coup de pied sur mon poignet. Le khépesh vola dans les airs. Je le regardai la bouche ouverte de peur et quand je reportai mon regard sur Will, il avait déjà abaissé son épée et il tendait la main vers moi. Il referma sa main sur ma gorge, enfonça mon dos contre une colonne et attrapa le poignet qui tenait encore mon second khépesh. Il m'avait épinglée. Je me débattis contre sa poigne, mais il était tellement, tellement fort.

— Lâche-moi!

Ma main libre griffa sa main autour de mon cou.

— Je ne te libère pas, dit-il. Tu as perdu. Tu as cessé de te battre et tu as détourné les yeux de moi.

— S'il te plaît, s'il te plaît, Will.

Je haletai, ma trachée se comprimant. La panique s'empara de moi et mes yeux se remplirent de larmes.

— Tu vas me tuer.

— Alors, réagis! rugit-il dans mon visage. Tu en as la force! Si tu veux que je te lâche, alors oblige-moi!

Je criai, à moitié remplie de peur, à moitié en colère, et mon pouvoir jaillit, mes cheveux fouettant l'air autour de mon visage si violemment que je ne pouvais pas voir. La colonne derrière moi craqua et le sol oscilla et s'effondra sous ma force. Will fut projeté loin de moi et atterrit en glissant sur le sol de béton. Je bondis en avant et mon épée explosa en flammes tandis que je la plongeais vers la gorge de Will, allongé sur le sol. Je posai la pointe sur une jugulaire, mes poumons se dilatant et mon cœur battant la chamade. Mon pouvoir tournoyait comme un ouragan tout autour de moi, m'avalant dans sa lumière diamantée.

Mes yeux s'assombrirent alors que je clouais Will au sol du regard. Il leva lentement ses mains.

— Tu perds, dis-je cruellement.

Mon pouvoir se retira et mon corps se détendit. Je ramassai mon épée tombée et je les renvoyai toutes les deux.

Will sourit et il se mit debout.

Je le frappai promptement au visage, assez fort pour le faire tomber à genoux.

— Espèce de salaud ! hurlai-je d'une voix perçante qui se cassait.

Il rit et frotta fermement sa mâchoire.

— Et tu es effrayante.

Il se releva encore.

Je le frappai de nouveau, faisant voler sa tête.

— Pourquoi m'as-tu fait peur comme ça ?

Alors que je m'élançais pour la troisième fois, il attrapa mon poignet.

— C'est assez, gronda-t-il. Tu ne frappes pas précisément comme une fille, tu sais.

Je tirai violemment mon bras pour me libérer et je m'éloignai de lui, respirant bruyamment.

— Doux Jésus, quelle incroyable sensation !

— Me frapper ?

— Oui, dis-je en lui lançant un bref regard noir. Et la puissance. J'avais l'impression de pouvoir percer les murs de mes mains.

Mon regard découvrit le cratère que j'avais créé dans le sol de béton. La colonne était maintenant tordue et mutilée, à peine rattachée au plafond. Elle gémit, comme si un léger coup pouvait l'envoyer s'écraser sur le sol.

— Tu le peux, dit-il.

— J'ai peur, Will, avouai-je. Je m'effraie moi-même. Si je suis capable de faire cela, qu'est-ce qui m'empêche de le faire à quelqu'un qui ne le mérite pas ? Et si je blessais quelqu'un ?

— Je vais t'aider à éviter cela, m'assura-t-il. Quand tu affrontes un faucheur, tu ne peux pas te soucier d'autre chose. C'est *mon* travail. Tu dois utiliser tout ce que tu as pour le vaincre. Si tu hésites, tu mourras. Tu as hésité il y a un instant et c'est comme ça que j'ai réussi à prendre le dessus sur toi. Tu ne peux t'arrêter pour aucune raison. Fais-moi toujours confiance pour protéger tes arrières dans la bataille. Je vais te protéger.

Il me dépassa, mais je le saisis par l'épaule.

— Attends.

Je le tournai pour qu'il me regarde en face, ma main glissant sur son col. Je visualisai ce signe d'addition que je croyais avoir vu auparavant et je sortis la chaîne à l'extérieur de son pull. Au bout pendait un crucifix en argent, et non un signe d'addition. Dès que je le vis, je me rappelai ce que c'était et mon cœur se réchauffa. C'était bon de le revoir.

Je levai les yeux et vis que son regard était rivé sur moi.

— Je m'en souviens.

Son corps était raide et sa mâchoire serrée. Tout à coup, sa réaction fut tout aussi fascinante que le fait que je me souvenais du crucifix autour de son cou.

— C'était un cadeau, dit-il. De ma mère.

— Te protège-t-il des faucheurs ?

— Non.

— Alors, pourquoi le portes-tu ?

— Ma mère me l'a offert.

Je hochai la tête, furieuse contre moi-même d'avoir posé une telle question. Malgré son expression de marbre, je sentais que je l'avais blessé. Le crucifix avait une valeur sentimentale pour lui. Il signifiait peut-être autant pour lui que le collier ailé pour moi — si seulement je pouvais me souvenir d'où venait mon propre pendentif. Son crucifix devait dater de plusieurs siècles. S'il l'avait gardé aussi longtemps, il devait avoir une grande valeur pour lui, tout comme sa mère.

— Je suis désolée.

— Ne t'en fais pas.

Il rangea le crucifix à sa place, sous son pull.

— Ce n'est rien. Vraiment. C'est stupide.

Je le fixai quelques instants. Cela me paraissait inapproprié qu'il se montre si vague. À l'évidence, l'objet n'était pas rien pour lui, mais je ne sentais pas que c'était mon droit de creuser la question avec lui.

— Entraînement demain soir ? demanda-t-il, interrompant mes pensées.

Je fronçai les sourcils.

— Non, dis-je. C'est ma fête d'anniversaire.

— Oh, oui. J'avais oublié.

Il semblait non pas déçu, mais neutre, comme s'il remarquait simplement un fait.

— Avons-nous toujours rendez-vous à la bibliothèque à quinze heures, alors?

— Bien sûr, mais il n'est pas question que je rate ma propre fête d'anniversaire.

— Je resterai dans les alentours.

— J'aimerais que tu y assistes, dis-je. Comme invité.

— Sottises. Je vais surveiller sur le toit.

— Tu n'as pas besoin de te cacher tout le temps, tu sais. Viens à ma fête et amuse-toi un peu une fois dans ta vie.

— Je m'amuse.

Je me moquai.

— Je suis assez certaine que notre idée du plaisir diffère radicalement.

Il me lança un sourire éblouissant.

— Je te montrerai, un jour.

Je souris en retour.

— Là, je suis totalement intriguée.

— Et ce devra rester ainsi jusqu'au jour où je déciderai de te révéler mes secrets.

Je ris.

— Alors, viendras-tu aussi à l'intérieur pour profiter de la fête?

Son sourire devint narquois.

— Ne penses-tu pas que Landon aura un problème avec ça?

— Comment le sais-tu? Oh, ouais.

— J'ai vu sa façon de te regarder, dit-il. Ce qui me surprend, c'est que toi, tu ne vois rien.

— Eh bien, maintenant qu'on me l'a fait remarquer, je pourrais bien le voir.

Il approcha son visage du mien.

— Tu ne comprends pas bien les gens, n'est-ce pas ?

Je repoussai son épaule d'un petit coup badin.

— Je comprends les gens tout à fait bien. Simplement, je n'ai pas un millier d'années d'entraînement comme toi.

Il recula d'un pas et rit.

— D'accord, je vais passer comme invité. Je vais te permettre de m'y voir.

Je clignai des yeux.

— Oh, tu me permets de te voir, c'est ça ?

Il hocha la tête, échouant à empêcher un petit sourire satisfait de se pointer.

— Oh oui. Tu ne m'as vu que lorsque je l'ai permis. Je suis extraordinaire pour me cacher.

— Tu es sûr de toi, pas vrai ?

— Tu ne peux même pas imaginer à quel point.

Je plissai les yeux.

— Nous verrons.

Je me détournai de lui et quittai l'entrepôt. Je montai dans ma voiture, mais quand je regardai Will, il se tenait debout à côté de ma vitre au lieu de s'installer sur le siège passager.

— Tu ne montes pas ?

Il se pencha pour me regarder à travers la vitre.

— Non.

— Tu vas marcher jusqu'à Bloomfield Hills ?

Il hocha la tête.

— Je peux voyager facilement.

— C'est un tas de conneries. Monte.

— Pars, dit-il. Ne t'inquiète pas pour moi.

— Je ne vais pas te laisser seul au milieu de Pontiac. Monte.

— À l'évidence, je peux prendre soin de moi-même. Je ne monte pas en voiture avec toi.

— Ouais, tu montes. Ne me mens pas en me disant que tu vas marcher.

— Au revoir, Ellie, dit-il en s'éloignant de la vitre.

— Will! m'écriai-je, ouvrant ma porte et bondissant dehors.

Il avait disparu.

Je pivotai, le cherchant, mais il n'était nulle part en vue.

— Will?

La rue était sombre et le vent soufflait les feuilles et les vieux papiers sur le trottoir — le seul mouvement que je pouvais voir.

— J'en ai marre que tu joues les Batman avec moi!

Épuisée et en colère, je remontai dans ma voiture et roulai jusqu'à la maison.

9

Je me réveillai à neuf heures et dès que je sortis du lit, je sentis les effets de mon entraînement de la veille avec Will. Mon dos et mes épaules étaient douloureux et les pilules anti-inflammatoires que j'avais avalées ne faisaient à peu près rien pour les soulager. Après une douche, je me préparai un peu de café pour essayer de me réveiller. Kate téléphona à dix heures, confirmant qu'elle serait là à onze heures pour me prendre, mais je lui dis que nous devions avoir terminé à quatorze heures afin d'avoir le temps de me rendre à la bibliothèque. La température dehors était déjà assez élevée pour que je sois à l'aise dans une jupe en denim et des tongs. Malgré mon état ensommeillé, je me sentais bien. Je me sentais différente et j'aimais cela. Domptant ma chevelure indisciplinée, j'en relevai la moitié et l'épinglai sur ma tête. Lisser mes cheveux me semblait trop de travail, aujourd'hui. De retour dans ma chambre, je sortis mon haut en tricot préféré et je fus prête à partir.

Il y eut un coup à ma porte.

— Ouais ? criai-je.

La porte s'ouvrit et ma mère entra.

Je n'aimais pas l'expression sur son visage.

— Ellie, y a-t-il quelque chose dont tu souhaites me parler ?

Paniquée, des listes défilèrent dans ma tête. Qu'avais-je fait ? Étais-je rentrée trop tard ?

— Euh, je ne pense pas, constatai-je, essayant de paraître calme alors que mon cœur s'emballait.

— À propos de ta voiture, peut-être ?

Éclair de génie.

— Oh, ouais, gémis-je. Quelqu'un a dû emboutir ma voiture à l'école et s'enfuir. Je n'arrivais pas à y croire.

Elle m'observa d'un air désapprobateur.

— Je suis étonnée que tu aies oublié de le mentionner. Tu n'as pas heurté un panneau ou autre chose, non ? Sois franche, Ellie.

J'aurais de loin préféré avoir simplement frappé un panneau au lieu de ce qui s'était réellement passé.

— J'ai découvert ma voiture comme ça hier, expliquai-je. Je jure que je n'ai rien frappé, maman. Cela m'a tellement mise en colère et je ne voulais pas gâcher ma journée, alors j'ai essayé de ne pas y penser. J'étais tellement occupée avec mes devoirs et ensuite avec ma soirée cinéma, j'ai complètement oublié. Je suis désolée.

Elle fronça les sourcils.

— J'imagine que nous devrons y voir. J'espère que l'atelier de réparation du concessionnaire arrangera ça étant donné que tu ne la possèdes que depuis deux jours.

Elle mit l'accent sur ces deux derniers mots d'une manière désagréable.

— Qui que ce soit que tu aies énervé à l'école... Tu devrais essayer de te réconcilier avant que cette personne ne lacère tes pneus et casse tes vitres.

— Ouais, c'est sûr, ajoutai-je.

Si elle finissait par devoir payer pour la réparation, je me sentirais vraiment merdique.

— Je vais leur téléphoner, soupira-t-elle. Essaie de te garer dans le fond du parc de stationnement, Ellie.

— Maman, c'est presque l'hiver, protestai-je. Je ne veux pas me garer au milieu de nulle part et geler à mort en marchant jusqu'à l'intérieur. Sans parler du fait que ma voiture est blanche. Guimauve sera camouflé dans la neige et je ne le retrouverai jamais.

— Tu portes une jupe, observa-t-elle. Il fait encore chaud dehors.

— Pas pour longtemps, protestai-je.

Elle fronça encore les sourcils.

— Eh bien, je ne sais pas quoi te dire. Amuse-toi avec Kate aujourd'hui, dit-elle en me tendant une carte de crédit. Sois raisonnable. *Une* robe. Et paie-toi un dîner tandis que tu y es. Tu sembles fatiguée et je ne veux pas que ton taux de sucre baisse trop. Tu sais à quel point tu deviens grincheuse quand tu ne manges pas.

Je souris.

— Merci, maman.

Elle tourna les talons, mais elle se retourna pour me regarder à nouveau.

— D'où vient ce collier ?

Je touchai le pendentif.

— Un ami.

— Un garçon?

Zut.

— C'est un garçon qui est un ami.

Sa bouche tressaillit d'amusement et son regard quitta le collier.

— Tout d'abord, des roses, et à présent, un collier? Es-tu certaine que Landon n'est pas ton petit ami?

— Cela ne vient pas de lui, maman.

— Donc, tu as deux amoureux?

— Non, maman! criai-je presque. Aucun des deux n'est mon petit ami. Fais-moi confiance. Ce ne sont que des garçons qui sont des amis. Aucun mot n'est uni à ami, ici... et rien d'autre ne s'unit non plus, d'ailleurs.

Elle me fixa.

— Hum.

Puis, elle quitta ma chambre. Elle était tellement bizarre parfois.

Quelques minutes plus tard, Kate se révéla presque odieusement joyeuse lorsqu'elle surgit dans ma chambre.

— Alors! pépia-t-elle en se laissant choir sur mon lit, ses cheveux blonds volant dans les airs. Comment cela s'est-il passé?

— Comment quoi s'est-il passé? demandai-je, chassant un peu de cheveux de mes yeux et les attachant avec une épingle tout en fixant le miroir au-dessus de ma coiffeuse.

Kate lança un oreiller sur mes fesses, m'envoyant cogner sur ma coiffeuse, ce qui fit cliqueter quelques bouteilles de parfums.

— Tu sais ce que je veux dire! Comment était ton rendez-vous avec Will?

— Il ne s'agissait pas d'un rendez-vous, dis-je, lui présentant une mine renfrognée dans le miroir tout en stabilisant le vase de roses de Landon. Je te le promets.

— Alors, éclaire-moi. Qu'est-ce que c'était précisément?

— Il m'aide avec... mes devoirs. Les sciences éco me donnent du fil à retordre.

Tout comme Will, pensai-je.

Kate rit tout haut.

— C'est ton tuteur? Oh, Ellie, c'est le plus gros tas de conneries que j'ai entendu.

— Eh bien, c'est la vérité, mentis-je.

Je détestais mentir à ma meilleure amie, mais ce n'est pas comme si je pouvais lui révéler ce qui se passait réellement.

— Je n'ai pas d'affection pour lui ni rien, fais-moi confiance. En fait, c'est plutôt un pauvre type. Il n'est pas aussi gentil que je le croyais.

— J'aimerais bien avoir un tuteur séduisant.

— Ne sois pas aussi intelligente, alors.

— Peu importe, dit Kate en s'assoyant. Tu es une espèce de grosse menteuse. Allons faire des courses.

Nous nous rendîmes au centre commercial dans la BMW de Kate et nous nous garâmes devant l'entrée de Saks Fifth Avenue. Kate remit ses clés à un gars du service de voiturier vraiment mignon et elle rangea le billet dans son sac à main avant que nous entrions. Des comptoirs chics luisant d'or et d'ivoire bordaient l'étage principal avec de petites touches de teintes givrées, annonçant les arrivées d'automne et d'hiver. Kate s'arrêta pour lorgner une table surmontée d'escarpins Chanel et elle nous ralentit pour caresser un sac particulier de la collection Valentino pendant que je la traînais en haut de l'escalier mécanique vers la boutique de robes.

J'optai pour une jolie robe de soirée crème sans bretelles de marque Badgley Mischka. Le corsage me moulait confortablement et les étages de mousseline de soie gonflée de la jupe tombaient juste au-dessus de mes genoux. Je savais que je possédais des chaussures de satin noires Marc Jacobs parfaitement assorties à cette tenue. Je ne fus pas étonnée quand Kate choisit une robe fourreau à bustier noire plutôt audacieuse avec un devant en tissu à mailles de Dolce & Gabbana. Si quelqu'un pouvait l'oser avec succès, c'était bien Kate. Elle avait des jambes qui s'allongeaient sur des kilomètres et même si elle portait seulement une poignée de vieilles guenilles dépenaillées assemblées avec du ruban adhésif, elle aurait quand même l'air prête pour le tapis rouge.

Je réglai avec la carte que m'avait donnée maman, puis nous nous promenâmes une heure de plus avant d'aller déjeuner chez P.F. Chang's. Kate connaissait le gérant, qui nous aida à éviter la file d'attente de deux heures et nous assit immédiatement.

Pendant que je mangeais mon poulet Sichuan et écoutais Kate cancaner sur le fait qu'elle avait repéré Josie Newport quittant la boutique Louis Vuitton avec un nouveau sac, je me surpris à penser à Will. Je me demandai s'il se trouvait dans les Ténèbres en ce moment. Je me sentis réconfortée, en sécurité, sachant que si quelque chose décidait d'attaquer, il serait là en un éclair. Même si je lui avais botté le derrière avec raison la veille, je ne voulais pas encore me battre seule. Pour être franche, cela aurait certainement été très étrange s'il avait décidé de nous accompagner là où nous pouvions le voir. Je l'imaginai en train de flâner dans le centre commercial, nous suivant dans notre expédition avec nos sacs dans les mains, nous aidant à choisir des robes, et je ne pus m'empêcher de lâcher un petit rire.

— Je sais, n'est-ce pas? demanda Kate avec un hochement de tête, se méprenant sur mon rire, le prenant pour une réaction à quelque chose qu'elle avait dit sur Josie.

Je regardai autour de moi, espérant peut-être le remarquer et réfuter sa prétention que je ne pouvais pas le voir sans sa permission, mais j'échouai. Le restaurant était trop bondé, trop bruyant et trop sombre. Déçue, je reportai mon attention sur la conversation colorée de Kate.

— Alors, quand revois-tu Will? demanda-t-elle, comme si elle lisait dans mon esprit.

— Il vient à ma fête ce soir, dis-je.

Son visage s'égaya.

— C'est vrai? Emmènera-t-il des amis? Il doit être à l'université. Où va-t-il? Michigan? Oakland?

Je hochai la tête.

— Euh, ouais. Michigan. Je ne pense pas qu'il emmènera des amis, par contre.

— Oh, allons! Aucun gars séduisant de l'université ne viendra? Pourquoi est-ce toi qui monopolises le seul?

Je poussai mon riz.

— J'imagine que je suis chanceuse.

Pendant un bref instant, je m'imaginai en train de danser avec Will et, l'instant suivant, j'eus envie de cracher mon poulet.

En chemin vers la sortie du centre commercial, Kate s'arrêta chez Valentino et acheta le sac qu'elle avait lorgné plus tôt. Surprise, surprise.

Lorsque nous arrivâmes à la maison après nos courses, je dis à mes parents que je serais à la bibliothèque pendant quelques heures. Ce n'était pas un mensonge, mais je n'y serais pas pour étudier pour l'examen de mathématiques de lundi, comme ils le supposaient. Je lirais autre chose. Je ne savais pas pourquoi il y aurait des livres contenant quoi que ce soit sur les faucheurs ou sur ce qu'était l'Enshi dans une bibliothèque ordinaire, mais je me doutais que Will le saurait mieux que moi.

Quand j'arrivai, je me garai et je vis immédiatement Will assis sur les marches de l'entrée principale. Il affichait son expression sérieuse habituelle.

— Je n'arrive pas à croire que tu m'obliges à étudier le jour de mon anniversaire, grommelai-je. Tu n'es pas mon véritable tuteur, tu sais.

— Ton anniversaire n'est pas aujourd'hui.

— Ma fête d'anniversaire est aujourd'hui et c'est aussi bon que si c'était le jour de mon anniversaire.

Il se leva.

— Entrons. Je veux que tu rencontres quelqu'un. C'est un ami à moi... à nous depuis très longtemps.

Cela suscita mon intérêt.

— Qui est-ce?

— Tu verras, dit Will. Je pense qu'il pourrait avoir une idée d'où nous devrions commencer pour comprendre ce qu'est cet Enshi.

Je le suivis à l'intérieur et parlai à voix basse.

— Pourquoi penses-tu cela ? Quelle information sur les faucheurs pourrions-nous trouver dans une bibliothèque ? Cela ne me paraît pas un endroit probable.

— Tu dois me faire plus confiance.

Il me guida au-delà du poste d'accueil et salua de la main une femme à lunettes grassouillette assise sur sa chaise, qui feuilletait une pile de papiers.

— Hé, Louise.

La femme hocha la tête et nous sourit tandis que je suivais Will à travers une série de portes à sa droite, puis en bas d'un escalier jusqu'à une autre série de portes. Nous pénétrâmes dans un long couloir dont les murs blancs éraflés étaient tapissés de portes en bois. Je n'entendis rien d'autre que le vrombissement du climatiseur et nos pas résonnant sur le linoléum.

Will s'arrêta enfin devant une porte identique aux autres, l'ouvrit et s'écarta afin que je puisse passer. La salle était terne et dégageait une forte odeur de vieux livres moisis. De gros volumes reliés en cuir s'alignaient sur les quatre murs et des étagères remplies de livres s'élevaient de chaque côté d'une allée qui menait à l'arrière de la salle. Un jeune homme était assis derrière un bureau installé contre un mur. Il lisait un livre qui, j'en étais certaine, était plus épais que le haut de mon corps. Une fille qui paraissait avoir environ le même âge que Will était assise sur une chaise en face de lui. Elle tourna la tête pour nous regarder, ses longs cheveux brun-noir virevoltant. C'était une belle Asiatique et elle sourit gentiment tandis que nous nous approchions.

Le jeune homme, qui semblait avoir à peu près le même âge que Will, était bizarrement pâle, comme s'il ne sortait pas beaucoup. Il nous regarda tandis que nous avancions vers son bureau. Il avait l'air un peu ringard, mais adorable avec son sourire de travers. Ses cheveux brun érable étaient en bataille, mais j'avais l'impression qu'il était l'un de ces garçons qui ne se souciaient pas vraiment de leur apparence.

— Hé, Nathaniel, dit Will.

Il hocha la tête en direction de la fille.

— Lauren.

Nathaniel ne regarda que moi, avec ce genre de sourire qui me rappela monsieur Meyer, même s'il semblait à peine plus vieux que Will. Je lui souris en retour, l'aimant immédiatement. Ses yeux étaient vifs et cuivrés, comme des pièces de monnaie irisées. Ils brillaient à chaque mouvement de son regard.

— Salut encore, dit Nathaniel, rayonnant de joie. Cela fait un moment.

— Je suis désolée, mais nous sommes-nous déjà rencontrés ? m'enquis-je, incapable de me souvenir de son visage.

— Oh, oui, dit-il. Nous nous connaissons depuis des lustres. Will m'a dit que tu avais un peu de difficulté à retrouver la mémoire, mais ça va. Cela te reviendra en temps voulu.

— Je l'espère, dis-je avec franchise.

— Tu es toujours aussi ravissante, me complimenta-t-il.

— Merci, dis-je.

La fille se leva et me tendit la main.

— Tu dois être Ellie.

Je souris.

— C'est moi.

— Lauren Tsukino, dit-elle. Enchantée de te rencontrer. Je vais vous débarrasser de ma présence, à présent. Nathaniel, tu chercheras cela pour moi, n'est-ce pas ?

Il hocha la tête.

— Bien sûr, ma chérie. Tu auras de mes nouvelles sous peu.

Lauren se glissa entre nous et disparut par la porte.

Nathaniel se retourna vers moi.

— Lauren est un médium très puissant, expliqua-t-il. Elle a récemment senti l'arrivée de quelque chose dans la région qui lui a donné tout un choc. Ce serait bien si elle pouvait prédire l'avenir. Nous l'aurions alors dans la poche, celui-là. Hélas, elle est seulement clairvoyante, mais elle reconnaît un méchant faucheur quand elle le sent !

Il rayonna comme s'il venait de raconter une plaisanterie incroyablement drôle, mais je ne réussis pas à la trouver amusante. Je voyais la conclusion comique — je n'étais pas stupide —, mais ce n'était pas drôle, c'est tout.

— J'ignorais que les médiums existaient jusqu'à ce que Will me parle d'eux, fis-je remarquer en regardant la collection de livres de Nathaniel autour de moi.

— Oh oui, dit-il. S'ils ne tournent pas mal, ce sont des alliés précieux pour nous. Lauren s'est montrée très obligeante depuis que je l'ai rencontrée. Ton professeur également. Frank Meyer.

Ma mâchoire se décrocha.

— Monsieur Meyer ? Tu plaisantes !

— Il a récemment été tué au cours d'une chasse, expliqua Nathaniel, comme tu le sais, bien sûr. Il était bon pour un humain, mais son âge le ralentissait. Le faucheur a eu le dessus sur lui.

— Tu me dis que mon professeur de sciences économiques était un médium chasseur de faucheurs ? C'est un peu trop rebelle pour un professeur d'école secondaire.

— Frank était l'un des meilleurs, dit Will.

— Non…

Ma tête tournait. J'ignorais qu'il était aussi génial.

Will émit un petit rire.

— Adolescent, il était déchaîné. Encore plus dans la vingtaine.

— Tu le connaissais à ce moment-là ?

Son rire s'évanouit.

— Toi aussi.

Je le fixai.

— Je le connaissais dans une vie antérieure ?

Il jeta un coup d'œil rapide à Nathaniel.

— Oui, à Chicago. Il y a environ quarante-cinq ans. C'était un bon ami à nous. Je lui ai parlé récemment et il m'a dit qu'il t'avait reconnue dès ton premier jour, en première secondaire. Il ne t'a jamais oubliée. Il m'a dit que c'était toute une expérience de te revoir.

— Je le connaissais ? répétai-je, mon cerveau se débattant avec mille questions et pensées. Il devait avoir environ vingt ans, c'est bien ça ? Pourquoi ne m'a-t-il jamais rien dit ? Il a continué à prétendre que j'étais seulement une étudiante de plus. Il s'est déjà battu avec nous ? De toutes les personnes au monde sur lesquelles tomber dans une autre vie… monsieur Meyer ?

J'aurais aimé pouvoir me souvenir de lui plus jeune, mais je n'y arrivais pas et cela me brisait un peu le cœur.

— Les véritables médiums sont rares, expliqua Nathaniel. Particulièrement ceux qui veulent combattre les faucheurs. Et les tuer. Cependant, ces mortels qui traquent les faucheurs désirent arrêter cela autant que nous. Nous avons subi une perte extraordinaire avec la mort de Frank.

Lui et Will restèrent silencieux un moment. Nathaniel semblait consumé par ses pensées. Je me demandai ce que penserait Kate si elle savait que monsieur Meyer était si génial, mais je ne pourrais jamais rien lui révéler sur ma nouvelle vie. Elle ne pourrait jamais savoir. L'entraîner elle ou n'importe lequel de mes amis ou des membres de ma famille dans tout cela servirait seulement à les faire tuer. Exactement comme monsieur Meyer.

— Je l'ignorais totalement, dis-je.

Des choses que j'aurais dû dire ou faire me hantaient.

La main de Will couvrit la mienne.

— Ça va. Il a toujours dit que la seule chose qui l'abattrait, en fin de compte, ce serait un faucheur. Il n'a jamais rien regretté.

La chaleur de sa main sur la mienne me fit prendre conscience que j'étais devenue froide depuis que j'avais appris la véritable identité de monsieur Meyer. Je repensai à la description de son meurtre par la journaliste du bulletin de nouvelles et cela me rendit malade. J'étais morte de cette façon d'innombrables fois, mais monsieur Meyer ne reviendrait jamais comme moi.

Voulant à tout prix parler d'autre chose, je baissai le regard sur le livre que Nathaniel avait sorti sur son bureau.

— C'est quoi, cet endroit? Ces livres semblent anciens.

— Ils le sont, dit-il.

— Nathaniel est responsable des livres rares, ici, expliqua Will.

— Exact, ajouta Nathaniel. Essentiellement, je peux apporter et garder ici n'importe quel livre de mon choix. J'ai quelques volumes documentant les faucheurs à travers l'histoire. Je suis aussi un collectionneur d'antiquités, et c'est ainsi que je gagne ma vie, puisque je suis bénévole, ici. J'aime les vieux objets, probablement parce que je suis moi-même très vieux. Tu serais étonnée de voir à quel point c'est payant d'acheter quelques peintures laides et de les vendre à des multimillionnaires une centaine d'années plus tard. Des dizaines de millions de dollars pour un Picasso original, ce n'est pas à dédaigner.

Je hochai la tête, imaginant ce que je ferais avec des dizaines de millions de dollars. Oh mon Dieu — les chaussures que je pourrais acheter avec cela !

— Tu nous connais donc depuis longtemps ? Alors, tu es immortel comme Will ? Il m'a dit qu'il n'existait pas d'autres Gardiens. Pas pour l'instant, du moins. N'ai-je pas eu d'autres Gardiens avant lui ?

Nathaniel jeta un regard étrange à Will. Ce dernier le fixa intensément en retour et ne dit rien.

— Oui... Je suis un immortel et tu as eu d'autres Gardiens auparavant. Ils t'ont protégée jusqu'à leur mort. Leur mission est pour la vie.

Il me laissa sans voix. Je fixai Will, qui évita mon regard, et je dus m'obliger à détourner les yeux de lui. Ces gens étaient morts pour moi ? Combien ?

Will prit tout à coup la parole, mais je ne le détestai pas pour ce changement de sujet.

— Nous avons combattu une faucheuse qui a mentionné l'Enshi. Est-ce que cela te dit quelque chose?

Nathaniel serra fortement les lèvres.

— Un Enshi? Seigneur de la vie... de ce qui crée la vie, pour être exact; les âmes.

— L'Enshi, rectifiai-je. La faucheuse donnait l'impression qu'il n'y en avait qu'un.

— Seulement un, dis-tu? C'est peut-être ce qu'a senti Lauren.

— Ça me paraît probable, dit Will. Ce pourrait être important, Nathaniel. Penses-tu que Bastian pourrait avoir quelque chose à voir là-dedans?

— Qui est Bastian? m'enquis-je.

Devant le silence de Will, Nathaniel parla, lui lançant autre drôle de regard.

— Bastian est un vir très, très puissant, un faucheur à l'allure humaine. Les virs peuvent apparaître comme un homme ou une femme ordinaire, mais ils possèdent le pouvoir de changer de forme des faucheurs et ils ont souvent des yeux étranges, des griffes, des écailles, des queues, des cornes, des ailes... et j'en passe. Ils peuvent choisir de dissimuler ces aspects ou de les révéler n'importe quand. Certains d'entre eux peuvent métamorphoser leur corps en entier pour ressembler à quelqu'un de totalement différent. Les virs sont également plus puissants que tous les autres faucheurs et ils choisissent souvent de dominer les faucheurs, comme celui que tu as tué à ton école, comme Bastian le fait. Il est cruel et rusé, et il essaie de découvrir une manière de te détruire depuis la majeure partie du millénaire, Ellie. Lui et ses faucheurs ont pris plus d'âmes humaines qu'on peut le compter.

L'expression de Nathaniel m'apprit qu'il était sérieux.

— C'est pourquoi c'est notre travail de t'aider à protéger les âmes humaines contre eux. Bastian et ses fidèles pourraient très bien être à la recherche de cet Enshi.

— Nous avons besoin d'emprunter quelques livres pour voir si nous pouvons trouver quelque chose sur lui, dit Will.

— Vas-y, dit Nathaniel en se levant. Le matériel intéressant se trouve derrière mon bureau.

Will examina chaque livre sur l'étagère indiquée par Nathaniel, faisant courir ses doigts le long de chaque épine, consultant les inscriptions et optant finalement pour trois livres. Il les déposa sur le bureau pendant que je lisais les titres. Nathaniel choisit un volume relié en cuir en bon état, mais vieux, et il commença à le feuilleter.

— C'est en latin, dis-je en m'installant à côté de lui. Je suis incapable de lire le latin.

Will s'assit et tourna les pages pour parcourir rapidement ce que je supposai être un index quelconque.

— Le peux-tu? demandai-je lorsqu'il ne répliqua pas.

— Évidemment.

J'examinai les deux autres livres. L'un était aussi en latin et l'autre, dans une langue que je ne reconnus pas tout de suite.

— Quel est ce langage?

— De l'hébreu, répondit-il sans me regarder.

— Tu peux lire le latin *et* l'hébreu?

— Tout comme toi.

— Ah, dis-je. Un autre de mes mystérieux talents dont je semble incapable de me souvenir. J'espère vraiment que faire la cuisine se trouve sur cette liste parce que j'aimerais pouvoir cuisiner des petits gâteaux sans les transformer en ciment.

Il me récompensa d'un petit sourire.

— Bien cuisiner n'a jamais été l'une de tes préoccupations par le passé.

10

Une heure plus tard, Will et Nathaniel n'avaient pas trouvé grand-chose pour récompenser leurs efforts. Je m'amusai à les observer, particulièrement fascinée par l'intensité dans les yeux de Will pendant qu'il lisait les langues anciennes et par les beaux muscles de ses avant-bras quand ils se tendaient en tournant chaque page. Il termina enfin le livre en latin et prit celui concernant l'ancien folklore sumérien. Après un petit moment, il donna une claque sur la page qu'il parcourait, me faisant sursauter.

— Je l'ai trouvé ! chantonna Will.

Il me fixa avec une expression excitée, mais je haussai seulement les épaules. Il fronça les sourcils et poursuivit.

— Enshi, le Seigneur des âmes. Le donneur et le preneur du souffle de vie.

— Le souffle de vie ? grommelai-je. Cela me semble un peu trop philosophique pour un samedi.

— Peu importe ce qu'est cet Enshi, c'est aussi important que nous le pensions, dit-il en lisant plus loin.

Nathaniel regarda par-dessus son épaule.

— Qu'est-ce que c'est ?

— On dit que l'Enshi est un être endormi qui est le dieu de la vie sous le commandement d'Enki, le dieu suprême de la Terre, selon la mythologie sumérienne. De nombreuses civilisations anciennes ont fait l'erreur de prendre de puissants faucheurs pour leurs dieux. C'est donc une possibilité de son origine. Il est associé à ce symbole.

Il fit pivoter le livre afin de nous montrer la page, à moi et à Nathaniel. L'image était formée de trois cercles ouverts disposés comme une cible, avec quatre petits points pleins distribués horizontalement d'un bout à l'autre du centre, et deux croissants se faisant face à la verticale.

— C'est le sceau d'Azraël, expliqua Nathaniel. Le texte pourrait-il vouloir dire que l'Enshi sert le Destructeur ?

— C'est assurément l'impression que j'en retire, dit Will d'une voix sombre. Azraël est l'ange de la mort, mais pas un archange… du moins, plus maintenant. Les archanges sont les anges les plus élevés de la hiérarchie et les plus puissants. Si l'Enshi est un faucheur, alors cela doit signifier que l'Enshi est un faucheur angélique. Il est impossible qu'un faucheur démoniaque serve un ange. C'est contre-nature pour les faucheurs et cela va à l'encontre de tout ce qu'ils ont appris et croient.

Ma tête tournait à tenter de comprendre ce qu'ils disaient.

— Un faucheur angélique ? Le Destructeur ? Les anges ? De quoi parlez-vous ?

Will jeta un coup d'œil à Nathaniel, qui le regarda intensément en retour, comme s'il ne voulait pas répondre à la question. Je détestais cela quand ils échangeaient des regards. Cela me donnait l'impression d'être une vilaine petite fille en train d'écouter une conversation entre adultes.

— Oui, des anges, expliqua Will. Les homologues des déchus.

J'observai son visage, abasourdie par ce qu'il me disait.

— Veux-tu dire que les vrais anges existent ? Les déchus sont des démons, n'est-ce pas ? Cela veut-il dire que Dieu existe ? Satan aussi ?

Il prit une inspiration.

— Oui. Lucifer s'est rebellé contre Dieu et il a perdu la Première Guerre, comme tu l'as probablement appris à un moment donné dans ta vie. Dieu a banni Lucifer du Paradis et il est tombé aux Enfers, mais sa guerre est descendue sur la Terre. Les anges qui se sont joints à la cause de Lucifer sont tombés avec lui et sont devenus des démons, les déchus. Deux des déchus ont donné naissance à d'horribles enfants, dont les descendants sont les créatures que nous connaissons aujourd'hui comme les faucheurs démoniaques. Voulant désespérément plus de soldats pour alimenter son armée de damnés, Lucifer utilise les faucheurs pour ramasser des âmes humaines.

J'étais complètement fascinée.

— Et les faucheurs angéliques ? Que sont-ils ?

— Les descendants des Grigori, expliqua Will. Les déchus qui ont combattu avec Lucifer n'étaient pas tous véritablement mauvais. Dieu croyait que les Grigori pouvaient être réhabilités et ils ont par conséquent été emprisonnés dans le monde mortel. Afin de se racheter pour leur trahison, on leur a ordonné de surveiller l'humanité. Ce sont les gardiens de la magie et de la médecine angélique, et des portes du Paradis et des Enfers. Ils ont eu des enfants entre eux, mais ces enfants n'ont pas été créés dans un esprit mauvais et sauvage. Ils sont devenus les faucheurs angéliques, les soldats terrestres de Dieu qui peuvent détruire les faucheurs démoniaques et les empêcher de prendre des âmes humaines. Les Grigori ont quatre seigneurs, les Gardiens des éléments, qui règnent sur les quatre points cardinaux de la Terre. Il y a Fomalhaut, de l'hiver du Nord ; Régulus, de l'été du Sud ; Aldébaran, du printemps de l'Est ; et Antarès, de l'automne de l'Ouest. Ils représentent l'esprit de l'élément de leur quadrant.

— As-tu déjà rencontré un des Grigori ? demandai-je. Combattent-ils aussi les faucheurs démoniaques ?

— Non, ils sont très rares, dit-il. Mais Antarès, Gardien de l'Ouest, vit en Amérique. Au Colorado, je pense. Et je ne pense pas que l'un d'eux se batte. Ils sont surtout pacifiques, mais cela ne signifie pas qu'ils sont faibles.

—Je ne suis donc pas une de leurs descendantes, conclus-je. D'où est-ce que je viens ?

— Les plus puissants faucheurs démoniaques surpassaient en nombre les plus puissants faucheurs angéliques et Dieu avait besoin d'aide, dit Will. Toi et les faucheurs angéliques êtes destinés à empêcher la Deuxième Guerre de Lucifer, l'Apocalypse. Si cette guerre se déclenche, c'est la fin des temps. Ton travail consiste à arrêter autant de faucheurs démoniaques que tu le peux. La meilleure façon de tuer un faucheur démoniaque est par le feu d'ange, mais les faucheurs angéliques ne peuvent pas manier ce pouvoir parce que leurs ancêtres sont des anges déchus. Nous ignorons ce que tu es. Tu n'es pas une faucheuse et ton corps est humain. Tu es apparue, tout simplement, et nous t'avons tous acceptée. Cependant, quand un faucheur te tue, il ne peut rien faire à ton âme. Tu te réincarnes et tu te bats encore, comme si ton âme était immunisée.

Je mâchouillai ma lèvre, m'obligeant à le croire, mais les « et si » se tapissaient encore au fond de mon cerveau. Je me souvins de vendredi, dans les toilettes, quand les étranges trucs noirs rampaient sur mon visage et qu'ils avaient disparu soudainement. Je n'arrivais pas à oublier mes terribles cauchemars. Étais-je une déchue ? Non. Pas si je pouvais utiliser le feu d'ange. Toutefois, je ne pouvais pas échapper à la peur que quelque chose de sombre fût tapi en moi, quelque chose de plus effrayant que la pensée de la Deuxième Guerre de Lucifer et de la fin du monde.

— Et si tu avais tort ? demandai-je. Et si j'étais une faucheuse ?

— Tu ne l'es pas, m'assura Will. Tu es quelque chose de différent. Fais-moi confiance.

Je regardai de nouveau l'étrange symbole d'Azraël.

— Donc, il y a de bons faucheurs et de méchants faucheurs ? Les bons servent les anges et les méchants servent les déchus ?

Nathaniel hocha la tête.

— En résumé, oui.

— Je tue les méchants, n'est-ce pas ? demandai-je. Les faucheurs démoniaques. Et si je tuais les bons ?

Je sentis mon estomac se nouer.

Le regard calme de Will retint le mien.

— Nous combattons uniquement les faucheurs démoniaques.

— Tu es comme l'arme secrète des anges, ajouta Nathaniel. Ta présence dans cette guerre équilibre les choses.

— Est-ce que je ne déséquilibre pas les choses, alors ?

Je détestais jouer les avocats du diable — sans vouloir faire de jeu de mots —, mais j'avais besoin de comprendre pleinement qui j'étais et ce que j'étais.

— Non, dit Nathaniel, parce qu'il y a trop de faucheurs démoniaques pour que les anges puissent les détruire tous par eux-mêmes.

— Les déchus ont-ils un Preliator?

— Non, dit-il en remuant légèrement le nez.

— L'Enshi pourrait-il être un autre Preliator? demandai-je. Démoniaque, peut-être?

Will échangea un regard avec Nathaniel.

— Bien que cela soit peu probable, c'est une chose à laquelle nous devons songer. Nous ne pouvons pas l'éliminer d'emblée.

— Will, commençai-je, le soir de mon anniversaire, tu as dit à ce faucheur qu'il ne pouvait pas me toucher jusqu'à ce que tu me réveilles, sinon il devrait en subir les conséquences. Parlais-tu des anges?

— Oui, dit Will. Les faucheurs démoniaques s'efforcent de provoquer le chaos, mais il y a des règles que très peu d'entre eux oseront briser, particulièrement si cela signifie qu'ils devront affronter un ange-soldat comme conséquence — un genre d'ange sous le rang d'archange, des policiers du Paradis, si tu veux. On ne peut pas te toucher jusqu'à ce que tu aies retrouvé tes pouvoirs et les anges-soldats font respecter cette loi.

Je fronçai les sourcils.

— Les faucheurs démoniaques sont créés uniquement pour le mal? Cela fait tellement «vilain personnage de Disney». Ne peuvent-ils pas choisir d'être bons? À mon avis, c'est comme un genre de génocide, cette manière que j'ai de les rayer de la carte, tout simplement.

Les yeux de Will plongèrent plus intensément dans les miens.

— Si un humain est dévoré par un faucheur démoniaque, c'est un billet aller sans retour pour les Enfers. Les faucheurs gagnent le pouvoir entier sur l'âme. C'est comme la façon dont les gens de certaines cultures mangent la chair de leurs ennemis ou de prédateurs puissants pour obtenir leur force par la magie. Les faucheurs angéliques protègent les âmes humaines, mais ils ne peuvent pas les manipuler. Seul Dieu devrait avoir le droit de décider si une âme devrait finir au Paradis ou aux Enfers.

— Ils ne peuvent pas tous être ainsi, dis-je. Il doit y en avoir parmi eux qui ont choisi de ne pas voler des âmes pour les déchus.

Il secoua la tête.

— Tous les faucheurs démoniaques contre qui tu t'es battue un jour ont aussi tenté de te tuer. Ils n'ont toujours été que des monstres. Ils sont la progéniture de démons. Je n'ai jamais entendu dire que l'un d'eux avait changé son comportement. Chaque personne qu'ils ont tuée brûlera sans exception dans les Enfers pour l'éternité. Ils tuent des innocents, ils te tuent et nous les tuons.

— Je ne sais pas, dis-je tristement. Il me semble qu'il devrait y avoir quelque chose de plus.

— Que veux-tu dire ?

Mes épaules s'affaissèrent. Je n'aimais pas me faire prendre au dépourvu ainsi.

— Je ne sais pas. Seulement, je ne crois pas au mal absolu… ni au bien absolu. Personne n'est parfaitement l'un ou l'autre. Pourquoi certains faucheurs démoniaques ne peuvent-ils pas devenir bons ou des faucheurs angéliques ne peuvent-ils pas mal tourner? Si l'Enshi est un faucheur angélique, alors pourquoi aiderait-il les faucheurs démoniaques? Il a peut-être mal tourné.

— Ellie, nous ne sommes pas…

La bouche de Will se referma sèchement et son expression s'emplit de douleur. Son regard s'abaissa.

— Qu'est-ce qui ne va pas? demandai-je.

Il agita la main avec dédain, mais il ne me regarda pas.

— Oublie ça.

Je l'observai un moment, me demandant ce qu'il ne voulait pas me dire.

— Nous devrions revenir à l'Enshi, dit Nathaniel.

Je ne protestai pas.

— Donc, l'Enshi sert un ange? demandai-je. Celui dont le sceau se trouve dans ce livre. Azraël, l'ange de la mort.

— Eh bien, l'un d'eux, dit Nathaniel.

— Il y en a plus qu'un?

Pour la première fois de ma vie, j'aurais aimé avoir assisté à au moins une journée de catéchisme juste pour comprendre la base de ce qu'ils tentaient de m'expliquer.

Il acquiesça.

— L'autre véritable ange de la mort est Samaël, mais il est tombé et il n'est plus archange.

— Pourquoi est-il tombé? demandai-je.

— Samaël a désobéi à Dieu d'une manière impardonnable quand il est devenu l'amant de Lilith, la reine des déchus. Ensemble, dans les Enfers, ils sont le bras droit et le bras gauche de Lucifer, bien que parfois on prenne Samaël par erreur pour Lucifer. Samaël et Lilith sont les aïeux des faucheurs démoniaques.

Je restai bouche bée de surprise.

— Leurs enfants sont les faucheurs démoniaques?

— Oui.

— Alors, ces faucheurs démoniaques veulent une créature qui sert Azraël, dis-je.

Nathaniel haussa les épaules.

— Si en effet l'Enshi sert Azraël, alors j'ignore pourquoi Bastian le voudrait ou pourquoi les faucheurs démoniaques pensent qu'il les aidera.

Cela me rendit un peu d'espoir.

— S'il est de notre côté, ne pouvons-nous pas l'amener à nous aider? Qui dit qu'il doit être maléfique?

— La faucheuse s'est montrée plutôt claire à propos du fait qu'ils allaient utiliser l'Enshi contre toi, dit Will. Ce n'est pas un risque que je suis prêt à courir.

— Je te prie d'avance de m'excuser de ma franchise brutale en ta présence, Ellie, dit Nathaniel. Cependant, c'est un fait que peu importe le nombre de fois où ils tuent le Preliator, elle renaîtra et elle tuera cent autres faucheurs de plus pour chacune de ses propres morts.

J'eus un mouvement de recul. Il était un peu plus brutal que ce à quoi j'étais préparée.

— Exactement, dit Will en se penchant vers l'avant. Qu'est-ce que ça peut faire si l'Enshi se réveille? Il a peut-être la force de tuer Ellie, mais elle reviendra tout simplement quelques années plus tard. Le cycle ne s'interrompra jamais.

Nathaniel soupira.

— Je ne sais pas. Ils savent peut-être un truc que nous ignorons.

— Je n'aime pas cela, avoua Will. Cela pourrait-il avoir un rapport avec le temps qu'a mis Ellie à renaître cette fois ?

— J'espère que non.

— Nathaniel, dit une toute petite voix sortie de l'interphone au-dessus de nos têtes.

— Oui, Louise ? répondit-il.

— Nous avons une nouvelle livraison, si tu veux bien monter et signer pour sa réception.

— J'arrive dans une minute.

Il se leva.

— Je vais revenir sous peu. Si vous devez partir, sentez-vous libres. Passez en haut et venez me dire au revoir, si c'est le cas.

Il quitta la pièce rapidement, nous laissant seuls, Will et moi.

Après un bref moment de silence gêné, je parlai.

— Il se fait vraiment tard et il faut encore que je m'organise pour ce soir. Est-ce que ça va si nous arrêtons nos recherches pour l'instant ?

— Ouais, dit-il avec un hochement de tête. Allons-y.

Nous trouvâmes Nathaniel dans une salle du deuxième étage de la bibliothèque, examinant des documents fragiles à l'intérieur de pochettes protectrices. Nous lui dîmes au revoir et il promit de garder l'œil ouvert pour tout ce qui pourrait nous mener à d'autres informations sur l'Enshi. Dehors, je marquai une pause avant de monter dans ma voiture.

— Quels sont tes plans après ceci ? demandai-je.

Il leva les yeux vers le ciel.

— La nuit tombera bientôt.

Je hochai la tête d'un air entendu. C'est là qu'il commençait son travail de chien de garde.

— Eh bien, si tu préférais ne pas t'asseoir sur mon toit et faire tapisserie, tu es le bienvenu pour nous aider à nous installer pour la fête. Ou simplement pour traîner avec nous. Il n'est pas nécessaire que tu sois seul tout le temps.

— Non, merci, dit-il. Ce n'est pas la meilleure des idées.

— D'accord, Batman, dis-je avec un sourire. Mais si tu as l'intention de prétendre que tu es mon garde du corps, tu ferais aussi bien de passer du temps avec moi.

Son expression devint songeuse.

— C'est mieux ainsi.

— Pourquoi ?

— Parce que lorsque je suis en ta présence, au lieu de surveiller tes arrières, je baisse la garde.

— Eh bien, ne le fais pas.

Il m'offrit un grand sourire, son premier sourire sincère de la journée, et j'eus des papillons dans le ventre.

— Je ne peux pas m'en empêcher.

— Tu l'as dit toi-même : les faucheurs ne sortent pas en plein jour.

— Cela ne signifie pas qu'ils ne le peuvent pas. Ils restent opportunistes. Un meurtre facile est un meurtre facile.

— Mais ne crois-tu pas qu'ils seraient moins enclins à m'attaquer si tu te tenais à côté de moi plutôt que le contraire ?

— Cela n'a pas d'importance.

— Pourquoi pas ?

— Ils savent que je sens ta détresse et que je te rejoindrai, que je sois à proximité ou non.

— Tu dois toujours réfuter ma logique, n'est-ce pas?

— Et tu poses toujours trop de questions.

Je plissai les yeux.

— Et toi, tu ne réponds jamais à aucune d'entre elles. Tu es odieux. Je te verrai plus tard. Tu viens toujours à la fête, hein?

— Oui, dit-il. Parce que tu le souhaites, je viendrai.

— Parfait. Je compte sur toi.

— Tu le peux toujours.

11

À dix-neuf heures, ma mère, Kate et moi avions installé la majeure partie des décorations. Landon et Chris avaient collé des serpentins et des étoiles pendantes au plafond et sur les colonnes du salon. J'essayai de ne pas créer de malaise entre moi et Landon, mais il semblait s'être remis des événements de la veille. Il nous aida à atteindre les endroits plus élevés pour les ornements et il accrocha des lanternes en papier dehors, sur la terrasse.

Je montai jusqu'à la salle de bain à toute vitesse pour me doucher et mettre ma robe. Mon collier ailé constituait l'accessoire parfait. Kate et moi nous coiffâmes mutuellement et, lorsque nous fûmes prêtes, nous rejoignîmes les garçons sur la terrasse pour leur montrer nos tenues. Landon et Chris semblaient très contents de nos robes.

— Tu as l'air superbe, Ellie, dit Landon.

— Merci! répondis-je, le visage rayonnant.

— Kate, ne penses-tu pas que c'est un peu trop révélateur? demanda ma mère en lui lançant un drôle de regard.

Kate haussa les épaules.

— Mes seins ne sont pas à découvert.

— C'est tellement dommage, dit Chris en passant devant elle.

Elle le frappa promptement sur l'épaule.

La nuit était tombée, les lanternes en papier étaient allumées et ma cour arrière était une scène brillante. Leur lumière se reflétait et scintillait sur la surface de la piscine. Au-delà de la cour, il y avait une étendue boisée qui menait à un petit lac derrière notre quartier, et le clair de lune filtrait à travers les arbres, faisant luire la pelouse. Je ne pouvais pas être plus heureuse. Brûlant d'excitation, j'étreignis et remerciai tout le monde. Quand mon père rentra à la maison, je le traînai dehors pour tout lui montrer, mais son expression m'incita à me refermer comme une huître.

— Avons-nous vraiment besoin de tout cela ? dit-il, la mine renfrognée.

— C'est mon anniversaire, insistai-je. La cour n'est-elle pas jolie ?

— C'est absurde.

— Nous avons seulement accroché des lanternes en papier.

Quelque chose dansa dans son regard, plus sombre que la colère, comme des ombres derrière ses yeux. Je clignai des yeux de surprise.

Il secoua légèrement la tête et le regard disparut.

— Je ne sais pas du tout pourquoi tu fais une si grosse affaire avec cela.

J'aurais ri du ridicule de sa déclaration si je n'avais pas été sur le point de pleurer.

— C'est mon anniversaire.

— Ne deviens-tu pas un peu trop vieille pour des fêtes d'anniversaire ?

Son regard retint le mien encore quelques instants déchirants, sa lèvre supérieure tressaillant. Puis, il émit un bruit inintelligible et se glissa de l'autre côté de la terrasse pour inspecter les burgers que maman cuisinait sur le grill. Il respira profondément l'odeur de la viande grillée, agissant comme s'il ne venait pas juste de pratiquement me briser le cœur. Pourquoi dirait-il une chose aussi dédaigneuse et blessante ? Ne comprenait-il pas l'importance que présentait ma fête d'anniversaire à mes yeux ? N'étais-je pas importante pour lui ?

Je me mordis la langue avec force pour m'empêcher de pleurer et de faire couler mon mascara et j'entrai d'un pas lourd et bruyant dans la maison. Maman avait installé un beau gâteau à deux étages sur le bar de la cuisine et déménagé les tabourets dans la salle à manger afin que les gens n'aient pas à faire des pieds et des mains pour les contourner et prendre du gâteau. Chris avait apporté des haut-parleurs ; il les brancha dans son ordinateur portable et, sous peu, la maison fut inondée de musique assourdissante. Tout cela suffit presque à me faire oublier la cruauté de mon père envers moi. Presque.

À vingt heures, les invités commencèrent à arriver. Kate prit plaisir à jouer les hôtesses, accueillant tout le monde à la porte d'entrée et les guidant à travers le vestibule jusqu'au salon. Mes amis me dirent à quel point j'étais belle et, un à un, ils m'étreignirent avant de partir profiter du gâteau et de la musique. Evan et Rachel arrivèrent exactement au moment où la maison commençait à être bondée. Je fus heureuse de voir que Josie Newport se présenta — avec son entourage dans son sillage. Elle portait une robe de soirée jaune soleil et ses cheveux couleur noyer pendaient en boucles folles autour de ses épaules bronzées. Elle me sourit et me donna un câlin qui semblait sincère et elle me souhaita un bon anniversaire.

À vingt et une heures trente, ma maison et ma cour arrière regorgeaient d'étudiants du secondaire. Maman et papa s'étaient retirés à l'étage quand l'endroit avait commencé à être trop agité pour eux et j'en étais contente. Personne ne veut que ses parents participent à leur fête. Je me déplaçai d'un groupe à l'autre, bavardant et dansant, et quand je repérai Will, je m'arrêtai net.

Il était vraiment venu. J'étais encore plus abasourdie de le voir porter un beau pantalon noir et une chemise en soie ajustée de couleur grenat dont quelques boutons du haut étaient défaits, sans cravate. Seule une petite partie de son tatouage se voyait, au-dessus de son col. Avant que je puisse attirer son attention, l'une des amies de Josie, Harper — ou Harpie, comme nous aimions l'appeler —, fut devant lui en train de se présenter. Je réprimai un rire lorsque je vis l'apathie sur le visage de Will. Harper avait enroulé un bras autour de lui et elle commençait à l'entraîner dans la fête. Derrière eux, Kate afficha une face comique et esquissa un geste de la main tout aussi approprié qui me fit rire. Quand le regard de Will croisa le mien, il se libéra de la prise de Harper sans un mot pour elle et marcha vers moi. Elle se dégonfla et me regarda la bouche ouverte sans pouvoir y croire pendant que je retenais un petit sourire satisfait et victorieux. Cela apprendrait à Harpie de s'imaginer qu'elle était propriétaire des lieux — et de Will! Non que j'étais possessive ou quoi que ce soit. D'accord, peut-être un brin.

Kate me frôla en passant et s'arrêta pour émettre un bruit de haut-le-cœur dans mon oreille.

— Je ne peux pas croire que Josie a emmené Harpie Knight, dit-elle d'une voix basse et agacée. C'est une véritable mégère.

Je ris et hochai la tête, même si je n'avais aucune idée de ce que cela voulait dire. Kate sourit largement, faisant briller ses dents blanches et éclatantes, et poursuivit son chemin.

Will s'approcha de moi et pencha la tête pour me parler à l'oreille.

— Tu es belle.

— Merci, dis-je, me mordant la lèvre quand je me sentis rougir. Tu as fière allure toi-même. Où as-tu trouvé la chemise ?

— Chez un ami.

— Tu as des amis ?

— Ne sois pas si étonnée. Je vis depuis un long moment. Il était évident que je tomberais un jour sur quelqu'un qui m'aime bien. C'était seulement Nathaniel, de toute façon.

— Oh, c'est mignon, dis-je en lui pinçant la joue. Il a fait des courses pour toi. Vous êtes, genre, meilleurs amis à vie.

Il m'écarta d'un geste et regarda dans le salon.

— Ça suffit avec ça.

Je lui souris largement, posant les mains sur mes hanches.

— Tu as l'air tendu.

— C'était étrange d'entrer par la porte avant.

— Oh, oui, répondis-je avec un petit rire. Tu aurais dû simplement grimper à l'intérieur par la fenêtre, puisque tu es si doué pour cela.

Il sourit de guingois et se tourna pour me regarder en face.

— J'y ai pensé.

— Ou bien tu aurais pu sauter en bas du toit et tomber sur la terrasse.

— Je ne suis pas vraiment pour les entrées aussi théâtrales. Je n'aime pas attirer l'attention sur moi.

— Tu échoues lamentablement à ce jeu, au cas où tu ne l'aurais pas remarqué.

Il sembla ignorer la remarque et souleva mon pendentif dans sa main. Il le tourna dans sa paume, le regardant avec tendresse.

— Je suis content que tu le portes.

— Il va avec ma robe.

Il sourit doucement.

— Ça, c'est vrai.

Je jetai un coup d'œil derrière lui et repérai Harper qui nous fixait avec un air de dérision tandis qu'elle parlait à une autre fille. Je reportai mon regard sur Will.

— Veux-tu un peu de gâteau ?

— Non merci.

— Viens manger un peu de gâteau. Il est vraiment, vraiment très bon. Ignorant sa réponse, je lui attrapai le bras et le guidai vers la cuisine. Je souris à deux filles qui se servaient une tranche pendant qu'elles fixaient Will. Il avait l'air imperturbable, comme s'il se foutait réellement de l'attention et pas seulement qu'il n'en avait pas conscience.

— Je ne veux vraiment pas de gâteau, dit-il en zieutant l'œuvre sucrée posée sur le comptoir du bar.

— Es-tu certain ? demandai-je, déçue. Eh bien, moi, j'en prends un morceau. Je me coupai une tranche et commençai à la manger.

— Tu es vraiment ennuyeux, tu le sais ?

— Je suis tout sauf ennuyeux. C'est toi qui te pavanes dans ta petite robe en faisant semblant d'être une humaine normale. Ça, c'est ennuyeux.

Je lui montrai ma langue.

— Je suis une humaine normale, malgré ce que tu aimes croire, et je vais profiter de mon anniversaire. On n'a dix-sept ans qu'une fois.

— Moi, je n'ai eu dix-sept ans qu'une fois, dit-il. Mais toi, tu es une pro dans ce domaine.

Mon cœur se serra.

— Eh bien, c'est la seule fois dont je me souvienne, alors ne me la gâche pas.

— Pardonne-moi, dit-il, me surprenant. Allons profiter de ta fête.

— Attends, attends, dis-je, m'éloignant de lui pour terminer mon gâteau avant de jeter l'assiette et la fourchette en plastique dans la poubelle.

J'essuyai la trace de glace à gâteau sur ma lèvre et le laissai m'entraîner hors de la cuisine, mais dans l'entrée en arche menant au salon, nous arrivâmes face à face avec Landon. Son regard passa de mon visage à celui de Will, puis sur la main de Will tenant la mienne, avant de revenir à mon visage, son expression se remplissant rapidement de mépris. Il ne dit rien et nous dépassa pour entrer dans la cuisine.

De retour dans le salon, Will se tourna pour me regarder en face.

— Ton amie avait raison.

— À quel sujet ? demandai-je rêveusement alors qu'il se penchait vers moi et que je respirais son odeur.

— Il est très jaloux.

— Oh.

Landon.

— Comment sais-tu ce que Kate a dit ?

— J'ai de bonnes oreilles.

— Tu écoutais aux portes ? demandai-je d'un ton badin.

— C'est possible, dit-il avec un grand sourire.

Je roulai les yeux.

— Tu devrais rencontrer Kate officiellement. Elle ne pensera peut-être plus que tu es très étrange.

— J'ai bien peur que cela puisse avoir l'effet contraire, dit-il d'un ton abattu.

Je roulai à nouveau les yeux et l'entraînai sur la terrasse.

Kate se tenait debout auprès d'un groupe d'invités, riant d'une voix aiguë et gracieuse. Quand elle nous repéra, Will et moi, elle nous fit signe de nous approcher. Tout le monde me souhaita bon anniversaire pour la énième fois et Kate tendit une main à serrer à Will.

— Je ne pense pas que nous nous soyons rencontrés officiellement encore, dit-elle. Je suis Kate.

— Will, répondit-il. Enchanté de te rencontrer.

Les autres se présentèrent et nous nous lançâmes dans un papotage assommant que j'oublierais dans cinq minutes, je le savais. Will continua à m'étonner, car il sembla se glisser aisément dans le rôle de l'invité attentif. Il plaisanta, bavarda amicalement, tout en gardant un œil vigilant sur moi. Je ne pense pas que quelqu'un l'ait trouvé trop bizarre, pour ma plus grande joie.

Josie apparut avec Harper sur les talons. Elle posa une main sur mon bras et m'embrassa sur la joue.

— Salut, Ellie ! Comment vas-tu ?

— Je vais très bien, Josie, répondis-je joyeusement. Je suis tellement contente que tu aies pu venir. Est-ce que tu t'amuses ?

— Oui, dit-elle. La fête est formidable et les décorations sont tellement jolies. J'adore ta robe !

— Merci beaucoup ! Nous avons eu les gars pour réaliser le gros du travail.

Josie rit.

— Eh bien, c'est à ça qu'ils servent, non ?

Elle sourit à Will, inclinant la tête et faisant bondir ses boucles brillantes comme au cirque.

— Qui est ton ami ?

— C'est Will, dis-je. Will, voici Josie.

— Es-tu nouveau à l'école ? Je ne t'ai jamais vu auparavant.

Elle l'examina beaucoup trop attentivement, ses yeux le détaillant de haut en bas, ses lèvres délicatement recourbées.

— Fais-tu partie de l'équipe de football ?

— Non, dit-il. Je suis diplômé. En fait, je vais à Michigan.

Ses yeux s'égayèrent.

— Oh, vraiment ? Qu'est-ce que tu étudies ?

— Économie.

— Eh bien, c'est intéressant, dit-elle, devenant encore un peu plus de bonne humeur et jouant avec ses boucles d'un air séducteur.

— Donc, un jour, tu deviendras, genre, un chef de direction important ?

— Probablement pas, dit-il franchement.

Josie fronça les sourcils.

— J'ai un cadeau d'anniversaire, dit tout à coup Kate d'un ton excité en m'attrapant par le bras.

Elle sortit des bouteilles de Goldschläger et de Dr Pepper et les agita toutes les deux avec enthousiasme — à ma grande joie, car j'en avais marre de regarder Josie flirter avec Will.

— Il est temps que cette fête commence !

12

À une heure, la fête s'était clôturée, ne laissant que mes amis les plus intimes et le groupe de Josie. Chris et Landon avaient formé une excellente équipe d'animateurs toute la soirée et je sentais toujours un peu les effets des petits verres d'alcool. Après une autre danse avec Kate, je bondis vers Will, qui était appuyé contre le mur de l'arche menant à la cuisine.

Je m'emparai de sa main en souriant.

— Danse avec moi !

Will rit et secoua la tête.

— Non, je ne pense pas.

— Pourquoi pas ?

— Parce que tu es ivre, dit-il avec précaution.

Je lui lançai un regard noir.

— Faux. Je me sens bien, c'est tout.

Ce qui était vrai. J'étais peut-être un peu éméchée, mais je n'aurais pas dit que j'étais ivre. Mon corps n'était plus chaud, mais j'étais un peu étourdie et je voulais m'amuser un peu encore avant de perdre complètement les effets de l'alcool.

— Allez, c'est juste pour s'amuser. Danse avec moi, s'il te plaît ?

— Va demander à Landon, dit-il en faisant un geste de la tête derrière moi.

En me retournant, je vis Landon marcher vers moi, exactement au bon moment. Il semblait abattu.

— Ellie, puis-je te parler ?

Fini de s'éclater.

— Ouais.

Ce ne pouvait pas être bon.

— Pouvons-nous sortir ?

— Ouais.

J'attirai le regard de Will en suivant Landon.

Sur la terrasse, il n'y avait que deux autres personnes, qui rentrèrent dans la maison lorsqu'elles remarquèrent l'expression malheureuse sur nos visages. Nous traversâmes la large pelouse vers les arbres et le banc de pierre entouré des lys de ma mère. Quand je compris qu'il m'avait emmenée jusqu'ici pour être seul avec moi, ma mâchoire se serra fortement et ma respiration devint superficielle et nerveuse. Je m'assis lourdement et perdis mon équilibre. Il m'attrapa par l'épaule. Il scruta mon visage et rit.

— Impossible ! Ellie, es-tu ivre ?

— Plus maintenant, grommelai-je.

— Quoi ? Si tu en veux encore, il me reste quelques bières.

— Non, peu importe. Alors, qu'est-ce qui se passe ?

Je savais de quoi il en retournait et j'appréhendais chaque mot qui allait sortir de sa bouche.

Son expression devint neutre.

— Je souhaitais te parler de quelque chose.

À l'évidence. Vas-y, crache.

— D'accord.

— Il y a quelque chose qui me tracasse depuis quelque temps, dit-il. Nous sommes amis depuis pas mal longtemps et tu sais que je ressens de l'affection pour toi.

— Bien sûr, dis-je honnêtement. J'ai de l'affection pour toi aussi. Tu es l'un de mes meilleurs amis.

— Ouais, mais je ressens plus que cela.

Il se pencha un peu plus vers moi.

— Je t'aime vraiment, Ellie. Tu es drôle et intelligente...

— Oh, je ne suis pas si drôle et pas particulièrement intelligente...

— ...et belle, et je désire être plus qu'un ami pour toi.

Il repoussa doucement mes cheveux derrière mon épaule. Le geste se voulait affectueux, mais Landon était presque mon frère et la caresse me parut seulement envahissante.

Je restai assise là, baissant les yeux sur mes genoux et tirant sur le bord de ma robe. Je m'attendais à cela, et pourtant, je n'avais pas planifié ma réponse.

— Oh, Landon, je...

— S'il te plaît, dis-moi que tu ressens la même chose, souffla-t-il en se rapprochant encore plus. Voudrais-tu devenir ma petite amie ?

Je m'efforçai de ne pas grimacer.

— Landon, je...

Sa main prit ma joue en coupe et il attira mon visage vers le sien ; puis, il essaya de m'embrasser. L'idée d'embrasser Landon était gênante et franchement, plutôt répugnante. Je me tortillai pour m'écarter et je me sentis instantanément méchante. Quand je me levai, il bondit avec moi sur ses pieds en tenant mon bras.

— Landon, je n'éprouve tout simplement pas la même chose pour toi...

Il se mit très soudainement en colère contre moi, me prenant par surprise.

— Pourquoi? Est-ce à cause de ce gars, ce Will? Tu le connais depuis quoi, deux jours, et tu sors déjà avec lui?

Je clignai des yeux en le regardant et je m'écartai.

— Non, ce n'est pas cela, je...

— Ellie, c'est moi! Tu me connais depuis...

Je retirai délicatement mon bras de sa poigne, coupant court à ses paroles.

— Oui, c'est ça. C'est toi. Tu es mon ami, Landon, l'un de mes meilleurs amis. Tu es comme un frère pour moi. Je t'aime comme un frère. Je...

Un mauvais pressentiment me secoua au plus profond de mon être, m'interrompant à la moitié de ma phrase. Je connaissais ce sentiment.

— Attention! hurlai-je, attrapant les épaules de Landon et le lançant au sol.

Je me glissai dans les Ténèbres juste au moment où le plus gros faucheur que j'avais vu m'attaquait dans l'obscurité. Landon se cogna la tête sur le bord du banc et resta allongé dans le gazon. Je pivotai brusquement et filai à toute allure vers ma maison. Je criai le nom de Will pendant que des pas résonnaient sur le sol derrière moi. Je me retournai pour me défendre.

Le faucheur rugit et me donna un coup de tête en pleine poitrine, me chassant d'un coup des Ténèbres et m'envoyant voler dans les airs, carrément par-dessus la piscine, puis je m'écrasai à travers les fenêtres panoramiques qui fermaient l'arrière de ma maison. J'atterris dans mon salon, dans une mer de verre brisé, entourée de cris. Pendant les deux plus longues secondes de ma vie, je fus incapable de respirer ou de bouger. Mon dos me faisait terriblement souffrir et je gémis douloureusement en me relevant, époussetant la vitre sur moi. Mes entailles guérirent presque instantanément et laissèrent seulement quelques traînées de sang sur mon visage et mes bras.

Et ma fête était gâchée. J'étais complètement furieuse.

— Ellie! cria Kate en se précipitant vers moi. Est-ce que ça va?

Je lui jetai un regard par-derrière pendant qu'elle se tenait avec Josie et quelques autres qui me regardaient bouche bée, abasourdis. Je ne dis rien et sautai à travers la fenêtre brisée alors que Kate hurlait mon nom à nouveau.

De retour dans les Ténèbres, hors de vue de mes amis, je pouvais voir le faucheur debout au bout de ma pelouse, m'attendant à seulement quelques mètres de l'endroit où gisait Landon, inconscient. Il avait la taille d'une Chevrolet Tahoe, avec des yeux noirs comme du charbon enchâssés dans un petit visage épais comme celui d'un ours. Son large museau débordait de dents irrégulières en dents de scie et ses narines se dilatèrent tandis qu'il flairait mon odeur. Il enfonça ses griffes dans le gazon, ses épaules roulant voluptueusement, comme un prédateur pétrissant une couverture de terre.

— Écarte-toi de lui, grondai-je en faisant apparaître mes épées dans mes mains.

Les lames explosèrent sous les flammes du feu d'ange et je m'arcboutai.

Will pénétra dans les Ténèbres derrière moi, sa lourde lame déjà tirée. Le faucheur fit brièvement luire ses canines géantes et siffla comme un crocodile en guise de réponse.

— Nous nous rencontrons de nouveau, Preliator! dit le faucheur d'une voix qui fit vibrer la terre sous mes pieds.

— Ellie! appela Kate à l'autre bout de la pelouse. Où es-tu? Es-tu blessée?

— Nous devons partir d'ici, dis-je à Will en regardant mes amis passer avec précaution par la fenêtre brisée.

Lorsque nous étions dans les Ténèbres, ils ne pouvaient pas nous voir, nous et le faucheur, mais je ne pouvais pas risquer de perdre ma concentration et de revenir dans la dimension mortelle où nous pourrions être vus.

Will acquiesça et je partis d'un bond, courant à travers les cours arrière de mes voisins jusque dans la forêt au bout de ma rue. Le faucheur bondit derrière nous, le son sourd de ses imposantes pattes résonnant dans mon crâne. Quand nous atteignîmes les arbres, je sentis que le faucheur gagnait du terrain sur nous. Je me baissai vivement et pivotai, agitant ma lame vers le bas. Le faucheur sauta dans les airs au-dessus ma tête, atterrissant trois mètres plus loin dans les bois.

Je me levai avec Will à mes côtés et je fixai le faucheur.

— C'est un ursidé, Ellie, me prévint Will. Sois prudente. Il est plus fort que les canidés.

Le faucheur rit, sa voix vociférant profondément, secouant les branches autour de lui.

— Ne me reconnais-tu pas, Preliator?

Je le regardai attentivement.

— Je ne t'ai jamais combattu avant. Si c'était le cas, tu serais mort.

Il rit encore, mais plus bruyamment.

— Je suis abasourdi de te voir si impudente. Nous nous sommes affrontés il y a très longtemps. Vois-tu, c'est moi qui ai goûté ton sang pour la dernière fois.

Il sourit en dévoilant une bouche pleine de crocs en forme de sabre, ses yeux noirs brillant sous le clair de lune.

Un souvenir atroce me revint soudainement — des souvenirs d'un sous-sol sombre, d'yeux dans l'obscurité, de douleur, d'une douleur insoutenable. Je me rappelai ma vision qui devenait noire et je me rappelai ma mort. La silhouette noire du faucheur illuminée par le feu d'ange surgit dans ma tête comme un film sur un vieil écran argenté et je criai à voix haute, tombant en chancelant sur Will.

— Toi ! criai-je, tendant le bout de ma lame vers le faucheur.

— Oh, oui, gronda-t-il. Tu avais un goût sucré, comme le sucre et le sang et la chair d'enfant. Je me demande si tu as aussi bon goût maintenant.

La peur me prit à la gorge.

— Will…

— Je suis ici.

Sa voix était ferme et douce.

Le faucheur avança vers moi.

— Je suis Ragnuk et je vais te manger aujourd'hui.

Une boule de salive jaune tomba de sa bouche sur le sol.

— Tu dois le combattre, Ellie, dit Will.

J'avais le souffle coupé par la frayeur.

— Je ne veux… je ne peux pas…

La mâchoire de Ragnuk s'ouvrit très grand et il rugit, faisant frissonner la montagne de muscles sur ses épaules, et il lança l'attaque. Je criai et lançai mes mains devant mon visage, perdant mes épées. Je levai les yeux et découvris Will au-dessus de moi, ses deux mains agrippant la mâchoire du faucheur, l'empêchant de refermer ses dents sur ma tête. Will se tourna pour me regarder et ses yeux étaient comme deux phares jumeaux brillants.

— Ellie, bouge!

J'obéis et dégringolai dans la poussière jusqu'à ce que je frappe un arbre. Libérant le visage du faucheur, Will laissa exploser son pouvoir. Des volutes d'ombre tourbillonnèrent et tournèrent. Ragnuk rugit alors qu'il volait dans les airs, s'écrasant dans les arbres et les arrachant, racines et tout, hors du sol. Ragnuk atterrit à quatre pattes, ses griffes raclant la terre pour arrêter sa glissade, puis il fonça vers l'endroit où j'étais allongée. Il ouvrit la bouche, son haleine chaude me frappant, puis Will enfonça le dessus de la tête du faucheur dans le sol. Le faucheur se tourna et fit courir ses griffes sur le ventre de Will. Il hurla alors que ses genoux touchaient la terre.

— Will! criai-je en le regardant tomber.

Ragnuk reporta son attention sur moi.

— Je ne sais pas pourquoi Bastian a si peur de ton pouvoir, gronda-t-il. Tu n'es qu'une petite souris tremblante.

Je hurlai, faisant exploser mon pouvoir, et la lumière et le vent me consumèrent. La force jaillit carrément sur le faucheur, l'avalant dans une lumière blanche enfumée et l'envoyant voler loin de moi à toute vitesse. Il s'écrasa dans les arbres, comme la boule dans un billard électronique, jusqu'à ce qu'il tombe au sol. Il gronda férocement de rage d'avoir essuyé un deuxième coup aussi dur.

Je plongeai avec mes épées, mais il se trouvait déjà devant moi. Je levai les yeux et haletai. Il donna un coup de patte, ouvrant ma robe largement sur mon ventre. Je bondis en arrière, illuminant mes lames. Je m'élançai et une des lames lui trancha la chair. Le faucheur ignora le feu d'ange brûlant sa plaie, il rugit de fureur et écrasa son crâne contre mon corps. Je frappai violemment l'arbre à côté de moi et mes deux épées échappèrent à ma prise. Je glissai au sol, étourdie, pendant que Ragnuk pressait une patte avec force sur ma poitrine, me poussant le dos contre l'arbre jusqu'à ce que je ne puisse plus respirer.

— Bastian veut que je te tue avant que tu nous empêches d'avoir l'Enshi, siffla le faucheur, soufflant sur moi son haleine chaude et rance. Avec toi hors de notre chemin pendant quelques années, nous n'aurons pas à nous inquiéter que tu ruines nos plans. Et quand tu reviendras, Preliator, l'Enshi sera ici à t'attendre et tu ne représenteras plus une menace. Tu ne seras même plus une préoccupation. Ta destruction sera ton cadeau de bienvenue pour ton retour à la maison.

J'eus un haut-le-cœur et je me tortillai afin d'inspirer assez d'air pour parler.

— Qu'est-ce que l'Enshi ?

— La mort, se moqua Ragnuk. La mort de tout. Le présage de la fin des temps.

Je frappai Ragnuk au visage et sa tête claqua violemment d'un côté tandis qu'il grognait. Mon poing s'écrasa encore contre son museau avec toute ma force et quelque chose craqua. Il chancela et leva sa patte de sur ma poitrine.

Je hurlai et fracassai mon pouvoir sur la jambe de Ragnuk. L'os épais se brisa en deux et il cria, titubant vers l'arrière et me libérant. Je m'effondrai, toussant et cherchant mon souffle.

Je me relevai péniblement et me hâtai vers Will. Le devant de sa chemise était noire de sang. Je la déchirai pour arrêter le saignement, mais je fixai plutôt une peau parfaite.

— Je vais bien, dit-il en levant les yeux vers moi. Où est-il?

Je repérai Ragnuk en train de se remettre difficilement sur ses pattes en faisant attention à sa jambe cassée. Le faucheur vomit un peu de sang et parla en sifflant dans ma direction.

— Je reviendrai te chercher, gronda-t-il, essoufflé.

Sa silhouette devint floue un moment, puis il partit.

Je clignai des yeux.

— Il a disparu!

Will s'assit en se frottant le ventre.

— Les faucheurs ont la capacité de se déplacer à la vitesse de l'éclair à travers les Ténèbres lorsqu'ils doivent battre en retraite rapidement ou quand ils traquent quelqu'un. Il a besoin de temps pour guérir sa jambe. Lorsque des os de cette taille se brisent, ils ne guérissent pas instantanément, comme c'est le cas pour les cassures dans les plus petits os et pour les coupures.

— Je suis tellement désolée, Will, m'écriai-je. Je me suis figée.

Il leva le regard vers moi, ses yeux chaleureux et indulgents.

— Mon travail consiste à te protéger, peu importe les événements.

— Tu as été blessé à cause de moi, dis-je tristement.

— Hé, je vais bien, m'assura-t-il, écartant les morceaux en lambeaux de sa chemise pour me montrer ses blessures guéries. Je peux essuyer beaucoup de dommages. C'est pour ça que je suis ici.

Je baissai les yeux sur ma robe et sur le traitement que lui avait infligé Ragnuk.

— Oh, ma robe…

Will rit.

— Tu es tellement fille.

Je me renfrognai.

— Et tu es un imbécile.

— C'est seulement que…

Il s'interrompit.

— Quoi ?

— Chaque fois que tu reviens, tu es un peu plus humaine.

Le rire dans sa voix s'était évanoui.

— Je ne comprends pas.

— Je ne sais pas, avoua-t-il. C'est bizarre. Tu agis parfois d'une manière très humaine, beaucoup plus que lorsque nous nous sommes rencontrés la première fois. Tu n'es plus aussi sombre, j'imagine, et tu te considères comme l'une des leurs.

Je ris presque.

— Je *suis* l'une des leurs. Sauf que j'ai maintenant des pouvoirs étranges.

L'amusement ne se lisait pas sur son visage.

— Tu n'as pas toujours pensé cela.

Qu'est-ce que ça voulait dire? M'étais-je déjà crue meilleure que les humains, avais-je déjà été aussi sinistre que les faucheurs? Avais-je déjà été cruelle?

La nausée me gagna peu à peu.

— Will, Ragnuk m'a foutu une peur bleue. Il m'a déjà tuée. Je m'en suis souvenue dès qu'il l'a dit.

— Tu peux le vaincre, dit-il avec enthousiasme. Nous allons le détruire et tu pourras oublier ça.

— Will, je suis morte! m'écriai-je, plus furieuse qu'effrayée. Je me souviens avoir été en train de mourir! Je me souviens de lui qui me met en pièces!

Il toucha mon bras, mais je m'écartai.

— Ça va...

— Non, ça ne va pas, dis-je. Tu ne peux pas imaginer ce que c'est.

— Tu as raison, dit-il. Je ne le peux pas.

Je m'éloignai de lui. Je me détestais de piquer une crise. Trouver des excuses pour m'être figée au milieu d'un combat ne me servirait à rien. Je m'essuyai donc les yeux et pris une profonde inspiration. Avoir peur allait me tuer.

— Pourquoi Ragnuk est-il tellement plus gros que les autres? demandai-je, ma voix tremblant juste un peu.

— C'est un faucheur ursidé, expliqua Will. Ils sont plus gros et plus puissants, mais plus lents que les canidés aux allures de loup. Les ursidés se fient à la force brute, dans la bataille.

— C'était un monstre, murmurai-je, incapable d'effacer son visage de mon esprit.

— Mais, tu l'as battu, cette fois, dit-il. Tu l'as blessé si gravement qu'il a dû partir. Tu l'as obligé à battre en retraite.

Cela rachète le moment où tu as eu peur. Ellie, tu dois comprendre qu'une fois que tu surmontes ta peur, tu peux tout vaincre.

— Mais je ne l'ai pas tué et à présent, il reviendra à la charge avec cet Enshi. Et tu as été blessé par ma faute et je me sens comme de la merde.

— Ne t'inquiète pas pour moi, Ellie. Je suis censé prendre les coups pour toi. Fais-moi confiance.

J'observai son visage, incapable de comprendre pourquoi quelqu'un se dévouerait aussi profondément pour moi. Je ne valais pas sa douleur ni son sang.

Il s'obligea à sourire.

— Nous devons retourner chez toi. Je suis certain que tes parents ne seront pas très heureux à propos de la fenêtre brisée.

Mon cœur se serra. J'avais oublié que Ragnuk m'avait propulsée à travers la vitre. Comment allais-je expliquer cela?

— Je ne pense pas avoir envie de rentrer.

Il me regarda, les sourcils froncés.

— Ouais, il faut que tu y retournes.

Je hochai la tête et j'inspirai profondément.

— Tu ferais mieux de partir. Je ne pense pas que ce soit une bonne idée de revenir avec des vêtements déchirés et toi à mes côtés. Cela pourrait mal paraître.

— Excellente réflexion, dit-il. Je vais être à proximité.

— Merci, Will.

Il me toucha l'épaule.

— Tu es encore belle dans ta robe.

Quand je me retournai pour le regarder en face, il était parti. Encore.

13

J'émergeai des bois et des Ténèbres pour découvrir Kate et Landon debout sur la terrasse, criant mon nom. J'étais morte. J'en étais certaine. Kate me repéra la première et, évidemment, elle en fit une énorme histoire.

— Ellie! hurla-t-elle d'une voix perçante, s'élançant immédiatement en courant. Oh mon Dieu, est-ce que ça va?

Elle m'attrapa et m'étreignit fortement.

— Nous ne savions pas du tout où tu t'étais enfuie! Où étais-tu? Es-tu blessée? Je ne peux pas croire que tu es tombée à travers la vitre!

— Je...

— Qu'est-il arrivé à ta robe? Qu'est-ce qu'il y a sur toi? Tu es sale. Est-ce du sang? Dois-tu aller à l'hôpital?

Kate n'arrêtait pas d'ouvrir le bec. Je m'écartai d'elle avec grande difficulté.

— Je vais bien, dis-je, lissant ma robe, me sentant tout à coup très gênée de la peau nue dévoilée par les déchirures.

Landon me souleva de terre en m'étreignant.

— Je suis tellement content que tu sois indemne! Que s'est-il passé? Nous parlions et tu as dit de faire attention et ensuite... je ne sais même pas.

Je réfléchis rapidement à une réponse. Cela me faisait mal de lui mentir, mais je ne pouvais absolument pas lui révéler ce qui s'était réellement produit.

— Tu as trébuché sur le pied du banc et tu t'es cogné la tête. Est-ce que toi, tu vas bien?

Diriger l'attention sur lui me sortirait peut-être de la merde, mais c'était peu probable.

Il fit courir une main dans ses cheveux et haussa les épaules.

— Ouais, je vais bien. J'ai juste... Nous étions assis et nous discutions et je ne me souviens plus de rien après ton cri.

Je hochai fermement la tête.

— Nous parlions et tu t'es levé pour retourner à la fête quand tu as trébuché sur le pied du banc et que tu es tombé. Es-tu certain d'aller bien?

Alors qu'il me lançait un regard interrogateur, je me demandai ce qu'il se rappelait— se souvenait-il de m'avoir proposé de devenir sa petite amie? J'espérais que oui et qu'il se souvenait également de ma réponse. Il passerait ainsi à autre chose, mais sa façon de me tenir me suggérait le contraire.

— Elisabeth Marie! cria ma mère en avançant lourdement vers moi dans son pyjama et son peignoir. Est-ce que tu vas bien? Que diable t'est-il arrivé? Es-tu blessée?

Je m'éloignai en me tortillant.

— Je vais bien... Je ne suis pas blessée.

— Quoi?

Maman m'attrapa par le bras, m'attira près d'elle et examina ma peau, cherchant des blessures. Elle me toucha le ventre, relevant les morceaux de tissu, ses yeux ronds noyés de larmes quand elle ne découvrit aucune plaie. — Comment se fait-il que tu ne sois pas blessée ?

Elle se tourna vers Kate.

— Elle est tombée à travers la fenêtre, c'est ça ?

Kate hocha la tête.

— Elle a volé à travers.

Sans mot dire, je regardai par-dessus les épaules de Kate pour voir mon père traverser la maison d'un pas militaire. Mon corps s'immobilisa, se préparant pour les hurlements qui étaient sur le point d'exploser.

— Comment, Ellie ? insista ma mère. Est-ce que quelqu'un t'a poussée ? Es-tu aussi tombée dans la forêt ? Tu es couverte de poussière. As-tu bu ?

Je choisis cet instant pour prendre le dessus.

— Ouais, je suis désolée, maman. Landon et moi étions en train de boire et de plaisanter. Landon est tombé et j'ai essayé d'aller à l'intérieur quand j'ai trébuché et suis passée par la fenêtre. Je suis tellement désolée, maman.

— Tu ferais foutrement bien de l'être ! hurla-t-elle.

Je pouvais dire d'après son expression qu'elle n'arrivait pas à croire que j'avais cassé la fenêtre avec quelque chose qui ne faisait pas au moins la taille d'une voiture, et que rien d'autre que mon corps n'était passé à travers. Elle était obligée d'accepter ce que je lui avais dit.

— Tu buvais ? demanda furieusement mon père lorsqu'il apparut sur la terrasse.

Il s'adressait à moi, mais ses yeux fouillaient l'obscurité derrière moi. J'espérais qu'il ne voit pas Will.

— Plus de fêtes ici. C'est fini. Pas de bal de début d'année.

— Mais papa…

— Il a raison, dit ma mère en lançant ses mains dans les airs. Je suis totalement abasourdie que tu n'aies pas une seule égratignure ! D'où vient tout ce sang ?

Je réfléchis rapidement.

— J'ai des égratignures, de toutes petites. Il fait trop sombre pour les voir, j'imagine. J'ai encore tous mes doigts et tous mes orteils, tu vois ?

— As-tu vu la pagaille que tu as causée ? siffla mon père. Tu es une crétine finie !

— Richard ! s'écria ma mère en se couvrant la bouche avec une main, ébahie.

Sous le choc, je le fixai du regard, enregistrant le mépris flagrant sur son visage et la méchanceté dans sa voix. Kate s'approcha d'un pas de moi et je sentis ses doigts sur le dos de mon bras, me laissant savoir qu'elle était là pour moi. Mon propre père m'avait traitée de crétine. Ce que j'avais fait — ou ce que j'avais besoin qu'ils croient que j'avais fait — était peut-être stupide, mais ce qu'il avait dit n'était pas approprié.

— Je ne suis pas stupide, grondai-je dans ma barbe.

L'expression de mon père se figea sur son visage.

— Qu'as-tu dit ?

— J'ai dit, répétai-je d'une voix plus forte et plus ferme, que je ne suis pas stupide. J'ai commis une erreur. Cela ne signifie pas que je suis une crétine.

Il me lança un regard glacial de côté.

— Tu es certaine de cela ?

Mes mains formèrent des poings serrés. Je ne voulais pas me battre avec mon père, mais je ne pouvais pas le laisser me parler de cette façon.

— Très.

— Rick, rentre dans la maison, dit ma mère. Je vais m'occuper de cela.

Il se tourna vers elle.

— Pourquoi prends-tu sa défense?

— Je ne prends pas sa défense, répliqua-t-elle. Je suggère seulement que tu ne peux pas gérer efficacement cette situation alors que tu es autant en colère.

Ses narines se gonflèrent et les veines sur ses tempes palpitèrent comme s'il était sur le point d'exploser.

— Et tu t'en sors beaucoup mieux? Tu la laisses te traiter comme une carpette et tu interviens sans cesse.

Elle cligna des yeux, abasourdie.

— Intervenir? À quel propos?

— Je ne peux pas la discipliner quand tu te places toujours dans son camp!

— Discipliner? s'écria-t-elle en haletant. Il ne s'agit pas de discipline. Tu ne fais qu'empirer les choses!

Il lança un doigt vers son visage.

— Grâce à tout ça, tu apprendras peut-être un jour pourquoi les choses ne font qu'empirer.

Alors que j'observais cet homme, qui était censé être mon père, pénétrer dans la maison d'un pas lourd et bruyant, je priai pour qu'il demande le divorce et foute le camp pour de bon, loin de ma mère et moi. Qu'est-ce qui clochait chez lui? Je me souvenais avoir eu un père qui autrefois me portait sur son dos et peignait avec les doigts avec moi pendant que nous regardions les dessins animés du samedi. Cet homme n'était plus le père que j'avais déjà eu. Les faucheurs démoniaques ressentaient plus de compassion que ce monstre.

— Ellie, dit ma mère très sérieusement, m'arrachant à mes pensées. Écoute, je sais que vous êtes des adolescents et que tu vas boire peu importe ce qu'on dit, mais s'il te plaît, reste prudente. Et n'aie pas peur de demander de l'aide lorsque tu en as besoin. J'aimerais mieux que tu viennes me voir plutôt que nous te retrouvions morte dans un fossé. T'enfuir comme ça, ce n'était pas génial.

— Merci, maman, dis-je en m'obligeant à sourire.

Kate me lança un regard entendu et pressa fortement les lèvres. Savoir qu'elle et Landon avaient été témoins de tout cela me faisait sentir mille fois plus mal.

— Nous en parlerons demain, dit ma mère, posant une main exténuée sur son front. Tu seras privée de sortie.

— Madame Monroe, intervint Kate en avançant d'un pas, c'était totalement ma faute. J'ai apporté l'alcool.

Ma mère émit un bruit de bouche. Je ne voulais pas que Kate subisse aussi ses foudres. Je voulais crier à pleins poumons et raconter à tout le monde ce qui s'était passé, mais je ne le pouvais pas et cela me donnait encore plus l'impression d'être folle.

— Je ne suis pas ta mère, Kate, commença maman, mais la même chose vaut pour toi et Landon. Si vous avez besoin d'aide, appelez-moi. Je ne veux pas avoir à m'inquiéter pour vous deux aussi. Ellie suffit à me rendre folle.

Kate sourit faiblement.

— Merci, madame Monroe.

— Reste-t-il quelqu'un ? demandai-je, craignant la marche de la honte qui m'attendait en rentrant dans la maison.

— Josie et ses amis sont partis chez eux il y a un petit moment, dit maman. Sa mère est très inquiète à ton sujet. Je vais lui téléphoner avant d'aller dormir.

Je hochai la tête et posai ma joue sur l'épaule de Kate.

— Je suis vraiment, vraiment fatiguée. Je pense que je vais aller au lit.

— Veux-tu que je reste avec toi ? s'enquit Kate.

Je souris.

— Ouais, ce serait formidable.

Je dis au revoir à Landon, qui m'étreignit une autre fois, prenant un peu trop son temps à mon goût. Les choses allaient être étranges entre nous.

Kate et moi nous dirigeâmes en haut. Je me douchai rapidement et enfilai mon pyjama pendant qu'elle regardait la télé dans ma chambre. Quand je sortis, je pris un autre pyjama pour elle et suspendis ma robe, même si elle était détruite. Quel gâchis !

— Je saute vite dans la douche et je reviens tout de suite, dit Kate. Je me sens tellement dégoûtante après avoir dansé toute la soirée.

— D'accord, dis-je distraitement, me laissant choir sur mon lit et m'emparant de la télécommande pour passer les chaînes en revue.

Une ou deux minutes après que Kate eut disparu de la chambre à coucher, j'entendis une voix derrière moi.

— Hé, dit Will en grimpant à l'intérieur par la fenêtre.

Je bondis sur mes pieds, stupéfaite, mes yeux sortant de leurs orbites.

— Que fais-tu ici ? dis-je dans un murmure rauque. Je blaguais quand je parlais de passer par les fenêtres ! Je ne peux pas croire que tu sois dans ma chambre. Mes parents dorment juste au bout du couloir et Kate sera de retour dans une minute. Sans parler que mon père est fou. Et si tu te faisais prendre ? Il possède un fusil, tu sais.

Il se moqua et s'appuya contre le mur, croisant les bras sur son torse.

— Pourquoi es-tu ici, Will ? demandai-je, l'observant avec attention.

Il s'avança, suçant sa lèvre inférieure un moment. Le bref aperçu de sa langue perturba énormément ma concentration.

— Je dois te dire quelque chose.

— Cela ne peut-il pas attendre à demain ? demandai-je alors qu'il s'assoyait sur le lit et que je m'installais à côté de lui.

— Non, ça ne le peut pas. J'aurais dû te le dire avant, mais tu ne t'en souvenais pas et je ne savais pas trop quand le moment serait bien choisi pour te le dire.

— Pourquoi ? demandai-je impatiemment. Je ne suis pas certaine que tu pourrais me dire grand-chose d'autre qui pourrait m'étonner.

— La nuit de ta mort, dit-il en parlant lentement. Je n'étais pas là.

— Je le sais.

— Ah oui ?

— La veille de mon anniversaire, j'ai fait un cauchemar où je me suis rappelé ma propre mort, dis-je. Je me rappelais t'avoir cherché. Cette nuit-là, je n'avais pas vraiment peur de Ragnuk. J'avais peur parce que j'ignorais où tu étais.

Il regarda ailleurs, son expression peinée.

— Je suis tellement désolé de ne pas avoir pu te rejoindre à temps.

— Pourquoi? Pourquoi m'as-tu quittée?

— Bastian.

— Bastian? Qu'a-t-il à voir là-dedans?

Will me regarda de nouveau, son regard intense et rempli d'angoisse.

— On avait ordonné à Ragnuk de te traquer et les autres brutes de Bastian m'avaient retrouvé en premier. Ils m'ont retenu et torturé. Je ne pouvais pas m'enfuir. Quand... quand Ragnuk est revenu, je savais que c'était terminé. Il t'a allongée devant moi et tu étais... tu étais partie. J'ai alors réussi à prendre la fuite parce que je savais que je devais vivre. Je devais être là à ton retour. Tu es morte seule, mais je ne voulais pas te laisser revenir seule.

— Will, dis-je, ne sachant pas quoi dire d'autre, ce n'est pas ta faute.

— Mais ce l'est, dit-il en secouant la tête. Tu meurs encore et encore et j'essaie de te sauver, mais j'échoue toujours. Cela ne suffit jamais.

— Will, répétai-je.

Mon cœur s'emplit d'une telle tristesse que je fus incapable de le supporter. Ma main prit tendrement sa joue en coupe. Sa propre main couvrit la mienne et il s'appuya contre ma paume en fermant les yeux. Il s'agissait de la première véritable émotion qu'il me montrait, comme s'il me laissait voir son âme pour la première fois. L'étreinte me fit me demander ce qu'il ressentait véritablement sous son apparence stoïque, endurcie par la bataille. Il resta ainsi si longtemps que je perdis presque la notion de l'heure. Puis, prestement, douloureusement, il s'écarta et se leva, me laissant avec un sentiment de vide et de désir.

— Je dois partir, dit-il en abaissant son regard. Elle s'en vient.

Je ne répondis rien, mais me contentai de le fixer tandis qu'il s'évanouissait comme par magie. L'instant suivant, Kate passait la porte de ma chambre, frottant ses cheveux avec une serviette.

— À qui parlais-tu ? demanda-t-elle en me lançant un drôle de regard.

— Oh, à personne, dis-je en bondissant sur mes pieds, mon cœur battant tout à coup la chamade, comme s'il avait sauté quelques battements et essayait de les rattraper.

Je me rassis sur mon lit. Will était parti si rapidement que je me sentais insatisfaite ; il me semblait qu'il y avait encore tant de choses à dire, mais je devrais les garder pour moi. J'avais le sentiment qu'il voulait me dire beaucoup d'autres choses aussi.

— J'aurais pu jurer que tu parlais au téléphone ou quelque chose, dit Kate, ajoutant un sourire narquois. Était-ce Will ?

Mon visage rougit.

— Non, je disais juste… des trucs stupides au téléviseur. Je déteste les téléréalités.

— D'accord, dit-elle en roulant les yeux.

Puisque Kate était plus grande que moi, mon pantalon de pyjama lui arrivait juste au-dessus des chevilles.

— Nous allons prétendre qu'il est fait pour être court.

Elle rit en pointant vers le bas, comme si quelqu'un pouvait l'accuser de mal se vêtir d'ici demain matin.

— Je ne révélerai la vérité à personne, dis-je en souriant.

Je désirais plaisanter et m'amuser avec Kate, mais je ne pouvais pas empêcher mon esprit de se demander ce que Will avait voulu m'apprendre encore. Plus que cela, j'avais peur de la fin des temps dont Ragnuk avait parlé.

— Ça va, Ellie?

Je levai les yeux pour voir Kate m'observant avec inquiétude.

— Désolée. Je suis plutôt submergée par la vie, en ce moment.

Kate fronça les sourcils et se laissa tomber sur le tapis, posant un coude sur le bord du lit.

— Je suis vraiment désolée à propos de ton père.

Un coin de ma bouche tressaillit comme s'il tentait de lui offrir un sourire, sans le pouvoir.

— Ouais. Moi aussi.

— Il n'aurait pas dû dire ces choses.

La pitié sur son visage me fit prendre une grande inspiration. J'aurais aimé que mon père puisse comprendre que ce qui s'était passé était un accident et que je n'avais pas pu l'éviter. Ouais, j'avais bu quelques verres d'alcool et ce n'était peut-être pas tout à fait légal à mon âge, mais je n'étais allée nulle part en voiture et personne n'avait été blessé à cause de l'alcool. Landon aurait pu être bien plus mal en point si je ne l'avais pas poussé hors du chemin du faucheur et n'avais pas attiré la bête ailleurs.

J'essayais tellement fort de faire la bonne chose, mais j'ignorais comment. S'il me fallait continuer à dissimuler les incidents avec les faucheurs en démolissant ma réputation et en dupant mes amis et ma famille, je ne pourrais pas dire alors pendant combien de temps je pourrais poursuivre mon combat. Rien de tout cela n'était juste envers moi. Ou eux.

— Je suis inquiète à ton sujet, dit soudainement Kate. On dirait que ton père devient pire chaque jour. Et je pense que cela commence à avoir un effet sur toi.

Un souvenir fugace de mon père m'offrant la balle lancée vers les gradins qu'il avait attrapée pendant mon premier match de baseball des Tigers de Détroit rejoua dans ma tête comme un film. Il souriait beaucoup, à l'époque, et aujourd'hui, je n'arrivais pas à me rappeler la dernière fois où il m'avait souri ou regardée avec autre chose que du mépris.

Je haussai les épaules vers Kate.

— Eh bien, je vais recevoir mon diplôme au printemps et je partirai pour l'université, alors qu'il aille se faire foutre.

— Mais c'est ton père, insista-t-elle. Veux-tu réellement le détester pour le reste de ton existence ?

— Je pense qu'il a décidé pour moi, n'es-tu pas d'accord ?

Elle fronça les sourcils et soupira.

— Il était tellement génial quand nous étions petites. Te souviens-tu de la fois où il nous a emmenées à Crystal Mountain pour le week-end et qu'il a fait du surf des neiges avec nous ? Ce fut l'un des plus beaux week-ends de ma vie.

Je souris à ce souvenir et des larmes me brûlèrent les yeux. Avant que Kate et moi n'entrions à l'école secondaire, mon père avait loué une maison de ville au centre de villé-giature de ski pour lui, ma mère, Kate et moi à l'occasion de Noël. C'était la dernière année où nous nous sommes véritablement sentis une famille. Kate avait toujours été comme une sœur pour moi et mes parents la traitaient comme leur fille adoptive. Aujourd'hui, même elle sentait la froideur de mon père.

— Tu ne peux pas laisser tous ces nouveaux mauvais souvenirs effacer les bons souvenirs, dit-elle en inclinant la tête vers moi. Ils sont trop bons pour les annuler. Tu dois te concentrer avec force sur les merveilleuses choses à propos de ton enfance, tous les fabuleux souvenirs avec ton père. Il n'est pas méchant, il a seulement changé. Il peut changer encore une fois.

Je lui souris en essuyant une larme au coin de mon œil.

— Merci, Kate.

Elle me sourit largement en retour et peigna tendrement mes cheveux avec ses doigts.

— Tu sais que je t'aime.

— J'aimerais bien que ce soit pareil pour une autre personne.

Je détestais ces angoisses existentielles et je n'aurais jamais avoué directement à quelqu'un que je vivais des problèmes avec mon père, mais cela me paraissait mal de ne pas révéler à Kate ce qui se passait dans ma vie, incluant mes devoirs en tant que Preliator. Lui cacher cela me tuait — cela me faisait presque aussi mal que ma relation avec mon père.

— Il t'aime, dit-elle. S'il ne t'aimait pas, alors il n'aurait jamais été un bon père. Il a déjà été fantastique. Il est seulement pourri dans ce domaine en ce moment. Peut-être que les choses s'amélioreront.

— J'espère que tu as raison.

Elle s'assit en se redressant et se moqua de moi.

— Bien sûr que j'ai raison. Je suis plutôt fantastique moi-même, je te signale.

Je ris et lui lançai un oreiller.

— Oh, vraiment ?

— Ouais, vraiment.

Son sourire devint beaucoup plus narquois.

— Alors, qu'en est-il de Will ? Il était très séduisant ce soir.

Mes joues s'empourprèrent.

— C'est possible.

Son expression s'illumina.

— Je le savais ! Il te plaît, n'est-ce pas ?

Ma bouche se tordit sous l'indécision et je fis courir une main dans mes cheveux.

— Tu vois, je ne le sais pas. Il est un peu différent, mais pas d'une mauvaise façon. C'est juste qu'il n'agit pas comme la plupart des gars, tu vois ?

Kate rit.

— Bien sûr, grand, sombre et stoïque serait ton type. Du moins, c'est mieux que Landon qui te suit partout récemment, comme un chiot en mal d'amour. Je suis désolée pour cela, en passant.

Je m'obligeai à sourire.

— Merci. Je me sens réellement très mal à cause de ça.

Elle gloussa et me regarda comme si j'étais folle.

— Pourquoi ?

Je haussai les épaules.

— Je ne sais pas. C'est genre, il m'aime vraiment et moi, je ne ressens pas du tout la même chose. C'est Landon, tu vois ?

— Ouais, j'imagine.

Son regard erra vers le plafond un moment.

— Ce n'est pas comme s'il était un imbécile. Il est un peu immature, mais un bon gars, tout de même, et il est tellement mignon. Et allô ? Vedette de football ! Ce ne serait peut-être pas si mal de dire oui et de voir où cela te mène.

Mon visage se tordit encore une fois.

— Je ne sors pas avec un gars pour voir s'il finit par me plaire. Cela me semble mal. Je ne veux pas le mener en bateau.

— Ouais, quand tu présentes les choses ainsi…

Sa voix s'estompa. Je la regardai avec méfiance.

— Pourquoi deviens-tu son défenseur, tout à coup ? Est-ce qu'il te plaît ?

— Oh mon Dieu, non ! T'a-t-il demandé de sortir avec lui ?

— En quelque sorte. Je n'ai pas eu l'occasion de lui répondre.

Elle s'égaya.

— Et s'il te le redemandait ?

Mon cœur se serra.

— Je ne sais pas. Je vais devoir lui répondre non. Ce n'est pas comme si j'avais un autre choix.

— Vrai.

— C'est juste qu'avec Will, même si je le connais seulement depuis quelques jours, j'ai l'impression de le connaître depuis toujours. Je me sens en sécurité avec lui. C'est agréable.

Elle fit un grand sourire.

— Oh, ma douce, nous voulons toutes un chevalier servant. C'est programmé en nous, les filles.

Mon sourire fut sincère, cette fois.

— Il est comme un genre de chevalier servant.

— Ouais, et super sexy, aussi. Crois-tu qu'il veuille sortir avec toi ?

— Je ne sais pas. Nous ne faisons que passer du temps ensemble, en ce moment, alors non, nous ne « sortons » pas ensemble, ni rien de ce genre. Je ne pense pas qu'il a ce genre d'affection pour moi.

Kate roula les yeux.

— D'accord, « passer du temps ensemble » signifie quelque chose d'entièrement différent pour moi que pour toi, je le sais. S'il te plaît, ne me dis pas que tu es déjà en couple avec lui.

— Non, non ! dis-je rapidement. Ce n'est pas comme ça.

— L'as-tu au moins déjà embrassé ?

— Non.

— En as-tu envie ?

— Je ne sais pas.

Je rougis de nouveau en y pensant.

— Ellie, on sait dans les cinq premières minutes d'une rencontre avec un gars si on veut l'embrasser ou non. Le veux-tu ou pas ?

Le désirais-je ? Il ne me répugnait pas, mais j'ignorais totalement les sentiments de Will envers moi. Nous avions vécu un genre de moment intense seulement quelques minutes plus tôt, mais dès qu'il s'était ouvert à moi, il s'était aussitôt refermé. Il pouvait se montrer vraiment charmant, puis changer totalement d'humeur ensuite. Il était mon Gardien. Pour lui, me sauver les fesses était sûrement seulement un boulot. Il me protégeait depuis des centaines d'années ; ce que j'aurais pu donner pour m'en rappeler juste un peu… Je commençais à douter que toute ma mémoire me revienne un jour. Cela m'aidait de penser à Will, mais cela me rendait folle aussi. *Il* me rendait folle. Je voulais seulement le comprendre et je souhaitais connaître ses secrets. Qu'était Will? Qu'étais-je, moi? Ma réincarnation, son immortalité, nos capacités surhumaines, les faucheurs... Et l'Enshi — qu'est-ce que ce pouvait être? Will pouvait-il être un des anges dont il m'avait parlé?

— Ell? Kate arqua un sourcil dans ma direction.

Je soupirai.

— Je suis sur le point de m'endormir.

Kate sourit faiblement.

— D'accord.

Nous nous glissâmes toutes les deux dans mon lit et nous trouvâmes rapidement le sommeil.

14

Les fenêtres cassées dans mon salon laissaient de gros trous béants sur la terrasse et elles furent recouvertes d'une toile plutôt disgracieuse jusqu'à ce que l'entreprise de fenêtres puisse livrer et remplacer les vitres. Je fus soulagée lorsque je n'eus plus à les regarder. À l'école — la seule période au cours des trois semaines suivantes où j'eus la permission de sortir de la maison —, Kate essaya de ne pas mentionner l'incident des fenêtres et Landon sembla tout à coup ne rien savoir à propos de ce qui lui était arrivé. J'espérai et priai qu'il ne se souvienne jamais que je l'avais poussé sur le sol, même si c'était pour lui sauver la vie. S'il s'en souvenait, il n'en disait rien, ce qui valait probablement mieux. Je ne pouvais rien lui expliquer. Je l'avais blessé et je ne pouvais même pas lui présenter des excuses. Cela me rendait malade.

Être privée de sortie, par contre, ne m'empêcha pas de me faufiler en douce par la porte arrière de ma maison pour rejoindre Will le soir afin que nous puissions patrouiller ensemble. Chaque nuit, soit nous nous entraînions, soit nous chassions. Je m'améliorais. J'appris à frapper la tête ou le cœur pour vaincre rapidement les faucheurs et éviter d'être blessée autant que possible. Will travailla patiemment et inlassablement avec moi et ma mémoire se rétablissait petit à petit. C'était un réconfort constant de savoir qu'il était toujours là, en totale harmonie avec moi. Je savais qu'il possédait la force de me protéger, même si j'ignorais que j'avais la force de me protéger moi-même.

Le nouveau monde sinistre dans lequel je me retrouvais tout à coup devenait ma normalité. Chaque soir ou presque, je croisais un faucheur sur ma route. Je devenais meilleure, plus fluide et plus précise dans ma manière de me battre avec eux. Les techniques qui me venaient autrefois naturellement dans mes vies antérieures me revenaient. Ce n'était pas tout à fait comme monter à vélo, mais je faisais des progrès.

J'étais reconnaissante de pouvoir donner à Will une pause de ses devoirs de Gardien pendant que j'étais à l'école. Habituellement, les faucheurs ne sortaient pas le jour, alors Will pouvait passer du temps chez Nathaniel où il se douchait, mangeait et faisait des trucs à la Will. Si l'on m'attaquait, aussi improbable que cela puisse être pendant que j'étais en cours, il le saurait immédiatement et il me rejoindrait. Il avait besoin d'un peu de temps à lui et j'avais besoin de vivre une journée normale. Sortir de l'univers des faucheurs quelques heures seulement pendant la journée m'aidait à rester saine d'esprit. Il avait peut-être besoin, lui aussi, de préserver sa santé mentale.

Cependant, plus je m'enfonçais dans ce monde, plus mon ancien univers composé de vieux amis, de ma famille et de l'école s'éloignait. La police détenait un suspect pour le meurtre de monsieur Meyer. Même si je savais que cet homme était innocent, on voulait l'interroger relativement à deux autres meurtres violents commis dans la région de Détroit, les preuves s'accumulant lourdement contre lui. J'essayai de croire qu'un peu de bien sortirait de la mort brutale de monsieur Meyer. Toutefois, cela ne me fit pas me sentir mieux puisque je savais que chacune des victimes des faucheurs se trouvait aux Enfers, y compris monsieur Meyer.

Quand je reçus ma dissertation de littérature corrigée, je ne pus pas croire que j'avais si mal réussi. Je n'arrivais pas à trouver une façon d'équilibrer mon attention entre l'école et mes devoirs en tant que Preliator. Mon professeur, monsieur Levine, demanda à me voir après les cours afin que nous puissions discuter de mon travail. Je redoutais cette rencontre, mais cela valait mieux qu'échouer carrément au cours. Si j'étais réellement chanceuse, il me permettrait de la refaire. Malheureusement, je n'étais pas très souvent chanceuse.

Après la dernière cloche de la journée, je m'arrêtai dans la classe de monsieur Levine pour lui parler de ma dissertation. Comme je m'en étais doutée, il ne voulait pas me laisser la récrire, mais il la passa partiellement en revue avec moi et je le quittai avec une meilleure idée de ce que j'étais censée apprendre. Je ne serais pas non plus capable d'obtenir des points supplémentaires, mais monsieur Levine accepta volontiers de m'aider à obtenir la note de passage.

J'étais assez certaine que mes amis étaient plus impatients que moi que ma punition se termine. Pendant la période du dîner, le premier vendredi de ma liberté recouvrée, je me découvris en train de rêver éveillée encore une fois, fouillant profondément mon cerveau, ayant désespérément envie de me rappeler autre chose. Mais, chaque fois que je tentais le coup, la seule chose que je voyais était l'horrible visage de Ragnuk qui montrait ses dents en grognant et mordant. Quand cela se produisait, je chassais son souvenir avec force, puis j'imaginais le doux visage de Will et je centrais mon attention sur lui avec autant de force que possible. Ragnuk m'effrayait et je n'avais pas honte de l'admettre. Il avait la taille d'une camionnette et il voulait me manger. La peur était, pour le moins, raisonnable.

— Ellie Marie…, me parvint une voix chantante à côté de moi.

— Hein? grommelai-je en donnant de petits coups dans mon dîner.

C'était le jour de la dinde en sauce brune, qui était mon repas favori à l'école, mais trop de choses occupaient mon esprit pour en profiter.

— Qu'est-ce qui cloche chez toi cette semaine? demanda Kate à voix basse.

Landon était assis en face de nous et il était plongé dans une conversation avec Chris et Evan au sujet de leur jeu vidéo préféré dont on avait acheté les droits pour tourner un film à grand déploiement. Aucun d'eux ne nous entendit.

— Je suis désolée, dis-je. J'étais seulement distraite.

— Est-ce à cause de ton père? demanda-t-elle d'un ton sérieux.

— Pour une fois, non, pas seulement à cause de lui. C'est lui, la merde à l'école, ma réflexion sur l'université, les gars idiots… Il y a beaucoup de choses dans ma tête, en ce moment.

Elle fronça les sourcils.

— Tu sembles tellement fatiguée tout le temps.

— Je le suis. Je ne sais pas. Je traverse une mauvaise passe, j'imagine.

— Eh bien, courage ! C'est la soirée cinéma et tu ne nous as pas accompagnés depuis, genre, un million d'années.

Je donnai d'autres petits coups dans mon assiette.

— Je ne pense pas avoir envie d'aller voir un film.

— Hum, c'est dommage, dit Kate. Tu n'as pas le choix. J'ai besoin de passer du temps avec toi, alors tu viens.

Je m'obligeai à sourire.

— Je sais, je suis tellement désolée.

— Emmène Will.

Cette fois, je ris pour vrai.

— Ouais, bien sûr.

— Pourquoi pas ?

— Ce n'est pas vraiment un amateur de films.

J'essayai d'imaginer un Will âgé de six cents ans assis dans un cinéma bondé, plongeant la main dans un sceau de maïs soufflé au beurre. Puis, je le visualisai avec de grandes lunettes 3D et ce fut très difficile de ne pas rire.

Kate émit un son inintelligible.

— Qui n'aime pas aller au cinéma ? C'est un tas de conneries.

— C'est un gars pas mal sérieux, admis-je. Très centré sur ce qu'il est censé faire. Il ne place pas l'amusement très haut sur sa liste de priorités.

— Il ne t'a jamais invitée pour un rendez-vous d'amoureux ?

Elle semblait consternée.

— Il n'est pas mon petit ami, Kate.

— Tu passes tout ton temps avec lui. Comment cela se pourrait-il que vous ne sortiez pas ensemble ?

Je pris une bouchée et détournai mon regard ; je savais à quel point j'étais mauvaise menteuse.

— C'est mon tuteur. C'est tout.

— Ne me mens pas. Si tu sors avec lui, admets-le, tout simplement. Je ne te jugerai pas là-dessus. Il semble gentil et il est séduisant. Je ne sais pas pourquoi tu serais gênée d'admettre qu'il est ton amoureux. Sans parler qu'il est déjà diplômé. Les gars de l'université valent beaucoup mieux que les garçons du secondaire. Ils savent des choses. Ils savent comment faire les choses.

Je ne voulais pas savoir ce qu'elle entendait par là.

— Il est seulement mon tuteur. Il m'aide avec les sciences économiques. C'est vraiment embarrassant d'avoir à l'admettre, mais c'est tout ce qu'il est, je le jure.

Cela m'aurait paru très, très bizarre d'appeler Will mon petit ami parce que c'était très faux ; cependant, y songer me fit comprendre que je l'aimais bien. Il ne serait probablement pas le premier choix de mes parents, c'est le moins qu'on puisse dire, mais je n'y pouvais rien. Ma mère n'aimerait pas que je sorte avec un gars qui fréquentait l'université, selon mes dires. Mon père… Eh bien, il n'aimerait pas que je sorte avec qui que ce soit, alors peu importe. Son opinion ne comptait pas. Je ne me souvenais pas connaître Will depuis toujours, mais je le sentais. Et c'était plutôt romantique de penser à lui en tant que mon protecteur. J'aimais cela. Il représentait ma couverture de bébé, mais en moins pelucheux. Je me demandai un instant s'il était câlin. Probablement pas.

Kate s'appuya sur le dossier de sa chaise avec un sourire malin sur le visage.

— Tu es une méchante menteuse.

— Faux.

— Personne ne passe son temps libre avec son tuteur, me défia-t-elle. Les tuteurs sont nuls. Même ceux qui sont séduisants.

— C'est un gars génial, insistai-je. Nous sommes plutôt amis, à présent.

— Je pensais que tu avais dit qu'il n'était pas gentil.

— Il peut être gentil quand il le désire, mais il peut aussi être d'humeur changeante.

— On dirait un garçon typique. T'accompagnera-t-il ce soir ?

— J'en doute réellement.

Elle fronça les sourcils.

— Cela emmerderait vraiment Landon, non ? Je me sens un peu mal pour le gars.

— Il devra s'en remettre.

Je bus avec ma paille sortant de ma boisson gazeuse.

Kate croisa les bras sur sa poitrine et soupira.

— Tu te montres naïvement optimiste.

Landon leva les yeux.

— Hum ? Qu'est-ce que j'ai ?

— Nous parlons de tes affreuses repousses, ricana Kate en donnant de petits coups sur son crâne. Tu voudras peut-être les faire retoucher. David Beckham pleurerait en te voyant.

Il se renfrogna et lui fit un doigt d'honneur avant de retourner à sa conversation. Elle rit.

Après la cloche finale, je restai une heure à l'école pour réviser notre prochain devoir de littérature avec monsieur Levine. Quand notre réunion se termina, je me rendis à mon casier, récupérai ce dont j'avais besoin et me dirigeai vers le parc de stationnement des étudiants. Tous mes amis étaient partis et le parc de stationnement n'était pas aussi plein que d'habitude. En marchant vers ma voiture, j'aperçus Josie Newport debout près de sa Range Rover rouge brillant. Avec assurance, je changeai de route et allai vers elle sans me presser. Elle envoyait des messages texte sur son cellulaire.

— Hé, Josie, dis-je.

Elle leva les yeux et m'offrit un sourire sincère.

— Oh, salut, Ellie. Quoi de neuf ?

— Je viens de sortir d'une séance avec Levine, dis-je. Je prends du retard, alors il m'aide après les cours. Que fais-tu encore ici ?

Elle agita distraitement son téléphone.

— Eh bien, j'ai quitté l'entraînement d'athlétisme plus tôt à cause d'un rendez-vous chez le docteur. Je tue le temps pendant quelques minutes avant de partir. Cela vaut mieux que de patienter quarante-cinq minutes dans la salle d'attente. Au moins, je peux profiter du soleil ici et me débarrasser de mon bronzage de raton-laveur que m'ont donné mes lunettes de soleil sur le visage.

— Très vrai, ris-je. Hé, écoute, à propos de ma fête…

— Ne t'inquiète pas de ça, dit-elle en glissant son cellulaire dans son sac à main. Il y a des fois où ça merde.

Je rougis violemment.

— C'était vraiment très gênant.

— Je sais que certaines personnes ont tenté d'en faire une grosse histoire.

Elle lança un regard noir.

— Mais sérieusement, j'ai fait une folle de moi des tas de fois. Cela arrive à tout le monde quand on est ivre. Eh bien, pas tout à fait de s'envoler à travers une fenêtre, mais tu comprends ce que je veux dire. Une fois, j'ai été malade et j'ai ruiné l'intérieur de la voiture de mon ex. Tout le monde sème la pagaille de temps à autre. Tu dois seulement en rire et être heureuse de ne pas avoir été blessée.

Je souris, me sentant un peu mieux.

— Merci, Josie.

— Pas de quoi, dit-elle avec un grand sourire compatissant. Je suis sincère. Désolée pour ta fenêtre.

— Je suis désolée pour l'intérieur de la voiture de ton ex.

Nous nous sourîmes un moment. C'était bon de savoir que nous étions encore en bons termes.

Elle reprit son cellulaire et y jeta un coup d'œil.

— Je devrais y aller.

— À plus, dis-je.

Elle sourit.

— Absolument.

Elle monta en voiture et quitta le parc de stationnement.

Je me tournai pour marcher vers mon véhicule et, tout à coup, le monde commença à s'effacer. Je me balançai sur mes talons, craignant soudainement que le manque de précision dans ma vision signifiait que je devenais aveugle pour une raison quelconque, mais dès que cette pensée me traversa l'esprit, le monde redevint net. Sauf que ce n'était pas un monde que je reconnus instantanément.

J'étais dans un monde beaucoup plus sombre, un monde ancien et doré, éclairé à la lueur des flambeaux. Le visage d'une femme — une faucheuse — apparut à quelques centimètres du mien, sa main serrée autour de mon menton, ses ongles s'enfonçant dans mes joues et dans ma mâchoire. Elle m'avait poussée contre un mur qui était froid et dur dans mon dos. La robe finement plissée qu'elle portait était fraîche sur mes bras et mes jambes. Sa peau était brun foncé et ses yeux étaient inhumainement larges, les pupilles se fondant dans les iris noirs, si bien que seuls de fins anneaux blancs les encerclaient. Ses cheveux étaient longs et foncés, et séparés en de minces tresses pour lui permettre de se fondre dans le décor, je supposai.

— Tu n'aurais pas dû venir ici, siffla la faucheuse dans une langue que je reconnus je ne sais comment comme de l'ancien égyptien, et je sus qu'il s'agissait de sa langue maternelle. Ceux qui aiment Dieu sont des esclaves, et tu es une étrangère ici.

Je pouvais à peine parler à cause de sa prise sur moi.

— Les affaires des hommes ne m'importent pas. Mon seul souci concerne leurs âmes — hommes libres et esclaves confondus.

— Tu es une idiote. Même les êtres angéliques ne s'aventurent pas ici.

— Nous savons toutes les deux que c'est un mensonge.

Son grondement devint un ricanement.

— Parles-tu de ta Gardienne ? Ah, oui. Je lui ai moi-même tranché la gorge. Aujourd'hui, même les archanges ont oublié cette terre.

Je serrai la mâchoire et grinçai des dents de rage bouillante.

— S'ils l'avaient oubliée, ils ne m'auraient pas envoyée ici pour tuer le faucheur qui se fait passer pour le pharaon et pour tous vous empêcher de prendre d'autres âmes humaines.

Elle projeta l'arrière de ma tête contre le mur. La douleur se propagea comme une flèche dans mon dos et l'obscurité envahit doucement ma vision périphérique.

— Ils t'ont envoyée ici pour mourir, tueuse. Exactement comme ta Gardienne.

Des griffes ressemblant à celles d'une harpie poussèrent au bout de ses ongles, mais je n'attendis pas qu'elle me coupe. Mon pouvoir déferla et repoussa la faucheuse dans un éclair de lumière blanche, mais elle fit de grands efforts pour tenir bon. Son visage se tordit de fureur et son propre pouvoir explosa alors que ses ailes couleur de cendre sortaient soudainement de son dos et qu'elle me poussait plus durement contre le mur, faisant voler en éclats la peinture des dieux du pharaon. J'enfonçai violemment ma paume dans sa poitrine et l'envoyai s'écraser au sol. Incapable de rétablir son équilibre sur ses pieds, elle s'envola, remplissant la salle du trône du palais avec ses ailes imposantes, qui démolirent les colonnes de pierre dans la pièce comme s'il s'agissait de roseaux. Une partie du plafond s'effondra autour de nous et je bondis pour éviter les débris qui tombaient. La faucheuse vola vers le trône, où elle atterrit, perchée sur une chaise en or, les ailes largement déployées. La lueur des flambeaux se reflétant sur les murs dorés donnait à la faucheuse un éclat irréel.

J'appelai mes épées et les maniai vers le haut, les illuminant instantanément de feu d'ange. Je les tins fermement pendant que la faucheuse sautait en bas du trône du pharaon et s'envolait encore, sa robe gonflant autour d'elle, ses ailes battant une fois et ses griffes fendant l'air. Elle fondit sur moi, mais je visai juste et plongeai. Mes lames enflammées tranchèrent nettement la tête de la faucheuse et je m'abaissai vivement lorsque son corps en feu explosa au-dessus de moi et disparut.

Des cendres et des braises se déposèrent autour de moi et je me levai, laissant mourir le feu d'ange. Je pris une profonde inspiration pour calmer mon cœur et me concentrai sur la tâche suivante. Je sortis de la salle du trône en courant dans un couloir sombre *pour trouver le pharaon imposteur, mais je m'arrêtai net quand je tournai le coin suivant.*

Un des faucheurs ursidés me bloquait la route. Je me retournai rapidement pour en découvrir un autre dans mon dos; j'étais cernée. Le feu d'ange revint sur mes lames et je m'attaquai au premier faucheur. Je pivotai, tournai et tranchai, mais l'un d'eux frappa. J'enfonçai une lame directement dans la mâchoire ouverte du premier faucheur ursidé et sa tête partit en flammes, mais des griffes s'enroulèrent autour de ma taille et me tirèrent violemment en arrière. Je criai et battis l'air de mes bras...

Le monde tourna encore une fois et le klaxon d'une camionnette hurla alors qu'elle passait dans un brouillard, m'évitant de justesse. Je me retournai brusquement et me cognai contre un corps ferme et chaud. Je levai les yeux pour découvrir que j'étais dans les bras de Will et de retour dans le parc de stationnement de l'école. Il m'avait écartée du chemin de la camionnette.

— Ellie? Ellie!

Mon cœur battait la chamade et mes yeux tournaient follement dans tous les sens.

— Où est-il? demandai-je, essoufflée. Où est le faucheur? Mes épées?

Il me tint fermement par les deux épaules.

— Il n'y a pas de faucheur. Détends-toi.

Mon pouls commença à ralentir et je pris de longues et profondes inspirations. Il devait s'agir d'un autre retour en arrière, comme celui que j'avais vécu dans mon cours d'histoire. Tandis que je me calmais les nerfs, d'autres souvenirs me revinrent. J'étais cernée et seule.

— Où étais-je? demandai-je peureusement. Qui était-ce?

Il observa mon visage d'un air interrogateur.

— Qui ? De qui parles-tu ?

— La faucheuse ! m'écriai-je. C'était une vir, je pense. Et il y en avait d'autres. Il y avait des ursidés partout. Le pharaon...

— Le pharaon ?

— Oui, il avait été assassiné et un faucheur vir s'était métamorphosé et imitait son apparence pour prendre sa place. Ils avaient déjà tué tellement de monde en Égypte et pris tant d'âmes, et je les combattais seule. Ma Gardienne d'alors était morte. C'était avant que je te connaisse, bien avant. Ce devait être il y a des milliers d'années.

Mes pensées étaient éparpillées et incohérentes alors que je tentais de comprendre trop de détails en même temps. C'était bien avant que Will entre dans ma vie, bien avant que je commence à me sentir humaine, comme j'avais graduellement commencé à le faire à mesure que les siècles s'écoulaient, comme il me l'avait expliqué. Avais-je été en contact direct avec les archanges ? Quand avais-je cessé de recevoir mes ordres d'eux ? Avec un faucheur se faisant passer pour le pharaon, les forces démoniaques avaient été capables de tuer un nombre colossal d'humains, si nombreux, en fait, que j'avais été envoyée en Égypte antique pour intervenir.

Mais qui m'avait envoyée ? Un ange ?

« Ils t'ont envoyée ici pour mourir, tueuse. »

Les paroles de la faucheuse me hantaient.

— Ellie, dit Will en posant une main sur mon épaule. Est-ce que ça va ?

Je hochai la tête.

— Ouais. Je... réfléchis.

— Eh bien, réfléchissons loin des véhicules qui font de la vitesse.

Il me guida vers ma voiture et nous nous installâmes un instant à l'intérieur.

— Autre chose, dis-je. La faucheuse m'a appelée « tueuse ». Habituellement, ils m'appellent simplement Preliator. Que veut dire mon nom, exactement ?

— Tu n'as pas toujours utilisé ce nom, m'expliqua-t-il. L'origine est latine, alors j'ai supposé que les gens ont commencé à t'appeler Preliator au moment où c'était une langue importante dans l'Antiquité. Cela signifie « guerrier ».

Guerrier.

— J'imagine que j'ai toute une réputation à maintenir.

— Ne te soucie pas de cela. Tu y arriveras. Tu y parviens toujours.

— J'espère que tu as raison, dis-je. Que fais-tu à mon école, de toute façon ?

— Tu étais en détresse. Ce devait être un retour en arrière. Je me suis précipité ici aussi vite que possible et j'ai vu un faucheur à environ deux kilomètres.

Cela me prit par surprise.

— En plein jour ?

Il hocha la tête.

— Peut-être te cherchait-il ou suivait-il ton odeur. Tu devrais rentrer à la maison afin qu'il n'y ait pas de combat en public.

— Il n'attaquera personne, n'est-ce pas ?

— Non, m'assura-t-il. Ils ne se nourrissent pas le jour et c'est très rare que l'un d'eux sorte à cette heure. Le faucheur fumait comme une cheminée, sous le soleil. Son motif pour être dehors doit être important, ce qui explique pourquoi nous devrions te ramener chez toi.

Je le regardai, étonnée.

— Tu viens dans ma voiture?

— Oui, fut son unique réponse.

— Tu ne retourneras pas chez moi en volant, alors? demandai-je sarcastiquement.

Il se tourna pour me lancer un regard étonné et interrogateur.

— Non.

— Ce souvenir m'a réellement fait paniquer, Will.

— Que veux-tu dire?

— J'étais tellement froide et juste… différente. Je prenais mon travail très sérieusement. Trop sérieusement. C'était assez effrayant. C'était comme si je n'étais même pas humaine.

J'étais contente qu'il n'y ait pas eu de miroir, de sorte que je n'avais pas pu voir mon visage. Mon expression sombre aurait été trop difficile à supporter.

— Tu peux être très intense, avoua-t-il.

— Et autre chose, poursuivis-je. Dans mon souvenir, j'ai dit à la faucheuse que j'avais été envoyée par les anges. Me donnent-ils des ordres?

Il me regarda en clignant des yeux et je pris cela pour un non avant qu'il réponde.

— Pas dans mon souvenir.

— S'ils me donnaient des ordres avant, pourquoi pas maintenant? Pourquoi ont-ils cessé? Pourquoi est-ce que je ne me rappelle pas leur avoir parlé?

— Je ne sais pas quand ni pourquoi ils ont arrêté.

Mais pourquoi n'en avais-je aucun souvenir ? Étais-je lentement en train de devenir à ce point humaine que je m'oubliais ? Avais-je oublié d'où je venais ? Qu'étais-je réellement ? Mon humanité était-elle une faiblesse ? Ou bien était-elle une force ? Était-ce par ma propre faute que je ne parlais plus aux anges ? Avais-je fait quelque chose de mal ?

Will m'avait dit que les faucheurs angéliques servaient les anges au paradis. Et si je faisais partie de leur plan ? Qui étais-je censée servir au juste ? Et s'ils m'avaient créée ?

Je me moquai de cette idée que j'étais peut-être un genre d'expérience scientifique tordue du divin, mais à l'évidence, quelque chose me ramenait chaque fois que je mourrais.

Étaient-ce les anges ?

15

— Monte à ta chambre et je t'y rejoindrai, dit Will lorsque nous rentrâmes chez moi.

Je lui lançai un regard méfiant.

— Ma mère saura…

— Non, elle ne saura pas que je suis là. Contente-toi de monter.

Je hochai la tête. Il était inutile de se battre avec lui. Dès que je passai la porte d'entrée, j'entendis ma mère m'appeler dans son bureau

— Hé, Ellie ? Peux-tu venir ici une minute ?

Je m'arrêtai net. Mon cœur se mit à battre très vite alors que je me rendais à son bureau. Elle leva les yeux quand j'entrai.

— Salut, ma chérie, dit-elle. Comment était ta journée à l'école ?

Je haussai les épaules. Il fallait faire un effort pour ne pas avoir l'air complètement cinglée.

— Pas mal. Je m'en sors un peu mieux en sciences économiques. Je ne comprends pas encore vraiment, par contre. Alors, de quoi voulais-tu me parler ?

— Oh, oui! dit-elle. Le concessionnaire a enfin téléphoné. Ils peuvent prendre ta voiture maintenant. J'imagine qu'ils ont été vraiment très occupés, ces dernières semaines. Nous pouvons la laisser ce soir ou dimanche soir, si tu veux. Vas-tu au cinéma?

C'est vrai. Nous devions apporter ma voiture pour faire réparer et repeindre les éraflures et les bosses.

— Ouais. Tu sais, nous ferions aussi bien d'attendre à dimanche. Ils ne commenceront pas à travailler dessus avant lundi, de toute façon, et j'aimerais me servir de ma voiture ce week-end.

— Ça me semble bien.

— D'accord. Eh bien, je dois bosser sur un devoir en sciences éco avant de partir. On se parle plus tard, maman.

Je courus jusqu'en haut et découvris Will debout, près de mon bureau, en train de regarder quelques photographies de mes amis et moi.

— Chassons-nous ce soir? demanda-t-il.

Je fronçai les sourcils avec un soupçon de déception.

— Ouais, j'imagine. Ce soir, c'est la soirée cinéma, tu te souviens?

Il gémit et se tourna vers moi.

— J'avais oublié.

Il marqua une pause.

— Dois-tu réellement y aller?

— Oui, dis-je fermement. Je veux essayer de rester une adolescente normale.

— Mais tu ne l'es pas.

— Eh bien, dans ce cas, j'aimerais continuer à le prétendre.

— Je suis assez certain que si ce faucheur vu plus tôt ne te traque pas ce soir, un autre s'en chargera, comme Ragnuk. Je ne pense pas que tu devrais sortir avec tes amis sans moi, particulièrement ce soir.

Je me rappelai ma conversation avec Kate plus tôt.

— Tu pourrais… m'accompagner.

Ma voix s'éleva avec espoir en fin de phrase.

Il ne répondit pas tout de suite et mon cœur se serra.

— Je ne peux pas vraiment penser à une meilleure façon de garder un œil sur toi.

— Alors, tu viens. Es-tu déjà allé au cinéma auparavant?

— Bien sûr que oui, dit-il, l'air offusqué. Je ne vis pas dans une caverne.

— Je ne l'aurais jamais cru, dis-je.

Will s'assit sur le bord de mon lit en se penchant paresseusement en avant.

— Que vas-tu voir? demanda-t-il en levant les yeux vers moi.

— Kate a parlé d'une comédie.

— Comme quoi?

Il semblait nerveux.

— Es-tu en train de dire que tu n'as pas de suggestion? Je souris d'un air narquois.

— Le fait que j'aie vu quelques films au cours des cent dernières années ne signifie pas que je sais tout sur Hollywood aujourd'hui.

— J'étais seulement curieuse. Je ne pensais pas que tu le serais. Est-ce que ça te va d'aller voir un film? Je vais payer.

Je marchai vers ma coiffeuse pour mettre un peu d'ombre à paupières et de mascara. Je jetai un coup d'œil au reflet de Will dans la glace.

— Je n'y vais pas pour m'amuser, grommela-t-il. J'y vais pour m'assurer que Ragnuk ne te brise pas le cou en deux en sortant.

— Pourquoi te montres-tu toujours aussi explicite?

Je brossai mes cils avec la brosse à mascara.

— J'aime faire comprendre mon point de vue.

— Apparemment.

Je me tournai de nouveau vers lui et le rejoignis là où il était assis.

— En tout cas, je pense que ce soir, ce sera bon pour toi. Tu ne devrais pas être d'humeur aussi sombre ni soucieuse.

— Je ne suis pas d'humeur sombre ni soucieuse, insista-t-il.

Je baissai un regard ironique vers lui.

— Oh, tu l'es.

— Est-ce que nous nous entraînons d'abord? demanda-t-il, choisissant d'ignorer ce que je venais de dire. Nous devrions peut-être aller faire un peu de course à pied.

— Non, dis-je. Je ne veux pas devenir dégoûtante et devoir me doucher encore une fois. Que dirais-tu d'après?

— Ça va, dit-il, la voix sombre. Si tu veux mon avis, je ne pense pas que tu prends ton devoir assez sérieusement.

Je lui offris mon plus doux sourire.

— Eh bien, je ne t'ai pas demandé ton avis, n'est-ce pas?

Il m'offrit une brève vision d'un très léger sourire.

— Mais Ellie, je dois vraiment te faire comprendre que c'est probablement une très mauvaise idée.

Je plissai les paupières.

— Un petit tour au cinéma n'est pas dangereux. Ça ira bien pour moi.

— Tu ne peux pas garantir ta sécurité.

— Toi non plus.

Il sourit très légèrement. Puis, il leva la main et toucha mon lobe d'oreille, le regardant avec attention.

— Quand je t'ai vue la dernière fois, dit-il doucement, tes oreilles étaient percées et arboraient de petites perles.

Je ris presque, pas parce que le souvenir était drôle, mais en raison de l'adorable tendresse avec laquelle il s'en souvenait. Cela me surprit.

— Tu as vraiment bonne mémoire.

— Plutôt bonne.

Son sourire s'élargit un peu — ce sourire éblouissant que je ne lui avais pas vu de la semaine. Cela me rendit heureuse.

— Tu es la même, et pourtant, tu es une nouvelle personne.

— Est-ce une bonne chose?

Il haussa légèrement les épaules.

— C'est comme un nouveau départ, pour toi. J'imagine que cela pourrait être une bonne chose.

— Pourquoi cela fait-il si longtemps? demandai-je.

Son sourire s'évanouit et je regrettai instantanément ma question.

— Depuis que tu étais en vie?

— Ouais, dis-je. Pourquoi ai-je mis autant de temps à renaître ?

— Je l'ignore.

L'expression accablée sur son visage me rendit encore plus triste.

— Est-ce étrange que je sois différente chaque fois ? m'enquis-je. Cela te dérange-t-il que j'aie un nom différent ?

— Non, bien sûr que non. Cela n'a jamais été le cas. Tu es toujours toi, mais tu vis une enfance différente chaque fois et ta personnalité change un peu. Tu es certainement plus nerveuse que lorsque je t'ai connue la dernière fois.

Je lui lançai un regard furieux, mais je ne réussis pas à cacher le sourire qui apparut.

— Quel était mon prénom à ce moment-là ?

— Pourquoi est-ce important ?

— Je suis curieuse.

— C'était il y a très longtemps.

Il se leva et enroula gentiment une main autour de ma nuque.

— Un prénom est juste un prénom, pas qui tu es. Et si tu ne t'en faisais pas avec cela ?

— Que veux-tu dire ?

— Et si tu te contentais d'être toi, ce soir, et je serai moi ? Ne t'inquiète de rien d'autre.

Ses yeux émeraude étaient doux et gentils. Je sentais qu'il était vraiment sincère.

— Tu veux dire faire semblant d'être humains ?

— Pourquoi pas ?

Je lui lançai un sourire narquois.

— Eh bien, c'est tout un changement, pour toi.

— Je pense qu'il serait peut-être bon pour toi de te détendre de temps à autre.

— Juste pour ce soir ?

— Juste pour ce soir.

Il inclina la tête et se pencha en avant, me prenant par surprise. Il ne m'embrassa pas, mais il était assez proche pour le faire. Mon corps se figea et mes lèvres s'entrouvrirent. Son corps était chaud contre le mien et je voulais qu'il fasse ce que je croyais qu'il allait faire. Je désirais vraiment qu'il m'embrasse et je sentis mon ventre frémir et s'amollir. Je levai le menton et attendis, mais il s'arrêta. Son regard s'abaissa et il tourna son visage et s'écarta lentement. Je me démontai.

— Alors, à quelle heure est le film ? demanda-t-il en faisant courir une main dans ses cheveux.

J'avais envie de m'écraser au sol.

— Euh, notre heure habituelle est dix-neuf ou vingt heures.

Il hocha la tête.

— Il n'est que seize heures. Que veux-tu faire jusque-là ?

— Eh bien, je devrais écrire quelques pages de mon devoir de sciences éco, dis-je en gémissant.

— Ça va, dit-il. Voudrais-tu que je m'en aille afin que tu puisses faire ton devoir ?

— Où iras-tu ? demandai-je. Retourneras-tu jusque chez Nathaniel, comme tu le fais pendant la journée ?

— Non. Voir le faucheur cet après-midi m'a rendu nerveux. Quand je surveille ta maison, je m'assois habituellement sur le toit. C'est le meilleur poste de guet.

— Si cela te convient, j'imagine, dis-je en souriant. Je t'appellerai lorsque j'aurai terminé.

Il me fit un rapide hochement de tête et se détourna, disparaissant. Je secouai la tête, incrédule. Il était comme un ninja ou quelque chose comme cela. Il avait probablement disparu dans les Ténèbres et je songeai un moment à le suivre là-bas, mais j'avais peur des Ténèbres et des choses que je pourrais y voir. Je m'assis plutôt à mon bureau et attrapai mon sac à dos pour sortir mon devoir. Je sentais encore la présence de Will dans ma chambre, je respirais son odeur, comme s'il n'était pas vraiment parti. Et en fait, il n'était pas parti. Je savais qu'il était à proximité et cette pensée réconfortante m'aida à faire mon devoir avec facilité.

16

Mon estomac gronda. Je laissai mon visage frapper mon bureau et roulai ma tête d'un côté pour jeter un coup d'œil à mon réveil. Il était juste un peu passé dix-huit heures. Je n'arrivais pas à croire que je travaillais sur ce devoir depuis deux heures. J'en avais assez de ces conneries.

Je levai le regard.

— Hé, Will?

Je me sentis stupide de parler dans le vide dans ma chambre.

— Terminé? répondit sa voix un moment plus tard.

Surprise, je bondis de mon siège en me serrant le cœur. Mon pouls résonnait dans ma tête.

— Qu'est-ce qui cloche chez toi? Tu m'as foutu une peur bleue!

Il se tenait juste devant ma fenêtre. Il avait réussi je ne sais comment à entrer sans émettre le moindre son.

— Désolé.

Je lissai mon chemisier.

— Qu'est-ce que tu es, Will? Comment peux-tu te déplacer aussi vite?

— Je suis ton Gardien.

— Non, je veux dire, à part Batman, quelle est ton espèce ?

— Je suis immortel.

— Oublie ça, dis-je impatiemment. Je sais déjà ce que tu es : odieux. Je vais enfiler des vêtements propres.

— Pourquoi ?

— Parce que je n'aime pas porter la même tenue toute la journée.

Il me regarda comme si j'arborais un œil dans le front. Je roulai les yeux et m'enfermai dans mon placard. Je choisis un jean et un tricot noir et les enfilai avant d'en sortir.

— J'ai vraiment faim et je sais à quel point tu aimes rester invisible et tout, mais je pense que tu peux faire une exception. Cela te dérangerait si nous allions manger un morceau avant le cinéma ?

— Pas du tout, dit-il. Tu as besoin de manger. Tu deviens irritable quand tu ne manges pas.

Je clignai des yeux de surprise. Il me connaissait très bien.

— Parfait. Que dirais-tu de la crèmerie Coney Island ?

— Je ne sais pas du tout ce que c'est.

— Blasphème.

Je nous conduisis à ma crèmerie-restaurant préférée, Leo's Coney Island. L'endroit était typiquement bondé pour un vendredi soir. Alors que nous nous rendions tranquillement à une table inoccupée, je remarquai un groupe de filles assises dans un box, près de la porte d'entrée. Deux d'entre elles fixaient Will, alors je leur lançai un regard méchant en passant.

Je choisis un box sur le mur opposé, le plus loin possible des filles. Notre serveuse était une fille pleine d'entrain, peut-être âgée d'un an de plus que moi.

— Que puis-je vous servir? demanda-t-elle, crayon et cahier de notes en main.

— Hamburger au fromage sans garniture et frites, avec une entrée de salade et de l'eau pour moi. Veux-tu quelque chose? dis-je en hochant la tête en direction de Will.

— Non, merci, dit-il en agitant la main dédaigneusement.

La fille hocha rapidement la tête et fila.

— Tu n'as pas faim? lui demandai-je.

Il secoua la tête.

— Pas souvent. Le seul temps où je mange, habituellement, c'est après un combat. Plus je suis gravement blessé ou faible, plus je dois manger pour guérir et renouveler ma force. Les calories guérissent mon corps, alors j'en ai besoin en grande quantité.

Je le fixai du regard.

— Je suis tellement jalouse.

J'étais excitée qu'il sente l'envie de me révéler des choses. Peut-être que cette conversation nous mènerait à quelque chose d'intéressant. Notre hôtesse apporta ma boisson et j'aspirai dans la paille pour boire une gorgée.

— Me diras-tu un jour comment tu es devenu mon Gardien? demandai-je avec espoir.

Il sourit.

— Tu sais très bien comment c'est arrivé. Je sais que tu n'as pas accès à ce souvenir encore, mais je ne pense pas que ce soit une chose que je puisse te dire simplement. Cela signifie beaucoup pour moi, j'imagine. Tout te reviendra. Sois patiente.

Je maugréai devant sa réponse parce que cela ne servit qu'à augmenter ma curiosité.

— Vas-tu me dire comment je m'appelais ou dois-je me le rappeler aussi?

Il roula les yeux.

— Tu dois arrêter de poser des questions. Te souviens-tu de ce que je t'ai dit plus tôt? Nous faisons semblant d'être des humains normaux, aujourd'hui.

— Eh bien, les humains normaux ne s'assoient pas au Coney Island pour regarder les autres mangers. Ils commandent une assiette pleine de frites au chili et au fromage. Ne sois pas si bizarre.

Je bus une autre gorgée.

Ma salade arriva et, juste au moment où la serveuse allait partir, Will leva la main.

— J'ai changé d'avis. Je vais prendre un flotteur à la racinette.

Elle lui offrit un bref sourire éclatant et partit en virevoltant.

— Un flotteur à la racinette? demandai-je. Quel âge as-tu, cinq ans?

— C'est ce que je préfère.

La serveuse revint avec son flotteur et il remua immédiatement la glace et la coula au fond. Entre ses gorgées et ses bouchées de crème glacée, Will m'observait beaucoup trop attentivement pendant que je mangeais.

— Quoi? demandai-je en avalant une grosse bouchée.

— Tu me fais penser à moi.

— Ça ne peut pas être bon.

J'avalai une autre bouchée.

— Ce n'est pas nécessairement une mauvaise chose. Tu dois vraiment être affamée.

Je n'aimai pas l'air amusé sur son visage. Je me sentis tout à coup très embarrassée.

— Alors?

Il haussa les épaules.

— Rien.

— Va te faire voir.

Je mangeai plus lentement après cela. Lorsque nous nous dirigeâmes vers la caisse pour payer et partir, je tendis la main dans mon sac à main pour chercher de l'argent, mais Will donna un billet de vingt dollars au commis.

— Non, non, non, dis-je en allongeant le bras vers sa main. Cela ne faisait pas partie de l'entente.

— Ne t'inquiète pas de cela, m'assura-t-il en permettant au commis d'accepter le billet. Je m'en occupe.

— Mais tout ce que tu as pris, c'est un flotteur.

— Nous essayons d'agir de manière normale, non? Ce n'est pas très normal pour une jeune femme de payer pour son propre souper.

Je me renfrognai.

— Tu dois confondre aujourd'hui avec il y a cent ans. C'est un stéréotype stupide. Ce n'est même pas un rendez-vous d'amoureux, alors ça ne compte pas.

— Peut-être, mais tout le monde autour de nous suppose le contraire.

Il hocha la tête, son regard se promenant dans le restaurant.

— Nous ne voulons pas qu'ils commencent à se méfier, n'est-ce pas?

— Will, ils se foutent vraiment de ce que nous faisons, dis-je. Ce n'est pas comme si nous étions en mission secrète ou quelque chose du genre.

Lorsque nous rejoignîmes mes amis, Landon repéra Will et son attitude s'aigrit de manière spectaculaire. Je me dis sévèrement à moi-même que j'allais ignorer la conduite de Landon ce soir, alors je m'efforçai d'être d'excellente humeur. Je n'avais pas oublié l'avertissement de Will plus tôt à propos du faucheur errant, mais la vue de Will à l'aise me rendit à l'aise.

— E-l-l-l-l-lie!

Kate me prit dans une grosse étreinte et me serra contre elle.

— Je suis tellement contente de te voir!

Elle me poussa presque et se tourna vers Will. Elle l'attira brusquement aussi dans une étreinte, amenant Will à se sentir très mal à l'aise.

— Je suis tellement contente que tu sois venu!

On pouvait compter sur Kate pour exagérer tout ce qu'elle faisait.

Je forçai un sourire éclatant.

— Alors, et ce film?

— Nous avons vingt minutes avant le début, dit Chris en regardant son téléphone cellulaire. Nous devrions probablement prendre nos billets et aller nous asseoir. C'est le soir de la première.

Après avoir acheté nos billets — et je refusai de laisser Will payer pour les nôtres lorsqu'il essaya —, nous patientâmes en file pour entrer dans le cinéma. De temps à autre, je le voyais se raidir et tourner son regard autour de nous, comme s'il écoutait et surveillait avec beaucoup d'attention. Si quelque chose songeait à nous attaquer ce soir, j'étais assurée que Will serait prévenu bien à temps. Quand le portier nous permit d'entrer, nous trouvâmes des places un peu vers l'arrière, puisque le milieu était complet. Chris, Rachel et Evan se glissèrent en premier dans l'allée, suivis de Landon et de Kate, puis de Will et moi. Landon se pencha vers Kate et moi.

— Quelle école as-tu dit que tu fréquentais déjà? demanda-t-il à Will.

— Je suis un étudiant de première année à l'Université du Michigan, répondit Will.

Landon prit un ton méprisant.

— Toi et Ellie, passez-vous souvent du temps ensemble?

Kate lui donna un coup de coude dans les côtes et il lui lança un regard furieux.

— Oui, dit Will.

Enroulant un bras autour du mien, Kate sourit largement à Will.

— Tu ne devrais pas l'accaparer autant. Elle nous manque!

Will haussa les épaules et sourit.

— Désolé. Je ne le voulais pas.

Kate rit et joua avec une mèche de mes cheveux.

— J'imagine que tu devras simplement traîner davantage avec nous afin que nous puissions la voir nous aussi.

Ouais, bien sûr.

Le film débuta enfin et, vers le milieu, Will sembla s'amuser. Il rigola quelques fois, mais il jetait fréquemment des regards vers la sortie d'urgence, comme s'il anticipait de voir quelque chose en surgir brusquement. Je remarquai aussi que Landon nous regardait sans cesse. Quel était son problème? Il s'attendait probablement à ce que nous nous embrassions à pleine bouche pendant le film. C'était bon pour les élèves de première secondaire, de toute façon, alors son inquiétude était ridicule.

Le film se termina à vingt et une heures trente, et des dizaines d'étudiants de l'école secondaire et de l'université déferlèrent vers la sortie. Nous nous arrêtâmes sur le trottoir pour planifier la suite.

— Landon et moi allons au Cold Stone, dit Kate. Quelqu'un veut venir? Ellie?

Je fronçai les sourcils.

— Je n'ai pas vraiment envie de crème glacée.

— Oh, allons! geignit-elle. S'il te plaît?

Je ris.

— Pourquoi veux-tu à ce point que je t'accompagne pour aller manger de la crème glacée?

— Parce que c'est bon!

Kate se tourna vers Will.

— Tu veux de la crème glacée, n'est-ce pas, Will?

Les yeux de Will passèrent brièvement sur moi, puis revinrent vers Kate.

— Si cela n'intéresse pas Ellie, alors moi non plus. Je vais simplement là où elle va.

Kate gémit.

— Vous ne pouvez pas nous quitter déjà, les amis! Il n'est même pas vingt-deux heures. Au moins, venez chez moi pour faire la fête un peu. Nous pouvons traîner dans mon sous-sol.

Cela me semblait vraiment bien. Je n'avais pas pu me détendre avec ma meilleure amie depuis des semaines. Will se pencha vers moi, sa voix douce et son souffle chaud dans mon oreille.

— Je pense que tu devrais y aller. Tu vas t'amuser.

— Mais qu'en est-il de..., murmurai-je en retour.

— Tu vas t'amuser, chuchota-t-il. Je veux que tu sois heureuse. Tu te souviens de notre entente pour ce soir ?

Je souris.

— Mais je veux que tu fasses semblant d'être humain avec moi.

— D'accord, dit-il.

— D'accord, vous deux, dit Kate. Quel est le plan ?

Je levai les yeux vers elle.

— Nous venons.

— Youpi ! pépia-t-elle en m'attirant dans une nouvelle étreinte serrée à la Kate. Je veux quand même aller au Cold Stone. Vous êtes certains de ne pas vouloir nous accompagner ?

Je hochai la tête.

— Ouais, j'ai mangé juste avant le film, alors j'ai le ventre encore pas mal rempli. Je vais passer mon tour, mais si nous nous rencontrions chez toi dans une heure ?

— Ça me semble bon, dit-elle avec un sourire.

— D'accord, salut, dis-je en leur envoyant la main à tous.

Will et moi marchâmes jusqu'à ma voiture.

— Merci, dis-je à voix basse.

— J'étais sincère lorsque j'ai dit que je veux que tu sois heureuse, répondit-il. Cela a toujours rendu les choses plus faciles pour toi — quand tu es heureuse.

— C'est vrai ?

— Oui.

Il sourit.

— Qu'avais-je l'habitude de faire pour m'amuser ?

Je déverrouillai ma voiture et nous y montâmes.

— Tu as toujours aimé les chevaux, dit-il distraitement. Dans chaque vie où je t'ai connue.

Je m'égayai.

— Vraiment ? Est-ce que je montais souvent ?

— Tout le temps. Il y a cent ans, il n'y avait pas beaucoup de voitures, de sorte que c'est ainsi que nous nous déplacions. Quand tu étais… Quand je t'ai connue la dernière fois, tu participais à des concours hippiques.

Je ris.

— C'est génial.

— Tu étais vraiment bonne.

— Penses-tu que je le suis encore ?

Il hocha fermement la tête.

— Oh oui. Tu as toujours été naturellement douée. Cela n'a jamais manqué de te revenir.

— M'emmèneras-tu monter à cheval ?

Il me jeta un coup d'œil.

— Absolument.

— Promis ?

— Je n'ai jamais fait défaut à une promesse envers toi.

Je le regardai.

— Pas une fois ?

— Pas une fois.

J'étais sceptique.

— Tu me dis qu'en cinq cents ans, tu n'as jamais manqué à quelque chose que tu m'avais promis?

— Ellie, tu dois comprendre, dit-il doucement. J'existe uniquement pour te servir et combattre à tes côtés. Que cette lutte soit pour préserver ta vie ou pour m'assurer que tu souries, c'est pour ça que j'ai été conçu. Tu es tout ce que j'ai et je vais te protéger à jamais.

Je fixai mon regard sur lui.

— Tu es très intense, tu le sais?

— Je le sais maintenant.

Il sourit.

Nous revînmes en ville et empruntâmes une sortie menant à une route secondaire vallonnée et boisée. L'étroite route était tranquille et je ne vis que deux autres phares pendant un kilomètre.

— J'espère que tu as eu du plaisir, dis-je à Will. As-tu aimé le film?

Il regardait par la vitre, mais il se tourna pour me regarder en face et il sourit.

— C'était intéressant. Je crois que Landon et moi pourrions devenir amis.

Je ris aussi.

— Oh ouais. Des meilleurs amis en devenir, ici. Qu'as-tu pensé du film, sincèrement?

Il haussa les épaules.

— C'était drôle. Les humains m'étonnent toujours avec la façon dont leur culture évolue radicalement à quelques années d'intervalle. Imagine être témoin de cela sur dix générations.

— J'aimerais bien, dis-je. Je ne me souviens encore que de quelques bribes.

— Ça reviendra. Je sais que je le dis sans cesse, mais c'est vrai.

Je hochai la tête d'un air abattu.

— Je suis contente que tu sois venu ce soir et qu'il ne soit rien arrivé de mauvais. Merci.

— Pas de quoi. Je pense que c'était bon pour toi.

Mon sourire reparut.

— C'était bon pour nous deux de sortir et de faire autre chose que nous battre, pour changer.

Du coin de l'œil, je vis par ma vitre une silhouette sombre bondir de l'autre côté de la route. Puis, quelque chose de gigantesque s'enfonça dans ma portière et l'Audi se mit à tournoyer dans le sens des aiguilles d'une montre, faisant tourner mon corps brusquement dans mon siège. Le volant glissa de mes mains et la voiture s'arrêta si soudainement que mon épaule s'écrasa contre le panneau de la portière et que la vitre éclata à côté de mon visage. La lumière des phares se déversait sur la route, dans l'obscurité.

— Ellie! cria Will. Ellie, est-ce que ça va?

Il défit sa ceinture de sécurité et ses mains touchèrent mes bras, mon visage et mon cou dans des gestes frénétiques. Ma tête tournait et j'avais l'impression d'être sur le point de vomir. Je regardai autour de moi et vis que nous avions percuté un arbre du côté de Will. Ma vitre avait éclaté et les bords de la vitre déchiquetée pointaient dans toutes les directions. Oh mon Dieu, ma pauvre voiture.

— Je vais bien. Es-tu...

Le pare-brise explosa, nous arrosant de morceaux de verre, et la tête hideuse et déformée de Ragnuk jaillit à travers avec un rugissement assourdissant. Il était hors des Ténèbres. Il se trouvait entièrement dans la dimension mortelle.

Je criai et donnai des coups de pied et de poing, propulsant mes bras vers le haut. Will frappa le museau du faucheur à plusieurs reprises et sa mâchoire claqua en retour, lui mordant le bras.

— Sors de la voiture ! hurla Will en s'inclinant vers l'arrière et en donnant un coup de pied dans le visage du faucheur ursidé.

Ragnuk rugit et tendit ses griffes géantes à travers le pare-brise.

Je tirai violemment sur la poignée et enfonçai tout mon poids contre la portière, mais elle ne bougea pas. Elle était trop démolie. Je poussai — et poussai et poussai et poussai.

Ragnuk s'introduisit de force jusqu'à ce que la moitié du véhicule soit remplie de dents qui mordaient et de griffes qui lacéraient. Je m'allongeai sur le dos et donnai un coup de pied sur la portière de toutes mes forces. Mon pouvoir éclata et la portière s'ouvrit à la volée. Je plongeai dehors et me tournai pour voir Ragnuk à moitié à l'intérieur de la voiture et la silhouette beaucoup plus petite de Will luttant contre lui. Mes jambes devinrent comme de la guenille et quelque chose de sinistre grandit au creux de mon ventre, mais je devais agir vite. Je ne pouvais pas avoir peur de lui. J'appelai mes épées et alors que l'argent remplissait mes mains, le feu d'ange explosa sur les lames.

Je bondis sur le coffre, m'étonnant moi-même de la facilité avec laquelle je sautai si haut. Je courus sur le toit jusqu'à ce que je sois au-dessus du faucheur. Je croisai les deux lames sur ma poitrine et j'entaillai le dos de Ragnuk. Il rugit et enfonça sa tête dans le toit de la voiture avant de faire un violent mouvement de torsion pour enfin se libérer. Ses yeux noirs se levèrent brusquement vers moi. Avec beaucoup d'efforts, il recula et secoua son corps comme un chien. Des morceaux de verre étaient enchâssés dans sa chair et tandis qu'il se secouait, j'observai la vitre voler hors de ses plaies, frappant le sol comme des diamants baignés de sang.

Ragnuk gronda férocement et bondit vers moi. Je m'abaissai vivement et fourrai mon épée dans son ventre, versant son sang. Ses griffes s'élancèrent, ouvrant le haut de mon bras, et je criai. Il fit claquer sa mâchoire en bas vers moi, mais je pivotai et son museau s'écrasa dans le toit de métal. Je plongeai mon épée, mais il enfonça le côté de sa tête dans ma poitrine et la force brutale m'envoya valser dans les airs. Mon dos frappa le pavé et mon crâne se cogna violemment. Je ne sentis pas de sang, alors je bondis sur mes pieds.

Je pouvais y arriver. Je devais calmer ma peur et le vaincre.

Ragnuk sauta en bas de ma voiture et atterrit dans un bruit sourd qui fit vibrer la terre. Il s'avança et arqua le dos, son pouvoir grandissant comme le souffle de la tempête. Je levai les yeux pour voir Will sauter par-dessus l'Audi avec des entailles ensanglantées sur le visage et le torse disparaissant sous mes yeux. Il plongea son épée sur la tête du faucheur. Ragnuk rua et sa patte heurta le torse de Will en plein vol, envoyant son dos s'enfoncer contre la portière arrière du côté du passager. Je vis du sang.

L'obscurité s'avança doucement dans ma vision périphérique, comme quand j'étais sur le point de faire un retour en arrière, mais au lieu de me souvenir de quelque chose, je perdis complètement le sens du temps et du lieu. Mon regard s'attacha sur ma cible et ma seule pensée fut de tuer. La rage animait violemment mon corps et obscurcissait mes pensées, et je pouvais pratiquement goûter le sang de Ragnuk dans ma bouche. Je poussai un cri atroce et je l'attaquai, épées en main.

Une main m'agrippa par le cou et me tira en arrière — brutalement. Mon corps vola au-dessus de la route et s'écrasa contre un arbre. Quand je frappai le sol, je levai les yeux. Une créature femelle atterrit d'un pas léger alors que des ailes géantes et tannées comme celles d'une chauve-souris — *des ailes !* — s'étiraient, battaient une fois et se pliaient dans son dos. La terreur me lacéra la gorge jusqu'à ce qu'elle fut aussi sèche que du papier de verre. Sa peau était tellement lumineuse qu'elle semblait luire sous le clair de lune. Des cheveux blond cendré se déposèrent sur ses épaules et elle me fixa avec des yeux pâles et curieux. Elle devait être l'une des virs qui ressemblaient à des humains. Son énergie roulait en effroyables vagues noires autour d'elle.

— Ragnuk, rugit-elle avec fureur, son regard toujours fixé sur le mien.

L'ursidé cessa son attaque contre Will et pivota brusquement loin de lui, ses griffes grattant le pavé avec rage.

— Ivar ! rugit-il, sa voix résonnant dans mon crâne. Tu oses m'arrêter ?

Elle détourna enfin les yeux, me libérant de son regard fixe de vipère. Son mouvement était fluide comme l'eau, aussi sinistre et terrible qu'une tempête se gonflant en mer.

— Il y a un fait nouveau. Bastian a besoin de nous.

Sa voix était basse et sensuelle, douce comme le velours.

Un grondement féroce, bas et mortel, émergea des profondeurs de la gorge de Ragnuk.

— Cela peut attendre.

— Non, dit sèchement la faucheuse vir. Tu ne sembles pas capable de terminer le travail.

Ragnuk piqua une crise de colère et il lança une patte sur le pare-chocs de ma voiture, l'écrasant encore davantage dans l'arbre.

Ivar me regarda de nouveau avec le même calme effrayant.

— Preliator, dit-elle, profite des jours qu'il te reste. Bois le soleil comme du vin, car lorsque l'Enshi se réveillera, la noirceur n'épargnera rien de ton monde, pas même ton âme. La fin est pour bientôt.

Ses ailes se déployèrent et elle s'envola, disparaissant rapidement.

Avec un sifflement méchant, Ragnuk marcha d'un pas lourd et bruyant vers moi, s'arrêtant seulement à quelques mètres de l'endroit où j'étais tombée.

— Je reviendrai te chercher, fille, gronda-t-il férocement, retroussant ses lèvres noires et montrant brièvement ses crocs mouillés et ensanglantés. Toi et ton Gardien. Vous êtes à moi.

La méchanceté dans sa voix me garantit qu'il pensait chaque mot. Il fit claquer sa mâchoire vers moi avant de s'évanouir dans la nuit.

17

Quand il fut parti, je trouvai la force de me lever et de courir rejoindre Will. Il respirait bruyamment, appuyé contre ma voiture cabossée. À travers son pull déchiré, je regardai ses blessures se refermer et disparaître totalement. La peau sur ses côtes éclata et se fissura. Quelque chose devait être brisé. Lorsque la pression des os cassés ne pesa plus sur ses poumons, les ecchymoses s'effacèrent et il prit une profonde inspiration.

Au moment où j'ouvrais la bouche pour parler, il se pencha en avant et me fit pivoter pour examiner ma tête.

— Je vais bien, Will, dis-je alors qu'il soulevait des mèches de cheveux sales.

— Tu as du verre dans les cheveux, dit-il en lissant ma chevelure. Je voulais seulement m'assurer qu'il n'en restait pas coincé dans ta peau.

Je ris.

— Je pense que j'aurais remarqué s'il y avait du verre qui sortait à l'arrière de ma tête.

Il me gratifia d'un regard sérieux.

— Ce n'est pas drôle. Les plaies ne peuvent pas guérir quand quelque chose empêche la peau de se refermer.

— Eh bien, il n'y a rien d'empalé dans ma tête. Comment vas-tu?

— J'ai besoin de manger.

— On le dirait bien.

J'essuyai une traînée de sang sur sa joue.

— Qui diable était cette poupée chauve-souris?

— Une agente de Bastian, dit-il. Je ne veux pas que tu te battes avec elle. Pas encore. Tu n'es pas suffisamment réveillée.

Le visage d'Ivar surgit dans mon esprit, ses yeux gris glacés de cadavre fixés sur les miens.

— Pourquoi? Est-elle l'une des virs dont tu m'as parlé, comme dans mon souvenir?

Il hocha la tête.

— Oui, c'est une vir, expliqua-t-il. Ivar est une faucheuse qui a des habiletés de métamorphose. Elle peut avoir l'air presque humaine, si elle le désire.

— Je ne l'ai pas aimée, dis-je.

— Moi, je ne l'ai jamais aimée.

— Ils n'étaient même pas dans les Ténèbres, dis-je. Pourquoi nous ont-ils attaqués dans cette dimension?

Il gémit et redressa son chandail.

— Ils font cela, parfois.

Il se déplaça de côté afin que je puisse profiter d'une bonne vue sur ma voiture. Ce qui restait de mon Audi était un amas ratatiné de métal éclaboussé de sang et de verre brisé. Quelques brins de la fourrure de Ragnuk étaient coincés dans le châssis de mon pare-brise. La portière du côté conducteur était écrasée et pendait mollement sur ses gonds. Le pare-brise avait explosé dans tout l'intérieur de la voiture de même que sur le pavé et l'herbe autour. Du sang salissait le capot et le toit. Le rouge était austère et évident sur la peinture blanche. Guimauve avait été transformé en une foutue zone de guerre.

— Ma pauvre auto, gémis-je. Que vais-je faire?

Will soupira.

— Tu dois téléphoner à tes parents. Dis-leur que c'était un chevreuil. Si tu veux que tes assurances paient pour ces dommages, tu devras probablement remplir un rapport de police.

— C'est nul.

Ma voiture toute neuve était une perte totale. J'adorais ma voiture. Les mains tremblant d'énervement, je pris mon téléphone cellulaire. La sonnerie retentit seulement deux fois avant qu'il y ait une réponse.

— Hé, Ellie, dit ma mère. Qu'est-ce qu'il y a?

— J'ai eu un accident, dis-je d'une voix tremblante.

— Quoi? Es-tu blessée? Où es-tu?

— Je vais bien, lui assurai-je. Will est avec moi. Nous allons bien. Je suis tombée sur un tas de chevreuils et ma voiture est démolie.

— Qui est Will, ma chérie?

Oups. J'avais oublié que je ne l'avais pas encore mentionné. Je lui lançai un regard d'excuse, mais il sembla indifférent.

— Un gars que je connais qui est venu au cinéma avec nous. Je le reconduisais chez lui.

Ses mots étaient rapides, mais articulés avec soin, alors qu'elle tentait de garder son calme.

— D'accord, es-tu sur l'accotement?

— J'ai paniqué et j'ai embouti un arbre.

— Oh, mon Dieu! Es-tu certaine que personne n'est blessé?

— Nous sommes dans un fossé.

— Tes feux d'urgence sont-ils allumés?

Non.

— Ouais. Je les ai mis en marche.

— D'accord, je vais téléphoner à la police et à une dépanneuse pour toi. Tu vas bien, tu es certaine? Ton ami est-il blessé? Il ne va pas nous poursuivre en justice, n'est-ce pas?

Beurk, la police?

— Nous allons bien, maman. Il ne va pas nous poursuivre. Détends-toi.

— J'arrive.

Je fermai mon téléphone.

— C'est tout simplement merveilleux. Les flics ne croiront jamais qu'un chevreuil est responsable de cela!

— Tu serais étonnée.

Son expression me dit qu'il s'était peut-être servi de cette excuse auparavant.

— Les chevreuils tuent plus de gens sur la route que des personnes tuent d'autres personnes. Le Michigan compte beaucoup de chevreuils.

— Ouais, grommelai-je.

— Tu vois? dit-il en souriant. Très probable.

— Ma pauvre voiture...

J'avais envie de pleurer et je voulais vraiment tuer Ragnuk pour l'avoir détruite. J'étais seulement très reconnaissante d'avoir eu mon premier accident avec un faucheur et non avec une autre personne. Ma mère arriva cinq minutes plus tard et la police suivit quelques minutes après. Elle n'arrêtait pas de me serrer dans ses bras. Les deux flics qui se présentèrent ne firent pas grand-chose d'autre que m'interroger et noter des trucs.

— Qu'avez-vous frappé? demanda l'agent de police avec une moustache en faisant tapoter bruyamment son stylo sur sa planchette à pince.

Il ne semblait pas content d'être là.

— Un chevreuil, répondis-je.

Officier Moustache me regarda d'un air sinistre, comme si j'avais commis un crime.

— Il devait s'agir d'un immense chevreuil. Un gros mâle?

— Oh, ouais. Un gros mâle. Et un tas de petits.

— Où sont les corps? demanda le plus jeune et le plus mignon des deux agents.

— Les corps?

— Ouais, dit officier Mignon en agitant la main vers ma voiture derrière lui. Ce genre de dommages et aucun chevreuil mort, c'est un peu difficile à croire. Je ne peux pas l'imaginer en train de se lever et de partir en courant.

— Eh bien, il ne l'a pas fait, dis-je.

Ma voix tremblait. J'étais loin d'être une menteuse aussi douée que Will.

— Quelques péquenauds sans rapport sont passés dans une camionnette déglinguée et ils ont offert d'emporter le mâle mort qui était passé par ma vitre.

— Des péquenauds sans rapport? demanda officier Moustache en plissant les yeux.

— Je ne sais pas pourquoi ils le voulaient. Il avait de gros bois, mais ils songeaient peut-être à faire un barbecue demain. Comment le saurai-je ? Je ne veux pas penser à ce qu'ils souhaitaient faire d'un animal mort sur la route.

Officier Mignon grimaça.

— En tout cas, est-ce que vous ou votre petit ami avez été blessés ?

— Il n'est pas mon petit ami, dis-je sévèrement.

— Réponds à la question, Ellie, dit Will.

— Non, nous allons bien.

Je lui lançai un regard furieux.

— C'est une grande quantité de sang qu'il y a sur vous, remarqua officier Mignon en nous zieutant tous les deux.

— Ce n'est pas le nôtre, dis-je. Le chevreuil a été largement coupé. Allez voir mon siège avant. C'était un massacre.

Officier Moustache hocha la tête pour son partenaire.

— Il y a une dépanneuse en route. Elle devrait se présenter bientôt pour rapporter votre voiture chez vous. Conduisez prudemment à partir de maintenant, mademoiselle.

Nous suivîmes la dépanneuse jusque chez le concessionnaire Audi dans la Mercedes de ma mère. Les restes pathétiques de ma voiture furent laissés à côté du bâtiment de service et je lui fis mes adieux. J'étais plutôt convaincue que Guimauve était mort.

Maman m'assura que la compagnie d'assurances paierait pour les dommages ou pour le remplacement de ma voiture. C'était un cas de force majeure, dit-elle. Oh, ouais. Cela avait été toute une foutue force majeure.

Maman était très intéressée par Will et jusqu'à ce que nous montions en voiture, elle réussit à peine à lever les yeux de ses tatouages. Elle le questionna pendant tout le trajet jusque chez le concessionnaire, puis vers la maison.

— Y a-t-il un endroit où je peux te déposer, Will? demanda-t-elle d'une voix inquiète, échouant à étouffer son instinct maternel qui avait été placé en alerte rouge depuis le début de mon appel de malheur.

— Non, ça va, dit-il. Je reste seulement à cinq minutes de marche de votre quartier.

— En es-tu sûr? Ça ne pose aucun problème.

— Ça va aller. Vous avez eu assez d'agitation pour ce soir.

Ma mère rit.

— Eh bien, je peux en prendre encore un peu. Où se trouve ta maison?

— Je vois que vous êtes très décidée.

— Je le suis.

Il dirigea ma mère vers un endroit situé à quelques minutes de notre rue. La maison était l'une des plus modestes des environs et je savais qu'elle ne lui appartenait pas. La pelouse était impeccable et richement dessinée.

— Ravissant jardin, dit ma mère en roulant dans l'allée.

Il était minuit passé et la maison était sombre. Je n'avais pas besoin de m'inquiéter au sujet des véritables propriétaires se demandant pourquoi un gars bizarre se faisait déposer là.

— Merci, dit Will en descendant de la banquette arrière.

— J'ai été très ravie de te rencontrer, dit maman. Tu devras venir plus souvent.

— Je le ferai, dit-il avec un beau sourire. Merci de m'avoir reconduit, madame Monroe. Désolé encore pour ta voiture, Ellie. J'espère qu'elle sera réparée.

— Merci, dis-je.

Je lui tirai la langue.

Il me fit un clin d'œil. Ma mère ne l'avait pas remarqué.

Nous reculâmes pour sortir de l'allée et je perdis presque immédiatement Will de vue dans le rétroviseur. Je devais téléphoner à Kate pour l'informer que nous ne venions pas. En toute franchise, je n'avais plus le cœur à la fête. La bagarre avec Ragnuk m'avait sérieusement ébranlée. J'étais fière de moi d'être restée aussi brave — du moins jusqu'à ce qu'Ivar se pointe. Elle, c'était une toute autre histoire.

— Étudie-t-il vraiment les sciences économiques à l'université ? demanda maman en rompant le fil de mes pensées.

— Euh, ouais, dis-je.

Il était important de ne pas me tromper sur l'identité de Will.

Je détectai un très léger haussement de sourcils.

— Je t'admire de travailler avec ton professeur et de t'organiser pour avoir un tuteur pour ce cours, dit-elle. On dirait que tu es entre bonnes mains. Il semble vraiment intelligent.

— Il l'est. Il connaît beaucoup de choses.

— Est-il ton petit ami ?

J'en avalai presque ma langue.

— Quoi ? Non. C'est seulement un très bon ami.

— Je suis étonnée que tu n'aies jamais parlé de lui, remarqua-t-elle. Il est un peu vieux pour toi, de toute façon.

Elle ne me trompait pas.

— Ce sont les tatouages et tu le sais, dis-je.

Elle rit.

— Ton père n'aimerait assurément pas cela chez lui, mais c'est plus une question d'âge. Attends d'aller à l'université pour commencer à sortir avec des garçons de l'université. Peut-être si tu avais dix-huit ans et que tu étais déjà diplômée, mais pour l'instant, je pense qu'il est un peu trop vieux.

Juste un peu. Je tapotai mes jointures sur la vitre en regardant le monde passer comme un brouillard dans l'ombre. Je n'aurais pas dû songer à Will d'un point de vue amoureux, particulièrement à cause de la façon dont notre relation non amoureuse fonctionnait.

— Alors, maman, dis-je. Je ne parle que d'une hypothèse, bien sûr, mais que dirais-tu si, en fait, je l'aimais bien ?

— Quel âge a-t-il encore ?

— Genre… vingt ans ? dis-je, ma voix s'estompant d'une manière hésitante.

Elle émit un son dans sa barbe.

— Il n'y a rien de mal à aimer sa compagnie.

— Mais pas à sortir avec lui.

— Comme je te l'ai dit, expliqua-t-elle, ce serait plus facile pour moi de l'accepter si tu ne fréquentais plus l'école secondaire. Tu dois garder en tête que tu n'as que dix-sept ans et qu'il est techniquement un adulte, même si c'est évident que tu l'aimes bien.

Je mâchouillai ma lèvre, réfléchissant au degré d'honnêteté dont je pouvais faire preuve vis-à-vis d'elle — et de moi-même.

— C'est vrai. C'est stupide, je le sais. Il n'est pas parfait, mais il fait beaucoup de choses bien.

— Ce n'est pas stupide. Pour commencer, c'est un très beau garçon et il semble motivé.

Je ris. Ça, c'était très vrai.

— Alors, quand tu as dit qu'il devrait venir plus souvent…

— Eh bien, là…

Sa voix s'estompa, mais elle rit doucement.

— Je ne suis pas certaine que je pourrais vraiment sortir avec lui, de toute façon, dis-je. C'est mon tuteur. Nous avons traîné quelques fois ensemble avec des amis, mais c'est tout. C'est un gars du genre « travail avant tout ».

— C'est bon qu'il prenne ses devoirs au sérieux.

Comme c'était drôle qu'elle utilise ce mot.

— Ouais. C'est le cas. Énormément.

— Mais cela ne te satisfait pas.

Et ma mère était capable de lire dans les pensées.

— Pas exactement. Est-ce même possible d'être avec quelqu'un avec qui on travaille ?

— C'est possible, dit-elle, songeuse. Mais travailler ensemble devient difficile parce que ton attention est alors centrée sur lui et pas sur le boulot. Et si les choses tournent mal entre vous deux, alors c'est difficile de continuer à travailler ensemble. Cela devient presque insupportable d'être avec l'autre.

Je l'observai avec attention tandis que son regard était fixé droit devant.

— Tu parles de papa, n'est-ce pas ? Être marié avec lui, je veux dire.

— Il entrerait dans cette catégorie, j'imagine.

— Que lui est-il arrivé ?

Elle expira longuement.

— Je ne sais pas, mon bébé. Je ne sais vraiment pas.

— Et être avec lui tous les jours, commençai-je lentement, c'est difficile.

— Ce l'est. Il a changé. Ça arrive. Il n'est plus l'homme que j'ai marié depuis un bon bout de temps.

Elle se tourna pour me regarder une seconde.

— Mais tu sais ce qu'il y a de plus fou? Je l'aime encore.

— J'imagine que c'est vrai que l'amour rend aveugle.

— Non, dit maman. Il ne rend pas aveugle. Nous sommes très, très conscients de tout ce que fait la personne que nous aimons réellement, que nous le sachions à cause de ce que nos yeux voient ou grâce à notre cœur. Alors non, l'amour ne rend pas aveugle. Il nous paralyse jusqu'à ce que nous ne puissions plus respirer ni nous enfuir loin de lui.

Et sur ce, je sus que ma mère ne pourrait pas quitter mon père, même si elle essayait. Il ne l'avait jamais frappée, mais il l'avait maltraitée verbalement et émotionnellement. Peut-être que l'heure de la fin approchait. Peut-être ma mère le savait-elle. Dans tous les cas, elle ne voulait pas s'aider et je ne pouvais pas l'aider non plus.

Cela me fit m'interroger sur ma relation avec Will. S'il devenait plus que mon Gardien, comment cela influencerait-il notre capacité à travailler ensemble? S'il m'embrassait un jour, changerions-nous?

Maman soupira.

— Tu ne peux même pas imaginer à quel point j'étais horrifiée quand tu m'as dit que tu avais eu un accident. Je savais que cela pouvait arriver, mais j'ai eu l'impression que mon cœur s'arrêtait.

Mon ventre se serra.

— Je suis désolée.

— T'ai-je déjà raconté que j'ai déjà été victime d'un vilain accident, une fois ?

Je la regardai.

— Non.

Nous roulâmes dans notre allée et nous stationnâmes dans le garage.

— Il était tard le soir et un chauffeur dans la voie opposée s'est glissé dans la mienne. Il m'a emboutie, puis j'ai fait un tonneau et ma voiture a percuté un arbre. J'étais enceinte quand cela s'est produit et j'ai perdu le bébé. Après cela, les médecins ont dit que je ne pourrais plus avoir d'enfant. Et ensuite, tu es arrivée.

Elle fit courir une main dans mes cheveux et me caressa tendrement le visage.

— C'est pourquoi tu es mon petit miracle. Je ne veux jamais savoir à quoi ressemblerait la vie si je te perdais.

Je l'observai un instant de plus. Le silence dans le garage s'enroula autour de moi, m'aspirant comme le vide. Ce que ma mère venait de m'avouer me perturbait. Je savais déjà que j'étais un phénomène, mais cela me donnait l'impression de l'être encore plus. Quand je renaissais, qui décidait dans quelle famille j'allais naître ? Je craignais l'idée que quelqu'un — ou quelque chose — avait la maîtrise de mon destin. De mon âme.

— On se voit demain matin, dit ma mère. Je suis tellement heureuse que tu ailles bien.

— Merci pour tout, lui dis-je. C'était vraiment effrayant.

— Je n'arrive tout simplement pas à croire la malchance que tu as depuis que tu possèdes ta voiture, dit-elle après réflexion. Tout d'abord, elle est emboutie, et ensuite, elle est démolie. Si tous les adolescents ont ce genre de chance, je ne peux pas blâmer les compagnies d'assurances pour leurs tarifs.

Je serrai fortement les lèvres. Ouais, la chance. Pas que j'étais pourchassée par un monstre assassin mangeur de bébé ni rien de ce genre. Simplement de la malchance.

Elle me sourit chaleureusement et m'embrassa sur le front.

— Ce n'était pas ta faute et je pense que tu as bien réagi. Dors plus tard, demain matin, d'accord ?

— Je ne peux pas argumenter là-dessus, dis-je en riant. Bonne nuit.

— Bonne nuit, Ellie chérie.

Je me dirigeai à l'étage, mais je m'arrêtai net lorsque j'entendis une voix gronder de rage derrière moi.

— Que diable as-tu fait ?

Un affreux sentiment dans ma poitrine plongea droit au creux de mon ventre quand je vis mon père s'avancer d'un pas lourd et bruyant vers moi, son visage rouge comme une betterave et ses yeux fous. Je chancelai en arrière, trébuchant sur la dernière marche de l'escalier, et je frappai le mur alors que la peur m'emportait dans un tourbillon.

— C'était un accident, dis-je d'un ton suppliant, ma main rampant sur le mur pour essayer de maintenir mon équilibre. Je ne voulais pas…

— Tu as démoli ta voiture ! rugit-il à travers ses dents serrées, de la salive éclaboussant mon visage.

Il leva une main, mais je ne savais pas ce qu'il s'apprêtait à faire avec.

— Tu l'as depuis seulement un mois !

— Richard! s'écria ma mère en courant vers lui pour lui attraper le poignet. Richard, sois content qu'elle ne soit pas blessée.

— Elle n'est pas blessée? beugla-t-il en se tournant vers elle. Et qu'en est-il de la voiture de trente mille dollars que tu lui as achetée?

Maman poussa sur son épaule, le guidant fermement loin de moi.

— Richard, écoute-moi. C'était un chevreuil. L'accident ne pouvait pas être évité.

Je remarquai sa façon de réitérer qu'il s'agissait d'un accident, mais cela ne changea rien.

— Sa négligence ne peut pas être évitée! cria-t-il à quelques centimètres de son visage.

Maman ferma les yeux alors qu'elle recevait une bouffée de son haleine et de postillons.

Je sentis la chaleur m'envahir alors que ma colère grandissait. Je fixai mon père pendant qu'il criait ces propos affreux au visage de ma mère. Ils n'étaient pas vrais. J'avais fait de mon mieux. J'essayais seulement de protéger les autres et moi-même, mais je n'étais pas parfaite. Ce n'était pas ma faute si des objets étaient endommagés quand je combattais les faucheurs. Ce n'était pas ma faute.

— Ce n'est pas ma faute, dis-je à voix haute, tentant de convaincre mon père et moi-même.

— Tu ferais mieux de croire que c'est ta faute! siffla ce monstre, reportant son attention sur moi.

— Je ne suis pas négligente, dis-je, ma voix étrangement calme alors que la rage bouillonnait en moi comme un courant sous-marin.

— Tout ce que tu fais, c'est briser des choses et échouer à l'école. Peux-tu faire autre chose qu'entraîner la destruction?

— Je n'échoue pas à l'école.

Mes notes étaient loin d'être incroyables, mais il était certainement possible de les améliorer. Il n'avait pas le droit de mentionner l'école.

— Tu n'as de respect pour personne et pour rien, gronda-t-il, ignorant ma réplique. Tu n'es bonne à rien.

La fureur éclata en moi.

— Pas aussi bonne à rien que toi.

Il n'ignora certes pas cela. Il attrapa ma mâchoire dans un mouvement étonnamment rapide et leva mon visage afin que ses yeux plongent dans les miens. Il voulait peut-être que sa poigne me fasse mal, mais ce n'était pas le cas. Pas pour moi. Pas plus que ses mots.

Je mis tous mes efforts à ne pas casser chacun de ses doigts comme de petites brindilles. Ma respiration devint plus longue et plus calme tandis que je fixais mon père.

— Je te déteste, lui dis-je.

Son regard ne cilla pas, même pas l'instant d'un battement de cœur, mais ses doigts agrippèrent plus fortement ma mâchoire.

— Je m'en fous.

Il me retint un moment de plus avant de me libérer rudement, envoyant mon dos frapper le mur. Il pivota brusquement et partit bruyamment. Ma mère s'apprêta à venir vers moi, mais je me hâtai de monter l'escalier et courus dans ma chambre avant qu'elle puisse dire quelque chose, faisant claquer ma porte derrière moi. J'allumai et lançai mon sac à main sur mon lit, répandant son contenu partout sur le plancher. Une fois seule, mon sang-froid me quitta et je commençai à souffrir d'hyperventilation alors que mon regard tournait autour de la pièce. Je n'arrivais pas à fixer quoi que ce soit. J'étais étourdie, furieuse et épuisée.

Enfin, mes yeux se posèrent sur la boîte à musique sur ma coiffeuse, la boîte à musique offerte par mon père, que j'aimais. Au lieu de l'ouvrir et d'observer la ballerine tournoyer sur la jolie musique, j'attrapai la boîte, ouvris brusquement ma fenêtre et la lançai avec autant de force que possible dans la nuit. Je regardai la boîte à musique voler dans les airs et éclater lorsqu'elle frappa le sol. Je ne voulais plus jamais voir cette ballerine danser ni entendre cette musique.

Tournant le dos à la fenêtre, j'enfouis mon visage dans mes mains et laissai échapper un cri étouffé dans mes paumes. Une fois qu'il fut sorti, j'éclatai en sanglots. Je fis courir mes mains dans ma chevelure, éloignant des mèches de cheveux de mon visage afin de pouvoir mieux respirer, mais cela ne fonctionna pas. Je pleurai et pleurai et mes genoux commencèrent à céder, mais je refusai de tomber.

— Ellie.

La voix douce dans mon dos, plus familière que n'importe quel son déjà entendu, provoqua une vague de soulagement dans mon corps. Alors que je me retournais, Will enroula ses bras chauds autour de moi. Son corps m'était aussi familier que sa voix, solide comme la fondation d'un gratte-ciel, et je l'étreignis fortement. J'enfouis mon visage dans son torse tandis que je pleurais. Il caressa mes cheveux et me tint aussi près de lui que possible, en silence. Je n'avais pas besoin qu'il parle. J'avais seulement besoin qu'il reste là à m'étreindre.

Nous restâmes ainsi jusqu'à ce que j'arrête de pleurer et que je desserre mes bras. Il sentait tellement bon, tellement comme ma maison, plus familier que le foyer dans lequel je vivais, que je ne voulais pas m'éloigner, mais je savais qu'il le fallait. Je reculai d'un pas et le lâchai, incapable de regarder ses doux yeux verts et de lui faire face.

— Merci, murmurai-je d'une voix rauque, regardant le sol au lieu de lui, essuyant les traînées de larmes sur mon visage. Je vais bien, maintenant.

J'étais gênée parce qu'il savait ce qui était arrivé et ma réaction à cela. Mais je savais aussi qu'il ne me jugerait pas, même si je me jugeais moi-même.

— N'importe quoi pour toi.

Ces mots me firent enfin lever les yeux vers lui. Son expression était résolument inquiète et furieuse, mais il tenta de paraître plus calme qu'il ne l'était vraiment. La gentillesse de son effort me rendit terriblement reconnaissante de l'avoir dans ma vie en cet instant.

Il avala péniblement et son regard vacilla.

— S'il t'avait frappée, dit-il lentement, je l'aurais tué.

Je le fixai, le détaillant du regard, notant la rigidité de ses épaules.

— Je sais.

Nos regards se rencontrèrent de nouveau et aucun de nous ne bougea ni ne parla pendant un moment. J'étais enfin lucide, après tout cela, comme si sa présence avait fait disparaître toute la tristesse et la colère qui envahissaient mon cœur.

— Je dois partir, dit Will.

Il disparut par ma fenêtre, me laissant seule, mettant encore une fois de la distance entre nous alors que nous nous rapprochions. Je fixai le vide derrière lui, au-delà des rideaux ondulant dans la brise glaciale de la nuit et à travers ce trou noir qu'était la fenêtre.

18

Il fallait que je téléphone à Kate. Elle devait s'inquiéter de savoir où j'étais. Je m'emparai de mon téléphone, m'éclaircis la gorge et l'appelai.

— Où es-tu ? demanda-t-elle dès qu'elle répondit.

— Je suis à la maison, dis-je, allumant la lampe à côté de mon lit et éteignant le plafonnier. Ma voiture est démolie.

— Quoi ?

Elle poussa un cri perçant si bruyant que je dus éloigner l'appareil de mon oreille.

— Nous avons frappé un tas de chevreuils en rentrant. Ma voiture est sérieusement amochée.

— Oh mon Dieu, haleta-t-elle. Dégoûtant. Est-ce que ça va ?

— Ouais, nous allons bien. Je suis juste vraiment fatiguée et sale.

Je ne lui racontai pas ce qui s'était produit avec mon père lorsque j'étais rentrée. Je n'avais pas besoin de revivre cela.

— Veux-tu encore venir chez moi ? Je peux passer te chercher. Evan a apporté une bouteille d'alcool.

Je me sentais mal de refuser, mais je n'étais pas d'humeur à boire. Un monstre avait tenté de m'assassiner seulement quelques heures plus tôt. Tout ce que je désirais, maintenant, c'était dormir.

— Que dirais-tu de demain soir? demandai-je. Je suis encore plutôt bouleversée. Demain soir, nous devrions rassembler tout le monde chez toi.

— D'accord, dit-elle. Tu ferais mieux de ne pas te désister encore. Je pense que nous devrions passer du temps ensemble avant la fête, aussi. J'ai l'impression de ne plus jamais te voir.

Je ris.

— Je ne me désisterai pas, promis. Je vais même emmener Will.

S'il était pour rester collé sur moi, autant se montrer la face et s'amuser un peu. C'était un bon prétexte pour le garder près de moi.

Sitôt que je pensai cela, je vis Will grimper par ma fenêtre.

— Hé, je te téléphone demain, suggérai-je, faisant de mon mieux pour paraître joyeuse. Nous ferons la fête à ce moment-là, je le jure. Nous passerons même du temps ensemble plus tôt, aussi. Une partie de jeu au laser peut-être?

— D'accord-salut-je-t'aime, dit-elle dans un souffle.

Je raccrochai, lançai le téléphone sur mon lit et reportai mon attention sur Will.

— Que fais-tu de retour ici? demandai-je. Je pensais que tu serais parti pour la nuit.

— J'ai changé d'avis au sujet de te laisser seule. Je voulais m'assurer que tu allais réellement bien.

— Oh. Merci.

Un silence gêné tomba entre nous. Je détestais que nous en soyons là alors que seulement quelques heures plus tôt, tout semblait si bien se passer entre nous. Il fallait que je sorte de là.

— Je vais prendre une douche, dis-je enfin. Vas-tu... rester ici ?

Cela me faisait drôle de savoir qu'un gars traînait dans ma chambre pendant que je me douchais. Je n'avais pas grand-chose à cacher. Je supposai que mon truc le plus embarrassant était ma collection de films. Mais encore, il se foutait probablement que je possède tous les films de la série *High School Musical* à côté de *Sailor Moon* sur mon étagère du haut. J'étais une véritable abrutie. Au moins, *Gossip Girl* était là aussi, j'étais donc rachetée, en quelque sorte.

Il hocha la tête.

— Je ne toucherai à rien, promis. Je te connais depuis cinq cents ans, je ne crois donc pas que tu puisses faire quelque chose aujourd'hui qui m'étonnerait.

Il réprima un rire, mais je lui lançai un regard perplexe. Une inquiétude fugitive à propos de ce qu'il pouvait savoir sur moi me traversa l'esprit. Je me dépêchai autant que possible dans la douche. Quand j'eus terminé, je sortis et m'essuyai avec une serviette. Mon reflet dans la glace était légèrement plus agréable, étant donné que mon visage ne montrait plus l'accident de voiture que j'avais subi ce soir-là. Je cherchai mon peignoir des yeux, sans le voir. Inquiète, j'enroulai la serviette autour de moi.

— Oh non, soufflai-je.

Mon peignoir n'était pas dans la salle de bain. Aucune chance que je remette mes vêtements tachés de sang. Je donnai un coup de pied sur la pile de vêtements à laver au milieu du plancher de la salle de bain et grinçai des dents.

— Dégoûtant, dégoûtant, dégoûtant...

J'allais devoir revenir dans ma chambre avec la serviette pour chercher des vêtements propres. Ce n'était pas génial. Je ne voulais pas me promener pratiquement nue devant n'importe quel garçon, encore moins devant Will. Je retournai à ma chambre en tremblant. J'entrouvris la porte de quelques centimètres et murmurai juste assez fort pour être entendue de Will seulement et non de mes parents.

— Will?

— Ouais?

— Peux-tu te retourner une seconde?

Il marqua une pause.

— D'accord.

J'entrai sur la pointe des pieds, serrant la serviette aussi fermement que possible. Il s'était tourné et regardait la fenêtre.

— J'ai besoin de mes vêtements. Désolée.

Je me glissai dans mon placard à petits pas dansants et fermai la porte derrière moi. Je poussai un soupir bruyant et lâchai la serviette. J'enfilai un débardeur en dentelle et un pantalon de pyjama en flanelle et quittai mon placard.

— J'espérais que tu ne rencontrerais pas Ivar avant un moment, dit Will.

Il ne parla pas de mon épisode embarrassant de quelques minutes plus tôt et je lui en serais éternellement reconnaissante.

— Ouais, moi aussi, dis-je d'une voix tremblante. Je pouvais sentir sa puissance, Will. Elle était tellement différente de celle de Ragnuk. Elle m'a fait éprouver la crainte.

Pas de la frayeur, mais un *sentiment* de crainte. Est-ce que c'est logique ?

Ses lèvres se serrèrent.

— Tu as tenu des propos semblables avant.

— Qu'est-ce que ça veut dire ?

— Cela veut dire que toi, Preliator, commences à te réveiller, dit-il, tirant distraitement sur un accroc dans son chandail. À mesure que ta force et ta mémoire te reviennent, tes aptitudes reviendront aussi. Tu mettras un certain temps à atteindre ton plein potentiel.

Je soupirai.

— Et moi qui pensais que Ragnuk était la chose la plus effrayante. Ivar le bat à plate couture.

— Tu rencontreras d'autres virs : les brutes de Bastian, dit-il gravement. Ils seront de pire en pire. Bastian gardera probablement son meilleur pour la fin.

— Super, gémis-je. Donc, la nana effrayante et Ragnuk sont les faibles.

— Ils ne sont pas faibles, insista-t-il. Ils ont mérité le droit de se vanter, crois-moi. Ivar pourrait tuer Ragnuk d'un seul coup. Et elle n'est pas la plus faible des virs de Bastian. Elle a été envoyée comme messagère et non pour te tuer, ce qui ne fait aucun sens. J'ai l'impression que Bastian gagne du temps. Peut-être que son but ultime n'est pas de te tuer, puisque ce serait inutile. Tu ne ferais que renaître à nouveau.

Mes lèvres se serrèrent. Ce n'était pas bon signe. Comment pouvais-je possiblement vaincre n'importe lequel d'entre eux alors que Ragnuk m'avait presque tuée deux fois déjà au cours de cette vie et avait en fait réussi dans une vie précédente ? Qu'allais-je faire lorsque je devrais affronter Ivar et un autre vir, ou même Bastian ? Et quel était ce jeu auquel s'adonnait Bastian avec ma vie — envoyant un assassin pour me tuer et le rappelant avant qu'il s'exécute ? Essayait-il de me garder occupée pendant qu'il cherchait cet Enshi ? Est-ce que tout ceci mènerait vraiment à l'Apocalypse ?

Will sembla lire dans mon esprit. Il coinça gentiment mes cheveux à moitié secs derrière mon oreille.

— Tu peux y arriver, dit-il, sa douce voix remplie d'espoir. Tu es plus forte que chacun d'entre eux.

— Alors, pourquoi n'arrêtent-ils pas de se battre avec moi ? demandai-je.

Il expira.

— Tu dois avoir plus confiance en toi. Crois que tu peux y arriver.

— J'ai d'abord besoin d'un peu de preuves, dis-je avec un petit rire. C'est un peu difficile à croire que je peux vaincre Ragnuk alors qu'il n'arrête pas de me botter le cul.

Je m'assis sur le bout de mon lit.

— C'est le but de croire en quelque chose. Il y a tant de doutes et de souffrances dans ton voyage que tu dois t'accrocher à quelque chose, sinon tu vas tomber.

Je levai les yeux au ciel.

— Cesse d'être aussi sage. Tu me fais mal paraître. Que penses-tu qu'Ivar voulait dire par « un fait nouveau » ?

— Fort probablement quelque chose concernant l'Enshi. Nous devons redoubler nos efforts de recherche. Nathaniel a peut-être trouvé quelque chose.

Il fronça les sourcils.

— Je ne sais même pas par où commencer mes recherches.

— Alors, j'imagine que nous devrons concentrer nos efforts à tuer Ragnuk et la vir de Bastian ? demandai-je, incapable d'étouffer le doute dans mon ton.

Il hocha la tête.

— Ragnuk te traque. Nous avons bénéficié d'une chance inattendue ce soir quand Ivar l'a rappelé, mais j'ignore à quel point cela jouera en notre faveur, en fin de compte.

— Que veux-tu dire ?

Éclair de génie.

— Oh mon Dieu, tu ne crois pas qu'ils ont trouvé l'Enshi, n'est-ce pas ?

— Nous pouvons seulement prier que non, dit-il. Cependant, Bastian a interrompu Ragnuk pour une raison. Ils te voulaient morte et maintenant, ils ont changé d'avis. Toutefois, nous n'y pouvons pas grand-chose pour le moment.

J'essayai de me calmer les nerfs, en vain. L'inutilité n'était pas le sentiment que je souhaitais ressentir.

— Eh bien, que faisons-nous à rester assis ici ? Ils pourraient tenir l'Enshi entre leurs mains en ce moment même !

— Ellie, que feras-tu ? demanda-t-il. Simplement te pointer chez eux d'un pas désinvolte ? Tout d'abord, nous ignorons s'ils ont trouvé l'Enshi ce soir. Il s'agissait peut-être uniquement d'une piste. Et ensuite, nous ne savons même pas où ils sont. Je n'ai aucune idée de l'endroit où irait Bastian une fois qu'il mettrait ses griffes sur l'Enshi. Nous ne détenons tout simplement pas suffisamment d'information pour ne pas être prudents.

— N'est-ce pas ce que c'est ? Un risque ?

Il posa une main ferme sur mon épaule, ses yeux verts s'illuminant un peu.

— Nous avons pris des risques auparavant et nous perdons toujours. Je n'accepte aucun pari en ce qui concerne ta vie.

— Mais je reviendrai…

— Ce n'est pas aussi facile, Ellie.

Il ferma les yeux un instant.

— Ce n'est pas comme un jeu vidéo où Mario meurt et réapparaît instantanément, prêt à l'action deux secondes plus tard. Tu meurs. Et il faut presque deux décennies avant que tu sois de retour dans le jeu. Cette fois, il en a fallu quatre. Tu dois recommencer à zéro. Cela a été plus difficile chaque fois. Tu es dans ton état le plus faible en ce moment et Bastian le sait. Il voudra en finir avec toi avant que toute ta puissance te revienne. S'il échoue, il y a une plus forte chance pour que nous l'empêchions d'obtenir l'Enshi. Ce truc doit être capable de te détruire s'il se donne toute cette peine pour le trouver.

— Donc, une fois qu'ils auront obtenu l'Enshi, ils se lanceront tout simplement à plein régime contre moi?

Il recommençait à me faire peur.

— Je ne pense pas que Bastian soit vraiment sérieux à propos de te tuer maintenant. Ragnuk est bon dans son domaine, mais il semble que si Bastian te voulait réellement morte, il enverrait plus qu'un assassin et il ne les rappellerait pas comme il l'a fait. Je déteste me montrer aussi brutalement franc, mais s'il lançait quelqu'un comme Ivar à tes trousses aujourd'hui, il y aurait une bonne chance que tu ne t'en sortes pas vivante. Encore une fois, je pense qu'il gagne du temps, comme s'il te gardait occupée pendant qu'il recherche l'Enshi. Cela me terrifie de songer à ce que ce truc est capable de faire.

Je grimaçai.

— Mais tu m'as, dit-il. J'ai fait tout ce que j'ai pu au cours des siècles derniers pour te protéger. Je sais que j'ai manqué à mon devoir envers toi avant et je déteste ce que tu dois subir, mais mes sentiments là-dessus n'ont pas d'importance. L'émotion n'est pas pertinente. Ma raison d'exister est de te protéger.

Ce qu'il dit m'attrista. Pas la partie à propos de Bastian tentant de m'assassiner, mais celle où il avait dit que ce qu'il éprouvait n'avait pas d'importance. Je ne valais pas l'existence entière d'un autre — immortel ou condamné.

— Ce n'est pas vrai, dis-je.

Il observa attentivement mon visage.

— Qu'est-ce qui ne l'est pas ? Je fais de mon…

— Je sais ce que tu ressens. Ne dis pas que ce n'est pas important.

Il sourit.

— Eh bien, tu ne devrais pas te soucier de cela. Mon but consiste à assurer ta sécurité et à combattre à tes côtés.

— Mais pourquoi ? demandai-je impatiemment. Pourquoi es-tu mon Gardien ? As-tu choisi cela ? Les autres avant toi avaient-ils choisi cela ?

— Oui, avoua-t-il. J'ai accepté de devenir ton Gardien parce que je crois en ton objectif. Je crois en toi.

Je lui lançai un regard mauvais.

— Ce n'est pas une bonne réponse.

Il sourit de travers.

— Tu comprendras. Tu connais déjà toutes ces choses. Elles t'échappent pour l'instant, tout simplement.

Mes poings se serrèrent en boule. Je n'en pouvais plus.

— J'en ai assez de me faire dire que toutes les choses que je ne comprends pas sont au fond de mon esprit et que je ne peux pas les atteindre. Je deviens folle, Will.

— Ne sois pas si impatiente.

— Tant pis !

Il rentra sa lèvre supérieure, un geste qu'il faisait lorsqu'il était nerveux, j'en étais assez certaine.

— À propos de demain soir.

— Qu'y a-t-il ?

— Vas-tu chez Kate ?

— Ouais, dis-je d'une voix lasse. Je le lui ai promis. Tu devrais venir.

Il baissa la tête juste un peu.

— Si c'est ce que tu désires.

— Oui, c'est ce que je désire. Je veux que tu viennes. Je me sens mieux quand tu es près de moi et que je peux te voir.

Il s'avança et s'assit gracieusement sur le bord de mon lit à côté de moi.

— Alors, je vais te permettre de me voir plus souvent.

— Merci, dis-je, trouvant très étrange d'avoir un garçon assis sur mon lit.

Cela me paraissait très intime et étranger.

— Je sais que tu me protégeras.

— Je le ferai, promit-il, ses yeux fixés sur les miens.

Je le crus.

— Il y a quelque chose que je dois te dire, murmura-t-il. À propos de qui je suis. Tu le sais déjà, mais tu ne t'en souviens pas et je ne voulais pas te le dire. Je souhaitais que tu t'en souviennes par toi-même, parce que c'est plus facile pour toi ainsi, mais cela prend tellement de temps et je déteste te cacher des choses. Cela me paraît mal de continuer à faire semblant que cela n'existe pas, mais j'ai peur que tu me détestes après que je te l'aurai dit.

— Je ne pourrais jamais te détester, dis-je sincèrement. Qu'est-ce que c'est ? Dis-le-moi.

Je me tournai et m'assis en tailleur en face de lui.

Il prit une profonde et longue respiration.

— Je suis immortel parce que je ne suis pas humain, comme je te l'ai dit. Je vis aussi longtemps que les faucheurs parce que j'en suis un, Ellie.

Je fus incapable de parler pendant un long moment.

— Tu es l'un d'eux ?

Mes lèvres devinrent engourdies tandis que je posais une question qui me semblait si irréelle. L'horreur tomba sur moi comme une lourde neige et je me figeai. Le sang se vida de ma tête alors que je voyais le visage effrayant d'Ivar surgir dans mon esprit. Will ne pouvait pas lui ressembler d'aucune façon. Ce n'était pas possible.

— Je ne comprends pas.

Son visage s'effondra.

— Non, je ne suis pas l'un d'eux. Je t'en prie, ne crois pas que je suis maléfique parce que je ne suis pas comme ça.

Je ne dis rien pendant plusieurs instants pour absorber cette information.

— Tu es un faucheur.

Bien que je le dis tout haut, cette déclaration ne me sembla toujours pas réelle.

— S'il te plaît, ne perds pas ta confiance en moi parce que je ne te l'ai pas dit avant. Tu savais cela le jour où tu m'as rencontré et tu le sais aujourd'hui. Je suis un faucheur angélique, mais je suis aussi ton Gardien. Tes Gardiens ont toujours été des faucheurs angéliques.

— Alors, tu fais partie des bons, dis-je, cherchant désespérément à m'ancrer à quelque chose avant de paniquer. Nathaniel est-il comme toi ? Est-ce pour cela qu'il est immortel lui aussi ?

— Oui.

Je hochai la tête une fois, intégrant le tout.

— C'est donc ainsi que tu es capable de voir les faucheurs. Est-ce la raison de ta force incroyable ?

— Oui, dit-il. C'est pourquoi j'ai survécu aussi longtemps. Tu es mortelle, Ellie. Mon corps peut encaisser plus de blessures que le tien. Nous sommes presque indestructibles et ton corps est humain, plus fragile, mais tu as le pouvoir du feu d'ange et pas nous.

Je réfléchis à cela un moment. Ce qu'il disait était logique. Mon corps humain était une faiblesse. Mais quelle était sa faiblesse ? Qu'est-ce qui pouvait le tuer ?

— Le feu d'ange peut-il te tuer ?

— Non. Le feu du démon peut me tuer ou laisser des cicatrices, mais le sortilège de protection énochian que tu as tatoué sur mon bras me protège de cela et me lie à toi.

— As-tu déjà été blessé par le feu du démon avant d'avoir les tatouages ?

— Non, mais j'en connais d'autres que oui, dit-il, et un coup bien placé dans mon cœur ou la décapitation peuvent me tuer tout aussi facilement. Je ne suis pas si différent de toi. Je t'en prie, ne dis pas que tu me détestes. Je désirais que tu t'en souviennes toute seule. Je ne veux pas que tu aies peur de moi. Tu n'as aucune raison de me craindre.

— Je ne te déteste pas et je n'ai pas peur de toi, dis-je doucement, mais pendant un moment, je ne fus pas certaine à propos de la peur. Si tu es un faucheur, alors pourquoi assassinerais-tu tes propres congénères?

— Les faucheurs démoniaques tuent les humains pour bâtir l'armée de Lucifer dans les Enfers. Ils se préparent pour la guerre apocalyptique et nous devons tout faire pour empêcher cela.

— Mais si tu sers les anges, pourquoi les faucheurs démoniaques ne peuvent-ils pas faire de même? Pourquoi ne peuvent-ils pas être bons comme toi?

Il prit une inspiration.

— Je suis né angélique et les démoniaques naissent comme ils sont. Les démoniaques ne comprennent pas la valeur de la vie humaine et, par conséquent, ils ne la respectent pas. Aucun faucheur — démoniaque ou angélique — n'a déjà été mortel. Nous n'avons donc jamais eu à nous voir vieillir, à nous sentir faiblir, à être obligés d'accepter la mort comme inévitable au lieu de juste possible. Nous ne faisons que devenir plus fort avec le temps. À cause de cela, plusieurs d'entre nous restent puérils et impulsifs. Chez des créatures aussi puissantes que les faucheurs, cela se traduit par de la violence et, souvent, par de la cruauté. Je connais bien quelques angéliques qui sont dangereux à cause de cela, mais on nous enseigne à chérir la vie humaine depuis la naissance parce qu'elle est fragile et très importante. Les démoniaques s'en foutent. Depuis la naissance, ils sont récompensés par la violence. Pour eux, la seule valeur de la vie humaine est en tant que nourriture et âme à faucher.

— Est-ce que tout cela se réduit aux âmes humaines ?

— Pas tout à fait, dit-il. Les démoniaques fauchent des âmes pour l'armée de Lucifer. Si cette armée devient assez importante, la Deuxième Guerre contre le Paradis se produira. La fin des temps mentionnée par Ragnuk et dont je t'ai déjà parlé. C'est tout. L'Apocalypse. L'armée de Lucifer est déjà d'innombrables fois plus vaste qu'elle ne l'était originalement. Si les légions des Enfers et du Paradis devaient s'affronter de nouveau, la Terre et la race humaine ne survivraient pas.

Le silence tomba entre nous pendant que je considérais ses paroles.

— C'est plus gros que seulement toi et moi, n'est-ce pas ?

Il hocha la tête.

— Mais nous sommes ici, sur la ligne de front. Tu représentes notre meilleur espoir d'empêcher cela. C'est pourquoi tu es ici. Pour protéger le monde humain et le Paradis. Nous, les faucheurs angéliques, sommes ici pour te servir et te protéger contre les démoniaques.

J'observai la ferveur dans son regard.

— Tu es donc né, tu n'as pas été créé comme tu es ?

Il hocha la tête.

— Exact. Nous grandissons comme les humains normaux, mais en prenant de l'âge, nous vieillissons plus lentement, jusqu'à ce que nous ne vieillissions plus du tout. Nous atteignons la maturité à la fin de l'adolescence ou au début de la vingtaine, et le temps s'arrête pour nous, en quelque sorte.

Je le zieutai nerveusement.

— Est-ce que tu... manges aussi des gens ?

Il émit un rire doux et secoua la tête.

— Non. Les angéliques ne mangent pas d'humains. Nous mangeons de la nourriture normale. J'aime les burgers au fromage.

— Pas les burgers aux humains ?

Pendant un moment, je m'interrogeai sur la vérité sous-jacente aux hommes-sandwichs.

— Bien sûr que non.

Je soupirai de soulagement.

— Tu as grandi comme un garçon normal ? demandai-je, m'efforçant de comprendre. D'où viens-tu ?

— Je suis né en Écosse. Ma mère était Anglaise, mais c'est là qu'elle vivait, à cette époque. C'était en 1392. Il n'y a pas grand-chose à dire sur la façon dont j'ai grandi.

J'essayai d'imaginer Will parlant avec un accent aussi craquant que celui de James McAvoy et cela suffit presque à me distraire de la gravité de notre conversation.

— Comment peux-tu dire cela ? Des gens qui n'ont rien accompli du tout en dix ans peuvent parler d'eux-mêmes pendant des heures. Je ne réussis pas à te faire prononcer plus d'une phrase.

— Eh bien, nous nous sommes rencontrés à Londres au début du seizième siècle. Je me trouvais à la cour, après l'accession au trône du jeune Henry VIII, et je chassais les faucheurs démoniaques qui usurpaient l'identité de nobles.

Je ne pouvais pas supporter de le voir aussi sombre et tout ce que je désirais était de le voir sourire.

— D'accord, maintenant, je veux que tu me répètes tout cela, mais avec ton ancien accent.

Il rit et je me sentis beaucoup mieux.

— Quoi ? Non, je ne le peux pas. Cela fait longtemps. Ce n'est plus naturel, pour moi.

— Je suis certaine que si tu essayais...

— J'ai appris de si nombreuses langues au cours des siècles derniers qu'elles se sont toutes fondues ensemble, après un temps.

— Mais raconte-moi quelque chose à propos de ta vie à ce moment-là. Je veux en savoir davantage sur toi.

Il laissa échapper un soupir fatigué.

— Qu'y a-t-il à dire ? La nourriture était épouvantable et nos vêtements trop épais et chauds l'été. Les humains mouraient beaucoup. Les gens tombaient malades. À quelques décennies d'intervalle, la peste emporta des dizaines de milliers de vies. Ce n'était pas vraiment une époque amusante.

Je n'avais pas pensé à cela.

— Beurk.

— Ouais. Tu l'apprends à l'école, mais ils n'ont pas vraiment de photos en couleur de ce temps-là dans tes manuels.

Son regard était très sérieux.

— Sois reconnaissante.

Je fis la grimace.

— D'accord, arrête de me raconter des trucs déprimants de cette époque.

— Tu as vécu à ce moment-là aussi. Et bien avant. Ce n'est pas comme si tu avais manqué quelque chose.

— Je vais te dire pourquoi je suis reconnaissante. Mon amnésie a fort à propos effacé tout souvenir de la peste noire. Dieu agit vraiment par des voies mystérieuses.

Son rire fut doux encore une fois et il baissa le regard. La réflexion tranquille revint dans ses yeux.

— Ça, c'est vrai.

— Mais je ne veux pas que tu me racontes des trucs en général sur le quatorzième siècle que je peux trouver dans n'importe quel livre d'histoire.

Je baissai les yeux sur la chaîne du crucifix enfouie sous son chandail.

— Parle-moi de ta mère.

Il hésita avant de répondre et le bout de silence me fit me sentir coupable d'avoir cherché à connaître sa vie.

— Que veux-tu savoir ?

Il parla lentement, avec des mots forcés.

J'étais très convaincue qu'il n'était pas enthousiaste à l'idée de divulguer les secrets de son enfance, mais peut-être que parler de sa mère l'aiderait.

— Comment était-elle ?

— Une vir angélique comme moi. Les faucheurs femelles peuvent accoucher d'un enfant seulement une ou deux fois par siècle, alors les naissances sont des événements rares. L'état angélique ou démoniaque du vir est déterminé par l'héritage de la mère.

— Ta mère est-elle encore vivante ?

— Je ne le crois pas. Je ne l'ai pas vue depuis que j'étais jeune.

— Je suis désolée, dis-je.

— Ça va. J'ai eu beaucoup de temps pour l'accepter. Je me souviens à peine de son visage. C'est arrivé alors que j'étais tellement jeune.

Si la mort de sa mère ne le dérangeait pas, alors il ne porterait pas encore la croix qu'elle lui avait offerte. Je ne l'avais jamais vu sans elle.

— Comment s'appelait-elle?

— Madeleine.

Je répétai le nom dans ma tête. J'essayai de mettre un visage sur son nom et j'imaginai qu'elle avait eu les cheveux de la riche couleur chocolat foncé de Will et ses yeux émeraude. Elle devait être aussi belle que lui.

— Pourquoi crois-tu qu'elle est morte?

— J'ai quitté la maison sur un coup de tête idiot lorsque j'ai décidé de chasser les démoniaques. Je suis revenu à la maison environ une décennie après mon départ et elle était partie. Nathaniel m'a accueilli. Il a toujours été comme un grand frère pour moi. En tout cas, il n'y a eu aucune trace d'elle depuis. Il est fort probable qu'elle ait été tuée par un autre faucheur.

Cela me toucha profondément. J'imaginai rentrer à la maison un jour pour découvrir que ma mère était partie pour toujours et je fus incapable de le supporter. Mes yeux devinrent brûlants et douloureux.

— Je suis désolée.

— Ça va, vraiment. J'ai eu beaucoup de temps pour m'en remettre. Beaucoup de gens que j'aimais sont morts au cours des siècles. C'est le monde dans lequel nous vivons. Il est sombre, cru et dangereux.

— Connais-tu ton père?

Il secoua la tête.

— Non. Je ne sais rien du tout sur lui. Ma mère n'en parlait jamais. Je pense qu'elle l'aimait, mais qu'elle n'en était pas fière ou quelque chose du genre. Je ne pense pas que leur relation a duré longtemps.

Je m'appuyai en arrière sur mes mains et fixai le vide. Des émotions se réveillèrent profondément en moi — surtout de l'incertitude et un peu de peur — tandis que je tentais de clarifier mes pensées. Will était un faucheur angélique qui combattait à mes côtés contre les méchants faucheurs. Si la seule chose qui le rendait bon était son héritage, alors qu'est-ce qui suffirait à le rendre méchant ? Quelle était vraiment la différence entre Will et les faucheurs que je chassais ? Les faucheurs démoniaques avaient-ils une chance de se racheter ? Y avait-il une chance qu'ils vivent en paix avec les humains ? Les ursidés de la taille d'une voiture et les canidés ne seraient probablement pas acceptés facilement dans la société — je doutais qu'une personne veuille les adopter à la fourrière —, mais était-il possible pour eux de coexister sans tuer les gens et traîner leurs âmes dans les Enfers ?

Il tendit la main pour prendre ma joue en coupe. La caresse m'étonna.

— S'il te plaît, comprends que peu importe ce que je suis et ce qui s'est produit dans le passé, je suis à toi. Je te suis dévoué par-dessus tout, y compris ma propre vie.

J'expirai après avoir retenu mon souffle pendant ce qui me parut une éternité.

— C'est plutôt lourd, Will.

Son expression était passionnée et le dos de sa main caressa le côté de mon cou.

— C'est un fardeau que je suis content de porter.

Il laissa sa main là un instant de plus avant de la retirer et de détourner les yeux. J'eus envie de tendre la main vers lui, mais je me retins. Son visage était tellement vulnérable et je compris à quel point j'avais de l'affection pour lui. Je me souvenais l'avoir rencontré récemment seulement, mais je savais qu'il était mon ami depuis des siècles. C'était une chose que je ne pouvais pas me rappeler, mais je le sentais dans mon corps. Mes yeux n'étaient peut-être pas habitués à son visage, mais mon âme le connaissait mieux que n'importe quoi d'autre au monde.

Quand nos regards se croisèrent de nouveau, je remarquai une petite étincelle de lumière dans ce vert terrifiant avant que la couleur ne redevienne terne. L'étincelle était passée si vite que je dus cligner des yeux, mais elle ne revint pas.

— Je vais partir, à présent, dit-il en se levant et en s'écartant de moi.

J'avais envie de bondir en avant et de le tirer encore vers moi, mais je n'en fis rien.

— On se voit demain ?

— Bien sûr, répondit-il en souriant. Je vais te laisser profiter de ta journée avec Kate jusqu'à ce qu'il soit l'heure de la fête. Tu me verras à ce moment-là.

— D'accord, dis-je. Bonne nuit. Merci de m'avoir sauvé la vie ce soir.

— Tu as sauvé la mienne aussi. Tu as été géniale.

— Merci.

Mes joues s'enflammèrent.

— Tu me reviens.

Il sourit largement — ce sourire douloureusement beau —, puis il était parti.

19

À mesure que les semaines passaient jusqu'à octobre, nous entendîmes peu parler du côté sombre. Les brutes de Bastian restaient cachées, mais cela ne faisait que m'inquiéter sur ce qu'elles préparaient. Ma voiture ne pouvait pas être réparée, mais je fus vraiment contente d'obtenir un véhicule de remplacement presque identique à celui que j'avais perdu. Je décidai de le baptiser Guimauve II, en l'honneur de la victime de Ragnuk.

Plus le temps se refroidissait, plus je me surprenais à mentir aux gens que j'aimais et à leur dissimuler des trucs. Je sortais et j'entrais facilement en douce dans ma maison par la porte arrière, mais c'était difficile de voir le visage de ma mère chaque soir et de l'amener à croire que j'allais seulement au lit. J'avais l'impression de rater beaucoup de choses avec mes amis, puisque je me désistais de nos plans de week-end la plupart du temps. J'avais peur de les perdre pour toujours. J'aurais aimé pouvoir simplement être honnête avec tout le monde et poursuivre ma vie normalement comme je l'avais fait avant, mais ce n'était pas comme si le monde pouvait m'attendre pendant que j'apprenais à devenir une super héroïne. Je ne savais pas trop combien de temps encore je pourrais tout supporter, particulièrement parce que je mentais au visage de mes parents et de mes amis tous les jours.

Deux semaines avant l'Halloween, Kate, Rachel et moi étions dans une boutique en train d'essayer différentes tenues. Les garçons, évidemment, planifiaient de porter des costumes hideux ou vulgaires. Je soupçonnais que Will serait au naturel. Il serait assez effrayant. Avec une épée tachée de sang et un peu de brillant sur ses yeux déjà vert électrique, il ferait trembler dans sa culotte le plus dur des lutteurs de la UFC.

La fête à laquelle nous assistions tous était la partie annuelle d'Halloween de Josie Newport. C'était vrai que nous n'étions plus de bonnes amies, mais puisque nous avions tous fréquenté la même classe de première secondaire, il était entendu que mon groupe venait toujours à sa fête d'Halloween — et j'étais *vraiment* excitée.

— Essaie ça, ordonna Kate en poussant un costume d'infirmière sous mon nez.

Je me renfrognai en le voyant.

— Cela pourrait excéder ma limite de vulgarité.

— Tu auras l'air canon avec tes cheveux splendides, dit-elle. Maintenant, essaie-le.

À contrecœur, je le lui pris des mains et fis la file pour la salle d'essayage. Rachel se trouvait encore à l'intérieur en train de mettre un costume de sorcière. Kate avait choisi une tenue de démone très révélatrice qui se composait essentiellement d'une mini robe et de bottes de pute.

— Tu es si autoritaire, dis-je à Kate.

Elle me fit un grand sourire et ajusta le serre-tête brillant orné de cornes de démone dans sa chevelure.

— Tu aimes ça. Quand tu le voudras, je sortirai mon fouet et mes menottes en fourrure. Seulement pour toi, hou!

Je roulai les yeux.

— Oh bébé, oh bébé!

Rachel émergea enfin. Le rose et le bleu dans son costume étaient vraiment mignons avec ses cheveux bruns, même si le chapeau était trop grand pour elle et tombait un peu bas. Elle sourit gentiment et tournoya légèrement pour montrer sa tenue. La jupe était un tantinet trop longue et elle avait dû descendre le jupon plus bas sur ses hanches pour qu'on le voit.

— Qu'en pensez-vous? demanda-t-elle timidement.

— Tu es tellement jolie, dis-je.

Kate tendit la main, releva les cheveux de Rachel et les tordit en chignon, puis tira sur les manches bouffantes pour qu'on voie plus de peau. Kate recula et admira son travail.

— Énorme amélioration. Prends ce costume et porte-le avec les cheveux relevés. Evan adorera.

— Tu crois?

Rachel baissa les yeux et lissa sa jupe.

— Absolument, intervins-je. Il ne sera pas capable d'arrêter de te toucher.

Kate me poussa vers la cabine d'essayage.

— Maintenant, c'est ton tour. Si tu es une infirmière séduisante, alors Will ne sera pas capable d'arrêter de te toucher.

— Ce n'est pas le but que je recherche!

Je fermai le rideau derrière moi.

— Menteuse! cria Kate à l'extérieur de la cabine.

Je m'insérai dans la robe serrée et me pris à souhaiter porter quelque chose de plus bouffant, comme le costume de Rachel, afin de ne pas me sentir aussi exposée aux regards. Mes nichons se déversaient, en quelque sorte, mais la forme fourreau de la robe mettait mes hanches et mes jambes en valeur, comme si j'avais vraiment des hanches et des jambes. Quand je fus prête, j'ouvris le rideau et Kate lâcha un long sifflement.

— Espèce de garce sexy, dit-elle. Change de costume avec moi.

Si ma tenue d'infirmière séduisante faisait paraître mes nichons une taille de bonnet de plus, la tenue de démone de Kate la faisait ressembler à une vedette de cinéma porno. Aucune façon pour moi de lui rendre justice.

— Non, merci. Garde le tien.

— Tu sais que j'ai raison, par contre, dit-elle sournoisement. Il ne sera pas capable d'arrêter de te toucher ou de te regarder de toute la soirée.

J'essayai de dissimuler mon sourire grandissant, en vain. C'était peut-être exactement ce que je voulais. J'avançai devant la glace et me regardai sous différents angles. C'est vrai que je paraissais bien, après tout. Si j'étais chanceuse, quelqu'un d'autre le remarquerait aussi.

Le samedi suivant, Will et moi nous entraînions à la boxe dans notre entrepôt abandonné, comme nous en avions l'habitude les après-midis de week-end. Quand une poutre tomba et m'écrasa la main, nous fûmes obligés de prendre une pause pendant que mes os guérissaient. J'observai ma peau se régénérer et les os se reformer, mais ce n'était pas la partie la plus bizarre. Ma main cassée ne me fit jamais vraiment mal. Bien sûr, elle fut très douloureuse les premières secondes, mais la douleur s'effaça rapidement, puis je me retrouvai à fixer mes os se remettant en place en frissonnant. Cela ne me donnait presque plus la nausée, maintenant. Je ne savais pas trop ce qui était le plus étrange — mes os brisés guérissant en quelques minutes ou le fait que cela ne me dégoûtait pas. C'était un cas de pile ou face, vraiment.

— Tu devrais avoir l'habitude, à présent, dit Will.

Je levai la tête pour le voir en train de m'observer, ses propres égratignures disparaissant de sur sa peau.

— C'est juste que je n'ai jamais remarqué avant que mon corps guérissait de cette façon, dis-je. C'est bizarre que cela ne me fasse pas souffrir. En quatrième année, Kate est tombée de la cage à grimper et s'est cassé le bras. Elle a tellement pleuré ! Je me casse les os et je sens seulement un minuscule picotement après un instant ou deux. Et aujourd'hui, je me rends compte que… je ne me suis jamais véritablement blessée lorsque j'étais une petite fille.

— Je suis certain que tu t'es blessée, remarqua-t-il. Tu ne t'occupais pas trop de tes blessures parce qu'elles guérissaient presque instantanément.

Je me vexai, un petit sourire nostalgique se formant sur mon visage.

— Ma mère a toujours pensé que j'étais chanceuse.

— Aucune enfant normale n'est aussi chanceuse.

Il s'accroupit et tendit le bras pour me toucher la main. Il la leva et l'examina. — Comme une neuve.

— Est-ce que cela te fait mal, à toi ? demandai-je en le regardant.

— Qu'est-ce que quoi fait mal ?

— Quand quelque chose se casse, dis-je en dégageant ma main.

— Chaque fois.

Ses yeux verts retinrent les miens un moment de plus, irrésistiblement, avant qu'il se lève.

— Penses-tu que l'Enshi pourrait être l'un des déchus ? demandai-je, me levant également.

— J'espère que non.

— En as-tu déjà vu un ?

— Non, dit-il. Et je ne veux jamais, jamais en voir un. Ils sont l'incarnation de tout ce qui est atroce dans ce monde, expliqua-t-il. La manifestation de la haine, de la maladie, de la cupidité… tout le mal que tu peux imaginer.

— S'ils sont si forts, alors pourquoi ne viennent-ils pas faire leur propre sale boulot ? Pourquoi ont-ils besoin de faucheurs démoniaques ?

— Les anges et les déchus ne peuvent pas totalement apparaître sur le plan mortel sous leurs formes corporelles. Ils peuvent planer et influer sur les événements, mais ils ne peuvent pas intervenir physiquement. Il faut une quantité phénoménale d'énergie et de force pour que leur type puisse survivre longtemps ici. Une puissante relique magique peut aider, mais elles sont presque impossibles à trouver.

— Qu'est-ce qu'une relique ? demandai-je.

— Les reliques sont de puissants objets qui ont un lien avec le divin ou le damné, expliqua-t-il. Elles sont habituellement maudites ou bénies par la magie angélique avec un sortilège énochien. Elles ont divers usages pendant la durée des sortilèges et elles ont la capacité de donner une forme corporelle à un ange ou à un déchu dans le royaume des mortels. Le plus qu'ils peuvent réussir d'eux-mêmes est d'apparaître brièvement, peut-être pour transmettre un message, avant de retourner doucement dans leur royaume. Si tu tombes sur un déchu sous sa forme corporelle, alors que Dieu nous vienne en aide à tous. J'ignore ce qui se passerait.

— Je vais donc prendre note de les éviter, dis-je avec un rire nerveux. Tu m'accompagnes à la fête de Josie, n'est-ce pas ?

Il soupira. Bruyamment.

— Tu n'y vas pas vraiment, non ?

— Je ne la manquerais pas, même si des faucheurs me tendaient une embuscade et me tuaient. Je me réincarnerais et j'irais quand même. Ce sera la dernière, puisque je reçois mon diplôme au printemps… si je survis jusque-là.

— Ne blague pas à ce sujet.

Je fronçai les sourcils.

— Eh bien, j'y vais et je veux que tu m'accompagnes.

— Tu devrais te concentrer sur l'entraînement et sur la découverte de l'Enshi et non faire la fête.

— Tu as dit toi-même que je devais me détendre de temps à autre. C'est l'occasion parfaite.

— C'est l'occasion parfaite pour te tendre une embuscade. Et même s'il ne se produit rien à cette fête, le fait que tu jacasses à propos de ta préparation pour elle te distrait.

— Je ne jacasse pas, dis-je en me renfrognant. Qu'est-ce que ça veut dire de toute façon, merde ?

— Il y a des trucs beaucoup plus importants dont il faut s'inquiéter que de trouver le costume d'Halloween idéal.

— Sache que je l'ai déjà trouvé.

— Ellie, sérieusement. Tu ne peux pas te laisser distraire comme cela. Tu as besoin de garder tes idées claires. C'est mon travail de...

— Bla-bla-bla, Ellie ceci, Ellie cela.

Je tendis la main et ébouriffai ses cheveux pour rire.

— Oui, *senseï*, je t'entends.

Il chassa ma main en agitant la sienne et réprima un rire.

— Tu vois ? Des distractions.

— Je pense que tu as besoin de distraction plus que quiconque, dis-je. Si tu étais humain, tu serais ce gars qui apporte un bon jour une arme au travail et tire sur tout le monde. Tu te prends beaucoup trop au sérieux. Détends-toi.

— C'est une exagération.

— Admettre son problème constitue la première étape.

— Je n'ai pas de problème.

— Là, tu es dans les étapes de négation. Ce n'est pas un bon début, Will.

Il soupira.

— Tu me rends fou, parfois.

— Oh, je pense que c'est arrivé bien avant moi.

— Non, non, je suis assez certain que c'est toi qui m'as fait basculer.

— Tu es tellement mielleux, tu finiras par me donner une carie.

— Je te rendrais service en te frappant pour faire tomber ta dent.

— Ha ! Tu ne réussirais jamais à faire tomber mes dents en me frappant.

— Ne sois pas si présomptueuse. Tu sembles avoir d'autres priorités avant ton entraînement. Tu peux être paresseuse.

J'avais envie de faire tomber *ses* dents pour avoir dit cela.

— Je peux encore te botter le cul.

Il me décocha un sourire sinistre et délicieux.

— Alors, faisons un pari. Nous boxons encore avant d'en avoir fini pour ce soir. Si tu me touches la première et marques un point, alors je vais t'accompagner à cette fête. Si je marque le premier, alors tu passes la soirée d'Halloween à t'entraîner.

— C'est un peu brutal, m'obliger à m'entraîner à l'Halloween, grommelai-je.

— Tout comme m'obliger à venir à cette fête.

Je le fixai, cherchant des signes qu'il frapperait en premier. Il était vraiment séduisant. *Merde!* Je ne pouvais pas être distraite. Je désirais vraiment assister à la fête de Josie.

Son sourire vacilla et je m'élançai. Il éleva son bras et écarta mon poing d'un coup afin que le sien puisse passer, droit sur mon visage. Je me penchai vers l'arrière et son poing frôla mes cheveux. Je baissai la tête et me redressai hors du chemin de son coup suivant. J'attrapai son bras allongé et levai brusquement mon genou dans son ventre, mais sa main libre repoussa mon genou à terre. Ses deux mains étant occupées, je fis craquer mon crâne sur son front et il recula en chancelant avec un grognement.

— Ça compte! m'écriai-je victorieusement.

— Le premier qui fait deux en trois, grommela-t-il en se frottant le front.

Je me dégonflai.

— Es-tu sérieux ?

— Nous devons la jouer juste, n'est-ce pas ?

— Ça ressemble à du dépit.

— Tu penses que tu ne peux pas gagner une deuxième fois ?

— Dépit ! répétai-je en le poussant doucement du doigt sur le torse.

Il sourit.

— Comme j'ai choisi la première ronde, tu peux décider des conditions de celle-ci.

Je le regardai jusqu'à ce qu'il baisse les yeux.

— D'accord. Si nous trouvons l'Enshi avant la fête d'Halloween, alors tu dois m'accompagner. Et tu dois porter un costume.

— Es-tu certaine de vouloir faire ce pari ?

Je haussai un sourcil dans sa direction.

— Ne doute pas de moi, mec.

— Comme tu veux.

Je lui offris un rapide hochement de tête.

— C'est exact. Avons-nous une entente ?

— J'imagine. Marché conclu.

Mon téléphone sonna. Je fouillai dans mon sac à main, que j'avais déposé plus tôt cet après-midi contre le mur de l'entrepôt. Je fus étonnée de voir qu'il s'agissait d'un appel de Nathaniel.

— Hé, dis-je.

— Ellie, répondit-il. J'ai de très bonnes nouvelles. Venez à la bibliothèque dès que vous le pourrez.

Je levai les yeux vers Will, qui m'observait attentivement. Je savais qu'il pouvait entendre notre conversation sans effort.

— Que dirais-tu de tout de suite ? Nous ne faisions que nous entraîner.

— Parfait. On se voit bientôt.

Je raccrochai.

— Cela me semble prometteur.

Je nous conduisis tous les deux à la bibliothèque avec ma voiture. Il était presque dix-sept heures trente et l'endroit fermerait sous peu. Lorsque nous arrivâmes, la bibliothèque était déserte et la réceptionniste nous rappela gentiment qu'elle fermait à dix-huit heures. Nathaniel apparut par les portes du sous-sol et nous fit signe d'entrer.

— J'ai le lieu possible où trouver l'Enshi, dit-il avec excitation en nous guidant en bas.

Je m'égayai et posai une main sur l'épaule de Will.

— Comme c'est commode ! Deux en trois. J'imagine que tu viens.

Il gémit.

— Tu ne vas pas rompre une promesse envers moi, non ? demandai-je en minaudant.

Nathaniel jeta un coup d'œil dans ma direction, puis vers Will, et revint à moi.

— Ai-je raté quelque chose ?

— Pas du tout, dit Will. Comment as-tu obtenu l'information ?

— Un ami à moi dans les antiquités, avec qui j'ai travaillé à plusieurs reprises, m'a informé qu'un de ses clients, un collectionneur local très riche, s'est vanté auprès de lui d'avoir acquis un objet avec le sceau d'Azraël dessus.

Nathaniel nous mena à son bureau.

— Cela ne pourrait-il pas être n'importe quoi? demandai-je, sceptique devant l'utilité que cet objet pourrait avoir pour nous.

Nathaniel secoua la tête.

— Apparemment, ce gars avait l'air enchanté à l'extrême et ne voulait pas lâcher beaucoup d'information sur son acquisition. Il a dit que c'était ancien. Et s'il arbore le sceau d'Azraël, alors cela vaut assurément la peine d'y jeter un coup d'œil.

— As-tu obtenu une adresse? demanda Will.

— Oui, dit Nathaniel en lui décochant un sourire narquois. Évidemment, cela aurait été illégal que mon ami me révèle l'adresse, alors je me suis contenté de la prendre dans sa tête.

— Tu as fait cela? demandai-je, perplexe.

— C'est son talent, expliqua Will. En tant que faucheur angélique.

— Elle ne s'en souvient pas? demanda Nathaniel.

— Tu dois le lui dire.

— Oh, dit Nathaniel. Eh bien, je peux entendre les pensées des autres. Je n'aime pas vraiment me battre si je peux l'éviter, mais je peux vraiment t'embrouiller les idées si je le souhaite. C'est plus une technique de défense qu'autre chose. Je pourrais même te faire voir n'importe quoi si je le voulais, depuis le Paradis jusqu'aux Enfers, ou encore te faire dormir sur un simple mot de ma part.

— Cela me paraît très utile, dis-je. Et effrayant.

— Oui, acquiesça-t-il. Mais, cela ne fonctionne pas aussi bien sur les faucheurs puissants. En tout cas, j'ai aussi un plan pour que vous puissiez jeter un coup d'œil à cet objet. J'espère que cela ne te dérange pas de te salir les mains.

Mes yeux s'élargirent.

— Je dois tuer ce gars ?

— Non ! dit rapidement Nathaniel. Non, non, bien sûr que non, tant qu'il s'agit d'un humain. Juste t'introduire en douce par une fenêtre, rien de trop gros.

— Nous allons entrer dans une maison par effraction ?

— Tu donnes l'impression que c'est vraiment terrible.

— Eh bien, parce que ce l'est ! C'est aussi illégal.

Je n'arrivais pas à croire à ce qu'il proposait.

— Prie seulement pour que les choses ne soient pas plus compliquées.

— Comment serait-ce possible ?

20

— Je ne peux pas croire que je fais cela, grommelai-je quelques heures plus tard, alors que Will nous guidait à travers la campagne dans l'obscurité.

Nous avions loué un camion et je tentais encore de comprendre pourquoi Will et Nathaniel pensaient que nous avions besoin d'un truc aussi gros. J'avais imaginé que nous pourrions simplement lancer ce que nous trouverions dans le coffre de ma voiture.

— C'est un plan très efficace, dit Will.

— Que faisons-nous s'il s'agit de l'Enshi ? demandai-je.

— Nous le prenons.

— Donc, nous allons *voler* ce gars ?

— Cela ne lui appartient pas de toute façon.

— Il l'a acheté.

— On nous a dit qu'il l'avait acquis. Cela ne signifie pas nécessairement qu'il l'a acheté. Il a peut-être tué quelqu'un pour s'en emparer et c'est probablement ce qu'il a fait. On ne le sait pas.

Je lui lançai un regard noir.

— Est-ce ainsi que tu prévois que nous fassions *l'acquisition* de ce truc?

— Je prévois éviter d'aller jusqu'à cette option.

Je le regardai avec colère.

— Je ne tue personne. Les faucheurs, ouais, d'accord, mais seulement parce qu'ils me tueront si je ne les supprime pas en premier.

— Eh bien, et si ce gars sort un pistolet? Vas-tu le laisser tirer sur toi?

— Je vais… m'enfuir.

— Bien sûr.

Il était exaspérant, parfois.

— Comment as-tu fait pour louer ce camion, de toute façon? Je pensais que tu n'avais pas de boulot.

— Je n'en ai pas, expliqua-t-il, m'imitant d'un ton suffisant en gémissant d'une voix haut perchée qui, en fait, ne me ressemblait pas du tout. Nathaniel paie pour tout ce dont nous avons besoin. Je dois manger et, parfois, mes vêtements se déchirent. Il faut les remplacer. Son travail à la bibliothèque lui sert plus de passe-temps.

Je grommelai, m'attendant à moitié à ce qu'il me dise qu'il était un voleur professionnel. Lorsque nous approchâmes, nous sortîmes les indications que Nathaniel avait imprimées pour nous à la bibliothèque. Nous découvrîmes une maison gigantesque à l'écart d'une route principale qui était presque déserte en ces heures matinales. Will me demanda de garer le camion à environ trente mètres plus loin sur la route et nous descendîmes.

— Si ce truc que nous cherchons est assez gros pour avoir besoin de cet immense camion, pourquoi diable nous garons-nous aussi loin? demandai-je. Cela ne va-t-il pas à l'encontre de notre but ? Nous devrons transporter ce gros machin depuis la maison jusqu'ici.

— Je peux transporter l'artefact hors de la maison, mais ce ne sera pas rapide. Le camion nous servira à nous enfuir rapidement. Si j'ai appris une chose, au cours des derniers siècles, c'est qu'il vaut mieux prévenir que guérir.

Je croisai les bras et ris.

— Pourquoi es-tu toujours aussi plein de bon sens ?

Il haussa les épaules.

— J'ai eu tout plein d'occasions de ne pas avoir de jugeote. Il est à peu près temps que je fasse les choses correctement. Es-tu prête ?

— Ouais.

Ou pas.

— N'es-tu pas excitée ? Nous sommes sur le point de commettre un vol. C'est génial, non ?

— Dans les films, Will. Dans la vraie vie, ce n'est pas une si bonne idée. Je ne veux pas me faire tirer dessus.

— On ne te tirera pas dessus, je te le promets, dit-il. Nous devons d'abord sécuriser le périmètre. Nous allons nous déplacer dans les Ténèbres afin de voir les faucheurs qui s'y cachent.

Nous fîmes le tour de la résidence avec précaution, cherchant des fenêtres d'entrée ou des employés qui pourraient travailler encore à l'intérieur. Le manoir s'étalait sur la largeur de deux terrains comme ceux sur laquelle ma maison était située. Lorsque nous atteignîmes la cour arrière, je fus totalement épatée. De jolis parterres de fleurs et d'arbres taillés en différentes formes bordaient la pelouse, et de grandes statues majestueuses s'élevaient dans des endroits stratégiquement conçus. Les silhouettes de pierre brillaient d'une couleur argentée sous le clair de lune. Il s'agissait de répliques — du moins, je pensais que tel était le cas — de sculptures romaines anciennes, de chevaliers médiévaux en pierre avec des lances de joute, de globes irisés et de fontaines éblouissantes. Je clignai plusieurs fois des yeux, certaine d'imaginer des choses.

Will les dépassa sans un coup d'œil et se décida pour les portes menant au sous-sol. Il sortit une trousse contenant divers petits outils de l'intérieur de son manteau.

J'en ris presque.

— As-tu cueilli ça sur ta ceinture à outils, Batman ?

Il mit un doigt sur ses lèvres, prit un mince appareil qui donnait l'impression de sortir tout droit d'un film de James Bond et l'inséra dans le trou de la serrure. Une minute plus tard, un déclic se fit entendre et il entrebâilla la porte. Puis, il se figea comme une statue. Il ne cligna même pas des yeux. Il écoutait.

Il entra et je le suivis dans le sous-sol sombre, sauf qu'il ne ressemblait à aucun sous-sol que j'avais déjà vu. L'étage inférieur de ce manoir était vaste. C'était comme une maison complète. Il y avait une belle cuisine, un salon, une salle à manger et plusieurs couloirs menant à d'autres pièces. Nous entendîmes des voix et le tintement de verres venant d'en haut.

Une fois que mes yeux se furent ajustés à la lumière tamisée, je vis que des œuvres d'art comme celles à l'extérieur se retrouvaient aussi à l'intérieur. Des peintures en apparence inestimables décoraient les murs et des statues étaient posées sur des piédestaux en marbre autour de la vaste salle. Et là, juste derrière un somptueux canapé modulaire se trouvait une grosse boîte foncée placée sur un bloc bas recouvert de velours rouge.

Will se dirigea droit vers lui. Quand je l'atteignis, je fus étonnée de la grosseur de la boîte. Elle mesurait environ trois mètres trente de longueur par un mètre de largeur et un mètre de hauteur, excluant les quelques centimètres du bloc qui la soutenait. Même sous la lumière faible, je pouvais voir à quel point la boîte avait un style recherché. Elle semblait faite de grès, avec des décorations en or et des joyaux enchâssés dans sa surface. Je reconnus le sceau d'Azraël sur le couvercle, entouré d'étranges inscriptions, d'éraflures et d'autres joyaux incrustés. Will examina attentivement les inscriptions.

— Qu'est-ce que c'est? demandai-je d'une voix aussi basse que possible.

— Un sarcophage.

Mes yeux s'arrondirent. Cela pouvait-il être aussi facile? L'Enshi se trouvait-il à l'intérieur?

— Qui êtes-vous? cria une voix étrangère.

On appuya sur un interrupteur, ce qui m'aveugla une seconde. Je criai et me retournai brusquement. Will sauta sans crainte devant moi. Nous étions pris. J'allais me retrouver en prison. Ma mère allait me tuer. J'étais…

— Pourquoi êtes-vous dans ma maison?

Un homme avec un très bel habit décontracté se tenait sur la dernière marche. Il s'agissait à l'évidence du propriétaire du manoir et cela m'étonna que sa voix fût aussi agressive. Je me serais attendue à ce qu'il se précipite sur le téléphone pour appeler la police.

— Nous prenons ceci maintenant, dit Will d'une voix mortellement froide.

Ce fut à ce moment-là que je sentis cette énergie familière et effrayante faire redresser les poils sur mes bras. Et je me souvins que nous nous trouvions encore dans les Ténèbres. Cet homme pouvait-il être un médium ?

— Je ne le pense pas, dit l'homme. J'ai payé beaucoup d'argent pour ça. Il n'y a aucune chance que vous le preniez.

Will appela son épée dans sa main et dirigea sa pointe sur l'homme.

— Will, non ! m'écriai-je.

— Écarte-toi, vir, dit-il. Tu ne me vaincras jamais. Tu n'as rien contre mon pouvoir.

Je clignai des yeux et fis passer mon regard de Will à l'homme. Le propriétaire était-il un faucheur ? Il paraissait tellement… humain. Mais alors, Will aussi.

— Vous ne quitterez certainement pas ma maison avec ça, prévint le faucheur. Si vous ne partez pas immédiatement, je vais vous tuer, toi et ta petite amie. Évidemment, je pourrais la garder pour moi et la manger plus tard.

Will plissa les yeux.

— Essayez.

Le faucheur découvrit ses dents et siffla comme un léopard. Il attaqua ; j'appelai mes épées dans mes mains et les illuminai de feu d'ange. Will balança sa propre lame aussi vite que l'éclair. Le faucheur attrapa son poignet, mais Will enfonça son genou profondément dans le ventre du faucheur. Le vir se plia en deux en s'étouffant et je me retrouvai derrière lui en un clin d'œil. Je pris mes deux épées, croisai les bras sur ma poitrine pour une puissance maximale et entaillai le cou du faucheur avec mes lames, le décapitant. Il explosa en flammes et s'évanouit dans l'air. Le feu d'ange disparut de mes lames et la pièce fut replongée dans le noir.

— C'était beaucoup trop facile, dis-je, essuyant une tache de sang chaud sur mon front, dégoûtée.

Je sentis une autre force à proximité, mais beaucoup, beaucoup plus forte que celle du faucheur que je venais de combattre. Je levai les yeux pour voir un homme — non, un autre vir — debout dans l'embrasure de la porte par laquelle nous étions entrés quelques instants auparavant. Son visage était dans l'ombre tandis que sa silhouette se découpait sous le clair de lune.

— Oui, c'était trop facile, dit le faucheur. Tu ne pensais pas que tu serais aussi chanceuse, n'est-ce pas?

Will fixa son regard sur le faucheur avec une haine que je n'avais jamais vue avant sur son visage. Son pouvoir grandissait progressivement; je pouvais le voir tournoyer avec sa fureur comme une double hélice damnée des feux des Enfers, ses yeux verts devenant plus brillants et plus intenses.

— Geir, gronda-t-il.

Je tins fermement mes épées, le sang du faucheur mort dégouttant de mes lames, et je fis face à Geir. Il s'avança dans la pièce et je pus alors voir son visage sous une tignasse de cheveux rebelles brun-roux. Son sourire était large et dément, comme le chapelier fou, exposant une bouche remplie de dents de requin pointues. Ses yeux étaient jaunes sous ses lourdes paupières et ses sourcils épais.

— Quel idiot, dit-il. Jonathon avait raison. Il y avait réellement quelque chose de très spécial dans cette boîte, mais il ignorait à quel point c'était spécial. Bastian me récompensera largement. Merci de m'avoir débarrassé de mon ami, de sorte que je n'aurai pas à perdre mon temps avec lui.

Il m'observa avec des yeux affamés.

— Et donc, je me retrouve face à face avec le Preliator, dit-il, mon titre roulant sur sa langue comme un sirop épais et sucré. Je pensais que tu serais plus grande.

Je plissai les yeux.

— Je pense la même chose à mon sujet tous les jours.

— Tout de même, tu es plus jolie qu'on me l'a dit, mais Ivar n'aime pas les autres filles.

— N'y songe même pas, Geir, le prévint Will. Ta tête va rouler sur le tapis avant que tu poses une griffe sur elle.

Le sourire de Geir s'incurva, montrant à demi ses dents sinistres.

— Est-ce un défi ?

Will leva son épée et la pointa sur le vir démoniaque.

— Prends-le comme tu veux.

Avec un rire, Geir leva ses deux bras. Ses mains s'étirèrent tandis que les os craquaient et que la peau bouillonnait, ses biceps et ses avant-bras gonflant d'une manière écœurante jusqu'à ce qu'ils mesurent deux fois leur taille originale. Ses mains s'allongèrent et ses ongles poussèrent et devinrent des griffes, laissant la peau de ses bras déchirée, rouge et irritée, comme s'il n'y avait pas eu suffisamment d'espace à l'intérieur pour que les bras du monstre grandissent et qu'ils avaient simplement explosé à la surface. Des ailes jaillirent de ses omoplates, éparpillant des plumes brunes, bloquant la lumière de l'extérieur. Ses ailes battirent d'une manière assourdissante. L'horreur me submergea et je ne pus que le fixer pendant qu'il déployait sa puissance devant moi.

Il tendit sa main griffue et me fit signe de venir vers lui. Mes épées s'enflammèrent brusquement de feu d'ange et je plongeai en avant, mue par la rage, mais je fus soudainement frappée par un mur de briques d'énergie quand Geir étendit largement ses ailes et fit jaillir son pouvoir. Les portes en verre et les fenêtres derrière lui éclatèrent dans un bruit assourdissant d'explosion et les multiples éclats brillèrent comme la pluie sous le clair de lune. Un tsunami de pouvoir sinistre vint vers moi à toute vitesse, me faisant violemment tomber, et je touchai le plancher sur le dos. Pendant que du verre pleuvait sur moi, je levai les yeux pour voir Will sauter par-dessus moi, son épée levée très haut. Il la balança et fendit l'air, mais Geir s'écarta d'un pas fluide pour éviter chaque coup. Je bondis sur mes pieds. Geir attrapa le bras de Will, stoppant l'épée en plein vol, referma son autre main autour de la gorge de Will et le projeta. Will défonça le mur extérieur et disparut. Des plaques de plâtre, du bois et de la brique explosèrent.

— Will! m'écriai-je.

Je courus en avant, mais Geir m'agrippa par la nuque et me tira brusquement vers lui, enroulant un bras autour de moi, faisant pivoter mon corps et m'écrasant contre son torse. Ses ailes monstrueuses jetaient une ombre noire sur moi et l'obscurité fit battre mon cœur si fort que je n'entendais que lui. Il attrapa mes deux poignets d'une main et retint mes lames loin de sa peau. Son grand sourire dévoilait deux rangées de dents et des frissons remontèrent lentement le long de ma colonne vertébrale. Sous la lumière flamboyante du feu d'ange, il ressemblait vraiment à un démon qui avait réussi à se frayer un chemin à coups de griffes à travers la chair et le feu des Enfers. Je frissonnai de peur.

— Bastian sera tellement content de moi, dit-il. Je vais lui emmener le Preliator *et* l'Enshi. Il sera enchanté de te tuer lui-même.

Je me débattis, mais je ne pus échapper à ses bras. Je lui frappai l'aine avec mon genou. Ses yeux sortirent de leurs orbites et il rugit de douleur, me libérant. C'était bon de savoir que lorsque les épées échouaient, une simple tactique de fille fonctionnait toujours — même avec des monstres.

Je filai loin de lui et sautai à travers le trou dans le mur créé par le corps de Will. La poussière qui retombait m'étouffait, mais je passai et courus vers Will. Il tentait de se relever, s'appuyant lourdement sur son épée alors que sa pointe s'enfonçait dans le sol froid. Quand je le rejoignis, je lâchai mes épées et entourai son torse de mes bras.

— Je t'ai, dis-je, l'aidant à finir de relever le haut de son corps.

J'entendis un craquement écœurant dans son torse alors qu'il gémissait et je sus que quelque chose était cassé. Il enfouit son visage dans mon épaule et grogna de douleur.

Une main puissante agrippa une poignée de mes cheveux par-derrière et me tira violemment. Je criai et me tortillai, mais Geir me tenait trop solidement. Il serra plus fort, me faisant hurler de douleur.

— Cela m'a fait mal, espèce de petite gueuse, siffla-t-il contre ma joue, soufflant son haleine fétide et chaude dans mon visage. Je ne pense pas que Bastian y verrait un inconvénient si je t'estropiais avant de t'emmener à lui. Je vais seulement te couper un peu avant d'en finir avec ton Gardien.

Du coin de l'œil, je vis Will lancer quelque chose et cela frappa le torse de Geir. Je baissai les yeux et vis un éclat de bois de près d'un mètre sortant du corps du vir, à quelques centimètres de son cœur. Sans me relâcher, Geir fronça les sourcils, puis sortit le pieu de son torse et le lança sur Will, l'attrapant dans l'épaule et le faisant tomber en arrière. Mon cœur bondit brusquement quand j'entendis quelque chose craquer dans son épaule.

— Content que nous puissions partager, mon frère, gronda Geir.

Will rugit de douleur et arracha le pieu de son corps avant de lever son épée pour se battre encore. Il tint son bras blessé contre son torse pendant que les os et les tissus guérissaient.

— N'y pense même pas, dit Geir en secouant lentement la tête en guise d'avertissement, pressant la pointe d'une griffe sur ma gorge. Veux-tu que la petite fille meure ?

Je sursautai, mais la poigne du faucheur qui se battait avec moi me donnait l'impression de lutter contre un édifice à bureaux. Il enfonça ses griffes plus profondément et je haletai quand la peau se déchira. J'observai le sang quitter le visage de Will et je sus que Geir me tuerait réellement.

Je fermai les yeux très fort et essayai de concentrer mon énergie, me souvenant des paroles de Will.

« N'arrête pas de te battre. »

Avec un cri, je laissai mon pouvoir exploser, frappant Geir comme un coup de fouet. L'impact le surprit et me libéra brusquement de lui. Pendant qu'il volait, je m'élançai et le frappai au visage avec mon poing. Il s'effondra au sol

violemment, à plat sur le dos. Ses ailes frémirent et se courbèrent sous la douleur.

— Espèce de petite garce! rugit-il, couvrant son visage
de ses mains.

J'attrapai une épée sur le sol et la levai pour la plonger
dans son cœur, mais il roula hors du chemin et bondit sur
ses pieds. Il évita chaque coup pendant que je plongeais à
droite et à gauche, mais quelque chose se démonta en moi,
une fureur alimentée par la folie. Alors que je combattais le
faucheur, je sentis ma maîtrise me quitter et quelque chose
de sinistre vibra dans mon crâne jusqu'à ce que je puisse à
peine respirer.

Le monde autour de moi devint noir, jusqu'à ce que je ne
voie rien d'autre que l'atroce visage de Geir pendant que
je balançais mon épée, incapable de pensées cohérentes. Je
voulais lancer mon arme au sol et l'attraper par la gorge à
mains nues.

Will apparut comme un éclair entre nous, me repoussant, et il propulsa son bras pour l'écraser sur le visage de
Geir. Geir gronda et cracha de rage.

— Ellie, va-t'en! cria Will en me regardant par-dessus
son épaule. Sors d'ici!

Sa voix me ramena à la réalité. Je clignai des yeux et le
reste du monde revint, mais Will me bloquait la vue du faucheur démoniaque.

— Je peux le battre! m'écriai-je. Laisse-moi essayer!

Il m'agrippa fermement par le bras.

— Tu es en train de te perdre. Si je te laisse continuer à
le combattre, ça tournera mal. Maintenant, cours!

— Et toi? criai-je. Je ne vais pas te laisser ici!

— Tu es la seule chose qui m'importe, dit-il. Tu dois survivre !

Même si je l'avais voulu, je n'arrivais pas à bouger. Mon pouls résonnait dans ma tête comme des tambours tribaux, enterrant les supplications de Will. Je ne pouvais pas me résoudre à tourner les talons et à m'enfuir. Pas alors qu'il était blessé. Je ne pouvais pas l'abandonner.

Geir se leva et disparut un moment, réapparaissant dans les airs au-dessus de Will. Il descendit avec force, les poings brandis. Will bondit autour d'une statue et frappa Geir encore et encore. Geir vola droit vers le plafond et s'arrêta brusquement, victime de haut-le-cœur, du sang dégoûtant de ses lèvres. Il baissa les yeux sur son torse et se découvrit empalé sur la lance d'un chevalier de pierre. Du sang épais suintait de sa plaie et courait le long de la lance. Il grogna férocement en direction de Will, ses yeux jaunes lançant des éclairs, ses dents de requins claquant comme celles d'un piranha. Il agrippa la pierre et commença à se libérer.

— Ellie ! cria Will en se précipitant vers moi. Nous devons partir, maintenant ! Je vais prendre le sarcophage.

Je hochai la tête, laissant mes épées disparaître, et filai à l'intérieur de la maison, Will sur mes talons. Il se pencha sur la boîte et la souleva — presque sans effort, sous mon regard émerveillé —, puis partit en courant.

— Non ! hurla Geir d'un cri perçant. Vous ne pouvez pas partir ! Soyez maudits, non !

Alors que je courais derrière Will, je regardai Geir derrière moi qui tentait encore de se libérer. Je le vis frapper du poing sur la lance de pierre et la casser net en deux. Ses ailes sombres battirent violemment l'air. Il hurla comme un genre d'oiseau démon engendré par les Enfers et ses yeux brillèrent de rage. Dans la lumière vacillante, son visage sembla changer, ses dents devenant plus longues et plus pointues, ses yeux se plissant en deux fentes minces. Je cessai de l'observer et courus plus vite.

Nous atteignîmes enfin le camion et j'ouvris les portières arrière à la volée afin que Will puisse déposer le sarcophage à l'intérieur. Nous grimpâmes devant aussi vite que possible, Will sur le siège du conducteur, et nous partîmes à toute vitesse.

21

꧁

— Tu es blessé, dis-je, levant ce qui restait de sa manche en
lambeaux pour examiner les trous profonds dans son bras.

Bien que nous ne fussions plus dans les Ténèbres, l'attitude de Will était encore sombre.

Il se dégagea d'un haussement d'épaules, sa main valide
maintenant sa poigne d'enfer sur le volant pendant qu'il
tenait son bras blessé contre son torse.

— Je vais bien. Tu t'inquiètes trop pour moi.

— Et ton épaule ?

— Je vais bien.

— Tu as été empalé !

— Geir était en bien plus mauvais état que moi lorsque
nous avons foutu le camp de là et il sera de nouveau pleinement lui-même en quelques minutes.

— Mais tu n'es pas Geir.

Il me jeta un coup d'œil. Ses yeux avaient repris leur
douce teinte verte normale.

— Nos pouvoirs ne sont pas tellement différents.

— As-tu vu ce qu'il a fait avec ses mains ? demandai-je, levant la mienne. Il s'est pratiquement transformé sous nos yeux.

— Ce n'est pas vraiment rare parmi les virs, dit-il. Le changement de forme est un trait que plusieurs d'entre nous partagent.

— Peux-tu aussi métamorphoser tes mains pour avoir des griffes comme ça ?

— Non, dit-il.

— Que peux-tu faire, alors ?

— Je ne lui ressemble pas du tout.

— Oh.

Je m'interrogeai sur ses yeux étranges. Leur couleur et celle des yeux de Geir semblaient s'intensifier à mesure qu'ils prenaient des forces et que leur colère augmentait. Ils ne changeaient pas tout à fait de couleur, mais les teintes devenaient plus vives, presque brillantes. C'était peut-être l'habileté de Will. Au moins, il ne se transformait pas en monstre.

Je hochai la tête et regardai droit devant moi.

— Retournons-nous à la bibliothèque ?

— Bien sûr que non, dit-il, sa voix dénuée d'inquiétude. Le vir de Bastian s'attendra à ce que nous apportions le sarcophage à Nathaniel, puisqu'il est le seul de ma connaissance à pouvoir potentiellement lire les inscriptions. Leur prochaine étape sera de tenter de le localiser. Ils apprendront très vite qu'il travaille à la bibliothèque.

— Nathaniel ne s'y trouve pas en ce moment, n'est-ce pas ? demandai-je d'une voix tremblante. Et s'ils le trouvent ? Il sera tué !

— Il va bien, dit Will. Ne t'inquiète pas. Il est à l'entrepôt.

— *Notre* entrepôt?

— Ouais. Bastian ne peut pas déjà connaître son emplacement. Nous y conserverons aussi l'Enshi pour l'instant.

— Et si Geir nous suit?

J'eus une horrible vision de lui jaillissant du mur et nous tuant tous.

— Il va essayer, dit-il sans crainte. Mais nous sommes trop loin. La piste aura refroidi au moment où il se libérera. Les virs sont peut-être plus forts que les autres faucheurs, mais nos aptitudes de traqueur ne sont pas aussi bonnes. Nous n'avons pas, par exemple, le nez du canidé.

Ses paroles me réconfortèrent un peu, mais je ne pouvais pas m'empêcher de penser à ce qui m'était arrivé pendant que je luttais un contre un avec Geir. J'avais glissé dans un état où j'avais uniquement conscience de la bataille et où rien d'autre ne m'importait. La même chose avait failli m'arriver pendant notre dernier combat contre Ragnuk. J'avais été terriblement furieuse et je m'étais sentie mal. Ce qui s'était passé me terrifiait davantage que Geir parce qu'il représentait une chose que je pouvais vaincre. Le côté sinistre qui m'avait envahie n'était pas quelque chose que je pouvais combattre. Et si je perdais complètement ma maîtrise et blessais quelqu'un que j'aimais, comme Will? Des trucs sombres en forme d'araignée étaient apparus sur mon visage le jour de mon anniversaire, après des mois de cauchemars affreux, et maintenant ceci. J'ignorais si je n'étais pas en train de devenir aussi démoniaque que les faucheurs que je combattais — si je devenais l'un d'eux.

— Will, dis-je d'une petite voix, qu'est-ce qui m'est arrivé là-bas? Pourquoi m'as-tu arrêtée? Savais-tu quelque chose?

— Ton but est de combattre, dit-il. C'est pour cela que tu as été conçue. Parfois, cela devient un peu intense et tu ne réfléchis plus correctement.

— Est-ce la raison pour laquelle tu m'as arrêtée? Parce que j'étais sur le point de perdre ma maîtrise?

— Cela aurait pu arriver. Quand tu atteins ce niveau, tu n'es plus capable de te battre l'esprit clair et cela rend la lutte encore plus dangereuse. Nous pourrons combattre Geir un autre jour.

— Cela ne peut-il pas être une bonne chose? suggérai-je. J'ai perdu toute peur. Tu as dit que cela me rendait plus forte.

— En effet, cela te rend plus forte, mais tu te perds aussi toi-même en même temps que la peur. Ce n'est pas sûr pour toi de perdre ainsi la tête, peu importe l'avantage que cela te fournit.

— Tu veux dire que je peux blesser quelqu'un sans le vouloir.

— Oui.

— T'ai-je déjà blessé?

Devant son absence de réponse, une lourdeur m'envahit et je n'eus plus envie d'en savoir plus. Son silence était éloquent. J'avais déjà perdu la maîtrise avant et je lui avais fait du mal. Cela provoqua une douleur sans précédent dans mon cœur. Comment avais-je pu permettre cela?

La main de Will se posa sur la mienne dans un geste de réconfort, comme s'il avait senti mon malaise. Je levai les yeux pour rencontrer son regard.

— Hé, dit-il avec un petit sourire. Ça ira.

Nous atteignîmes l'entrepôt et Will entra dans l'allée envahie par la végétation. Nathaniel se tenait debout au fond, les bras croisés sur le torse. Il relâcha une courte inspiration quand nous bondîmes hors du camion. Il vit nos vêtements déchirés et tachés de sang.

— Je m'étais dit que vous aviez rencontré des ennuis, dit-il. Qui vous avait tendu une embuscade ?

— Geir, dit Will en ouvrant l'arrière du camion. Et un vir plus faible, mais Ellie s'en est occupé avec facilité. Le plus faible a dû mentionner sa nouvelle découverte au mauvais faucheur. Le mot s'est passé jusqu'à Bastian et il a envoyé Geir pour le récupérer.

— Si seulement nous étions arrivés cinq minutes plus tôt, dis-je en fronçant les sourcils. Nous aurions pu rater Geir complètement.

— Ça va, dit Will. Nous nous en sommes tous les deux sortis vivants et nous avons l'Enshi. C'était le plan original, non ?

Je le regardai avec tristesse. Je lui avais déjà dit ce qui me préoccupait, c'était donc inutile de le lui répéter. Je détestais qu'il soit blessé chaque fois que nous tombions sur un faucheur et je détestais qu'une personne verse son sang pour moi. Cela rendait la mort de mes Gardiens précédents beaucoup trop réelle.

— Apportons le sarcophage à l'intérieur avant que quelqu'un nous voie, dit Nathaniel.

Lui et Will soulevèrent la boîte et la portèrent dans l'entrepôt, puis la déposèrent délicatement au milieu de la salle principale. Ils eurent un peu de difficulté à trouver un endroit libre de décombres créés par notre entraînement.

— Qu'avons-nous ici ? demanda Nathaniel à personne en particulier en faisant courir ses doigts le long du couvercle. Le sceau d'Azraël, comme je le pensais. Il y a quelque chose en énochien autour du sceau. Mais je ne peux pas lire le langage divin. Personne ne le peut. Qu'avons-nous d'autre ? Cunéiforme.

— Peux-tu le lire ? demandai-je en regardant les étranges inscriptions. L'écriture cunéiforme est sumérienne, n'est-ce pas ?

— Les Sumériens l'ont développée, oui, répondit-il, retirant un peu de saleté sur un glyphe. Mais l'écriture cunéiforme a grandement évolué au cours de milliers d'années et celle-ci est différente du script en ancien assyrien que je connais le mieux.

— Donc, tu ne peux pas le lire ? demandai-je, déçue.

— Pas avec exactitude, pour l'instant, mais je le ferai. J'ai seulement besoin d'un peu de temps. Je suppose que ça date du XIXe siècle avant Jésus-Christ, si je me fie à certains glyphes qui se répètent fréquemment.

Ma mâchoire se décrocha.

— Si vieux ?

— Combien de temps crois-tu qu'il te faudra pour traduire les glyphes ? demanda Will.

— Deux jours, répondit Nathaniel avec un haussement d'épaules. J'ai une idée par où commencer. Je vais te tenir au courant.

Je regardai le sarcophage. Il y avait quelque chose d'ancien et de maléfique dormant à l'intérieur. Je ne voulais pas parler trop fort au cas où il se réveillerait. On devait le détruire avant que cela se produise.

Je sentis des fourmillements sur ma peau, comme de minuscules araignées. Je percevais la présence de l'Enshi sous le couvercle de pierre, son énergie roulant sur le plancher comme un brouillard épais, obscurcissant ma vision et mes pensées. Une voix murmura à mon intention, les échos d'un quelconque fantôme chuchotant tout au fond de mon esprit, noyant mes sensations. Je levai une main et mes doigts suivirent la trace du couvercle. Will m'attrapa le poignet et je levai brusquement mes yeux vers lui. L'attention avec laquelle il scruta mon visage me fit me demander s'il tentait de voir à travers ma peau jusqu'à mes os.

— Est-ce que ça va ?

— Ouais, dis-je. Je le sens, là-dedans.

— Je le sais, dit Will, son expression sombre. Je ressens ta peur.

Il m'attira près de lui dans un mouvement qui me sembla totalement naturel.

— Je ne pense pas que tu devrais y toucher.

Je ne m'opposai pas. Ce qui était à l'intérieur me voulait. Je pouvais encore sentir sa voix chantante s'infiltrer doucement dans mon crâne, tellement difficile à résister. J'avais une envie terrifiante en moi de m'allonger sur le couvercle, d'entrer dans le sarcophage, de m'approcher aussi près que possible de lui. Je frissonnai et m'obligeai à détourner les yeux. Je tins mon collier ailé dans ma main, centrant mon attention sur la chaleur du pendentif, comme s'il allait me protéger.

— Comment l'ouvrons-nous ? demanda Will.

Nathaniel examina le couvercle plus attentivement. Il gratta le sceau avant de se lever. Il poussa aussi fort que possible sur le couvercle, mais il ne broncha pas. Il poussa encore plus fort. Toujours rien.

— Nous devrions simplement le brûler, dit Will.

— Nous ne pouvons pas le brûler, soupira Nathaniel. Il est fait en pierre. Découvrons ce que ces inscriptions signifient avant de faire quoi que ce soit. Sois patient. Je le découvrirai.

Je voulais le croire, je voulais lui faire confiance, mais tandis que je posais le regard sur le sarcophage, j'admirai les beaux symboles énochiens vibrer et osciller alors que rien d'autre ne bougeait. Mon collier palpita entre mes doigts. Je ne pensais pas que les autres pouvaient voir ce que je voyais ni qu'ils entendaient le bourdonnement dans ma tête. La douce voix devenait chaque seconde plus insistante, jusqu'à ce que je puisse distinguer une voix d'enfant étrangère au fond de mon esprit.

« Pre-e-eliator… »

22

Je remplis mes mains d'entrailles froides et visqueuses et les jetai dans l'évier de la cuisine. Ma malheureuse citrouille avait enfin été évidée et attendait à présent que je lui sculpte des yeux. Kate avait déjà coupé les crocs sur sa propre citrouille et Rachel était plus lente que moi, grattant encore l'intérieur gluant. Mal à l'aise, je regardai Landon retirer à la cuillère autant de gâchis de citrouille que possible de l'évier et le placer dans un bol à maïs soufflé.

— Que prévois-tu faire de ça ? demandai-je d'un ton méfiant.

S'il me le lançait, je le tuerais.

— Tu verras.

Il s'empara d'un couteau dentelé et commença à sculpter un visage aux yeux qui louchaient avec une bouche en O sur sa propre citrouille. Il prit une poignée d'entrailles et la laissa tomber comme de la crasse par le haut de sa citrouille, positionnant la masse jusqu'à ce qu'une bonne quantité se déverse par la bouche sur la surface de travail.

Il recula d'un pas, la mine réjouie et le sourire épanoui.

— Regarde ! Il est complètement bourré.

J'observai le gâchis avec dégoût. À présent qu'il me l'expliquait clairement, je pouvais voir l'expression malade de la citrouille et les «vomissures» éjectées sur mon comptoir.

— Brillant. Vraiment, Landon.

Kate jeta un coup d'œil et rit.

— Oui! C'est génial!

— Oh, merde, gémit Rachel. C'est tellement moche.

— C'est génial, répéta Kate en la défiant du regard. Je pense que je pourrais faire la même chose avec la mienne. Nous avons besoin de quelques bouteilles de bière pour aller avec.

Landon émit un son bruyant et inintelligible.

— Tu ne peux pas copier sur moi. Mon génie devrait seulement être apprécié et non imité.

— Ce n'est pas du génie, remarqua Rachel. C'est juste malade.

Je sculptai un visage joyeux sur ma citrouille. Malgré mes activités nocturnes parascolaires, je n'aimais pas vraiment les trucs effrayants. La citrouille-lanterne me regarda en souriant avec ses yeux vides en triangles et son sourire de dents carrées. Même si elle était adorable, elle était gravement éclipsée par le sinistre visage de vampire sur la citrouille de Kate. Même celle de Rachel était plus réussie. Leurs deux citrouilles pouvaient battre la mienne à plate couture. En fait, je pense qu'elles en avaient envie.

Oh, tant pis. Je haussai les épaules et pris ma joyeuse citrouille-lanterne dans mes bras et la déposai sur le porche d'entrée. Le soir commençait à tomber et dans vingt minutes, les rues seraient remplies d'enfants déguisés cherchant des friandises. Ma mère avait éparpillé des toiles d'araignée en coton sur le porche et piqué des pierres tombales en plastique sur la pelouse avant. Elle avait même remplacé les ampoules du porche par des lumières noires ; sous elles, mon kangourou blanc luisait d'une teinte toxique.

Je revins dans la cuisine. Kate avait des entrailles de citrouille sur le visage et le poing de Landon était rempli de magma supplémentaire. Rachel était écrasée contre le mur tout au fond, son expression terrifiée. Landon lança la masse sur Kate, mais elle poussa un cri perçant et elle se retourna brusquement, et les entrailles se répandirent sur le mur derrière elle.

— Landon ! aboyai-je, piquant un sprint pour attraper une poignée de serviettes en papier pour essuyer le dégât.

— Désolé, dit-il d'une voix pas très convaincante. C'est elle qui a commencé.

Kate rit.

— Ne me mets pas ça sur le dos ! C'est toi qui balances ce truc dégoûtant partout.

— Où est Will, Ellie ? demanda Rachel, osant s'aventurer loin du mur.

— Qui ça intéresse ? intervint Landon. Ma citrouille vomit ses fichues entrailles.

Il fit une grotesque grimace de guingois en plongeant ses mains dans le gâchis visqueux. Je grimaçai.

— Il sera ici lorsque nous serons prêts à partir, expliquai-je.

Grâce à notre pari, Will nous accompagnait à la fête de Josie, mais jusqu'à ce que le moment arrive, je supposai qu'il était assis sur mon toit à monter la garde.

Nous nettoyâmes ce qu'il restait de notre gâchis de sculpture et déposâmes les citrouilles sur le porche, à côté de la mienne. Landon ajouta la touche finale aux vomissures de sa citrouille-lanterne dehors, comme il l'avait prévu.

La fête de Josie ne commençait pas avant vingt et une heures. Nous avions donc quelques heures devant nous. Kate avait prévu une après-fête chez elle, alors j'avais un sac de voyage d'un jour prêt à emporter. Chris et Evan arrivèrent tout juste après dix-huit heures. Ma mère les prit par erreur pour ses premiers petits monstres de la soirée. Ils s'excusèrent de l'avoir déçue et nous montâmes tous à ma chambre pour regarder un film d'horreur avant de mettre nos costumes. Je m'assis sur mon lit avec Rachel et Kate, et les garçons s'installèrent sur le plancher, dos contre mon lit. Nous choisîmes le premier *Poltergeist*. Les films de tueurs en série ne m'avaient jamais plu, car ils me rendaient malade. Les films de fantômes, ça allait.

Quand le film se termina, nous avions une heure et demie pour nous préparer. Kate et moi nous coiffâmes mutuellement, relevant nos cheveux en grosses boucles, puis nous mîmes nos costumes. Elle m'avait prêté une paire de souliers à talons aiguilles rouge parfaitement assortie à ma tenue d'infirmière. J'épinglai mon petit chapeau sur mes cheveux au cas où il s'envolerait. Malgré l'intention de Kate d'épingler les cheveux de Rachel sur sa tête, nous décidâmes de laisser ses boucles cascader sur ses épaules et son dos. Les garçons prirent en fait plus de temps que nous pour se préparer, mais je devinai que c'était parce qu'ils portaient deux fois plus de maquillage. Mes faux cils scintillants étaient mortellement lourds sur mes paupières, mais je les endurai et je mis la touche finale à mon visage avec un peu de rouge à lèvres rouge cerise. Landon revint dans ma chambre à coucher en tenue complète de zombie, y compris des prothèses sanglantes et des vêtements en lambeaux tachés de sang. Il était à peine reconnaissable à l'exception de ses cheveux merveilleusement éclaircis par des mèches. Evan se présenta en chasseur de fantômes, et le policier de la route avec les énormes lunettes de soleil de style aviateur et la fausse moustache en broussaille se révéla être Chris. Je le zieutai, incapable d'empêcher mon sourire de se transformer en éclat de rire.

— Tu ne cherchais pas à être créatif, n'est-ce pas ?

Son expression prit instantanément un air abasourdi.

— Tu plaisantes ? Je suis Mac !

— Mac ?

— *Super Troopers* ? Franchement, Ellie, il faut que tu regardes de meilleurs films que ces navets de Disney.

Il fit glisser ses lunettes de soleil sur son nez et me détailla du regard.

— Et ne me parle pas de manque de créativité. Tu es une infirmière sexy ? Autant cela me plaît, autant tu dois te rendre compte qu'il y aura cinquante autres filles habillées exactement comme toi. Personne d'autre ne sera Mac.

Je le regardai avec attention.

— Peut-être y a-t-il une raison.

Chris agita un doigt vers moi.

— Attends de voir.

Evan lui donna une forte claque dans le dos.

— Alors, où sont les ailes ?

Chris lui lança un regard interrogateur du coin de l'œil.

— De quoi parles-tu, mec ?

— Eh bien, tu sais, dit Evan, essayant visiblement de retenir un rire. Elles seront parfaites pour l'Halloween. Les fées du foot ont besoin d'ailes, n'est-ce pas ?

Chris jura après lui et lui donna une forte poussée sur l'épaule, assez pour lui faire perdre l'équilibre. La plupart des joueurs de soccer ne prenaient pas très bien les blagues sur les fées du foot. Chris et Landon ne faisaient pas exception.

Alors qu'ils luttaient et ricochaient sur mon lit, je me renfrognai devant le gâchis de maquillage sanglant et de prothèses éparpillées sur ma coiffeuse.

— Vous allez tous me nettoyer cette merde, n'est-ce pas ?

— Bien sûr, m'assura Landon en souriant vivement.

Il tira sur l'une de mes boucles vaporisées de fixatif et la relâcha, la laissant rebondir en place.

Will entra précisément à ce moment-là dans ma chambre, sans costume à l'exception de son épée attachée sur son dos dans un fourreau, par-dessus son t-shirt. Le t-shirt exposait également les tatouages énochiens couvrant son bras.

— Hé, dit-il en hochant la tête pour saluer tout le monde. Ta mère m'a laissé entrer, Ellie.

J'étais ravie de le voir.

— Hé ! Où est ton costume ?

Déçue, je lui donnai un petit coup sur le torse. Je remarquai que ses yeux s'arrondirent et que son front se plissa brièvement quand il vit mon costume et je ressentis une pointe de triomphe dans mon cœur — non que je portais cette tenue seulement pour attirer son attention. Ce n'était qu'un avantage supplémentaire.

Chris s'avança jusqu'à lui, regardant son bras.

— Ce doit être le plus mauvais tatouage que j'aie vu. Tu l'as fait faire à L.A. ou quoi ?

— En Italie, dit Will.

— Cool. Qu'es-tu censé être ?

— Un pirate.

Chris se moqua de lui.

— Mec, ton costume est nul. L'épée est plutôt bien, par contre. Impossible que ce soit du plastique. Est-ce une réplique de *Final Fantasy* ou quelque chose du genre ? Tu l'as eue sur eBay ?

— Ouais, dit Will. Quelque chose comme ça.

Kate marcha en se balançant jusqu'à lui et se pencha par-dessus l'épaule de Chris.

— Qu'est-ce qu'il y a ? Es-tu trop bien pour nous ? demanda-t-elle d'un ton sarcastique.

Will haussa les épaules.

— Je ne m'habille pas vraiment pour les événements.

— Oh, allons, le suppliai-je. Tu dois porter quelque chose.

Il mit ses mains devant lui d'une manière défensive.

— Je ne le pense pas.

— Tu seras la seule personne moche là-bas, remarquai-je.

— J'ai un masque de hockey de Jason dans mon coffre de voiture, offrit Evan. Si tu le veux.

— Non, merci, dit Will. Je ne suis pas un gars à costume.

— Tu es un véritable trouble-fête, dis-je en prenant mon téléphone cellulaire sur ma coiffeuse pour regarder l'heure. Il est plus de vingt et une heures. Nous devrions probablement partir à vingt-deux heures.

Pendant que j'appliquais une dernière couche de rouge à lèvres, un des garçons se cogna sur moi et je laissai tomber le bâton sur ma tenue blanche. Je jurai quand je vis la traînée rouge cireuse laissée autour du col de mon costume.

— Landon! grondai-je en lui donnant une poussée sur l'épaule.

Au milieu d'un rire stupide, je compris un «Désolé, Ell!»

Je grommelai et sortis à pas bruyants de ma chambre et descendis le couloir jusqu'à la salle de bain. Mon père me surprit alors qu'il quittait sa propre chambre et il me détailla du regard. Le malaise s'empara de nous deux alors qu'il s'arrêtait, bouche bée, mais sans rien dire. Il referma la bouche et leva les yeux au plafond comme s'il réfléchissait à ce qu'il allait dire.

Gênée par sa façon de me regarder, je ne savais pas trop quoi faire ensuite.

Sa bouche se plissa, puis forma une mince ligne devant son indécision.

— Je ne devrais pas te laisser sortir comme ça, n'est-ce pas?

Je croisai les bras sur la poitrine.

— Probablement pas.

— Eh bien, tu ressembles à une…

Il s'interrompit brusquement.

Je ne voulais pas qu'il finisse sa pensée de toute façon.

— Je vais seulement à la salle de bain.

— Couvre-toi un peu, suggéra-t-il, trébuchant sur chaque mot. Mets un pantalon ou autre chose.

— Ouais, papa. Sans faute.

Son corps se figea et son visage se tordit un bref instant. J'étais sur le point de lui demander ce qui clochait quand j'entendis des pas derrière moi.

— Ellie, dit la voix de Will.

Je me tournai pour lui sourire.

— Qu'y a-t-il ?

— Je venais seulement voir si tu avais besoin d'aide, dit-il.

Will regarda mon père et lui tendit la main.

— Salut. Je suis Will, l'ami d'Ellie.

Mon père fixa Will, les coins de sa bouche s'affaissant, mais il ne lui serra pas la main. Comprenant le message, Will la retira et me jeta un coup d'œil discret. Je savais que mon père n'aimait pas beaucoup mes amis garçons, mais c'était plus qu'impoli de sa part.

— D'accord, eh bien, à plus tard, papa.

Je l'écartai d'un geste et Will me suivit dans la salle de bain pour m'aider à frotter le rouge à lèvres afin d'éliminer la tache sur ma robe.

— Il ne t'a pas beaucoup aimé, dis-je, frottant un mouchoir mouillé sur la tache rouge.

La majeure partie avait disparu, mais il y avait une ligne pâle qui, selon toutes probabilités, resterait de manière permanente.

— Il sentait le sang.

Je réprimai un rire.

— Sans blague, Sherlock. Ouais, mon père a du sang dans lui. Tu dis les choses les plus étranges, parfois.

— Non, je voulais dire que c'était sur sa peau. Je pouvais le sentir depuis ta chambre et j'ai pensé que tu étais blessée.

— Il s'est peut-être coupé avec du papier, dis-je en levant les yeux vers lui. Tu ne devrais pas sentir les gens que tu rencontres comme ça. Vraiment.

Ses lèvres se serrèrent et son front se plissa. Pour être franche, il était plutôt mignon quand il faisait cela.

— Les hommes dans ma vie sont les gens les plus étranges de la planète, grommelai-je en me mettant à souffler sur ma robe pour la sécher. Au moins, toi, je peux te tolérer, parmi tous les autres.

— Tu n'aimes pas ton père.

Ce n'était pas une question. Je supposai que mon mépris était évident pour lui.

— C'est un trou du cul. Tu ne peux pas comprendre.

Il ne dit rien, mais il comprenait sûrement bien plus que je n'étais prête à l'admettre. Son ouïe était incroyable, tout comme son odorat. Il avait probablement entendu plusieurs de mes disputes avec mon père. Quelque chose pesait dans mon ventre quand je songeais à Will me surprenant à pleurer. C'était une chose qu'il sache que les faucheurs m'effrayaient encore, mais il n'y avait aucune raison que je craigne mon père. Il ne m'avait jamais fait de mal physiquement, mais il m'avait mise en pièces émotionnellement à de multiples reprises.

— Écoute, dis-je. Ne t'inquiète pas avec cela. Ce n'est pas ton problème.

Le reste du temps dans la salle de bain s'écoula dans un silence gêné. Mon père ne représentait pas un sujet que je voulais aborder avec Will ou avec qui que ce soit. J'évitai son regard jusqu'à ce que nous revenions dans ma chambre.

Nous nous organisâmes pour décider qui conduirait et nous nettoyâmes le dégât causé par nos costumes. Une heure plus tard, nous nous réunîmes en bas, dans le vestibule, et nous nous empilâmes dans les voitures de Kate et d'Evan. Will, Landon et moi montâmes avec Kate pour nous rendre à la résidence de Josie Newport. Nous passâmes les grilles d'entrée en fer forgé et Kate présenta une invitation à l'homme qui se tenait là. Il nous laissa entrer et nous dépassâmes l'ancienne remise à calèches. Alors que nous remontions l'allée boisée, nous pouvions entendre — et ressentir — la basse puissante. Josie avait sûrement embauché un animateur musical.

La maison elle-même était immense : de hauts toits pointus, de la pierre crème, des colonnes de marbre et des décorations éblouissantes sous des lumières ivoire. Nous nous garâmes à la fin d'une file de voitures interminable et descendîmes. Je tirai autant que possible sur ma robe affreusement courte alors que nous nous avancions nonchalamment vers la porte d'entrée. Derrière moi, Chris me demanda si je m'en sortais bien avec ma jupe courte et grommela ensuite quelque chose à propos de me citer à comparaître pour « exposition sexy » ou quelque chose de stupide dans ce genre-là. Je l'ignorai.

Les marches de la façade étaient bordées de citrouilles-lanternes et des squelettes en plastique grimpaient sur les colonnes. Un grand homme en habit répondit à la porte et nous entrâmes. Le vestibule impressionnant était faiblement éclairé par des ampoules multicolores dansant sur le plancher de marbre blanc. Kate nous guida à travers le manoir jusqu'à une immense salle de réception bordée de larges fenêtres qui offraient une vue d'ensemble sur un lac. Dès que nous passâmes l'entrée en arche, je pus voir que la moitié de l'école était déjà sur place. Des lumières stroboscopiques scintillaient dans toutes les directions depuis un point beaucoup plus élevé ; le rythme bruyant et régulier de la musique faisait vibrer le plancher et les murs ; des gens dans tous les costumes imaginables dansaient comme si c'était leur dernière soirée à vie.

Je devais le reconnaître. Josie savait comment organiser une fête du tonnerre.

Kate attrapa ma main et nous nous frayâmes un chemin dans la masse grouillante de mains qui s'agitaient, de hanches qui se balançaient et de pieds qui tapaient sur le plancher. Nous dansâmes jusqu'à ce que Landon attire Kate plus loin. Je dansai seule et avec des partenaires de fortune pendant quelques minutes jusqu'à ce qu'Evan et Rachel se joignent à moi. Après un moment, je pris une pause, me faufilant jusqu'à l'entrée de la salle où il y avait une table de buffet entièrement garnie de bonbons et de hors-d'œuvre. Je grignotai des morceaux de fraise, dansant encore sur la musique. Je sentis un corps chaud derrière moi et je reconnus l'odeur musquée et épicée de Will. Je reculai sur lui, balançant mes hanches, essayant de le convaincre de danser avec moi, mais il ne le fit pas. À la place, ses mains coururent le long de mes bras et il inclina le visage par-dessus mon épaule jusqu'à ce que sa joue frôle la mienne.

— Tu t'amuses?

Je me retournai et lui attrapai les mains, oscillant d'un côté et de l'autre en suivant le rythme. Il ne céda pas, mais cela ne m'empêcha pas d'essayer de danser avec lui.

— Danse avec moi.

Il retint mes mains et ses yeux verts transpercèrent les miens.

— Désolé, je ne suis pas un danseur.

Je retirai mes mains et les plaçai autour de son cou.

— Six cents ans et tu n'as jamais appris à danser? Je pense qu'il est temps que tu vives un peu.

— Je sais danser, m'assura-t-il avec un rire séduisant. Mais pas sur ce genre de musique.

— C'est facile. Bouge avec la musique.

Je posai ses mains sur mes hanches et essayai de lui faire suivre le rythme.

Il s'écarta, puis il mit une main sous mon menton et le souleva. Le geste était lent et sensuel, en rythme avec la musique. Ses doigts glissèrent sur ma peau et je sentis le courant électrique passer de sa caresse jusqu'en moi. J'inspirai et fermai les yeux devant l'intensité. Chaque centimètre de mon corps s'anima. J'ignorais si c'était l'énergie de la fête qui me faisait réagir aussi fortement ou autre chose. Un coup de chaleur intense me frappa quand je sentis ses lèvres glisser le long de ma mâchoire jusqu'à mon oreille, et je pris une lente et agonisante inspiration.

— Pardonne-moi, murmura-t-il.

Quand j'ouvris les yeux, il était parti. Je pivotai brusquement, le cherchant partout, mais il avait vraiment disparu. La frustration bouillonna en moi et déborda. Quel était mon problème? Qu'attendais-je de lui?

Je secouai la tête, essayant de l'oublier et de m'amuser, mais quelque chose que je n'aimais pas remuait dans mon ventre. Je m'empiffrai avec une autre fraise et jetai un regard mauvais à personne en particulier.

Kate dansa seule jusqu'à moi, riant et chantant sur la musique. Elle m'attrapa les deux mains et se déhancha en suivant le rythme. Elle se retourna, me guidant dans la foule, et nous dansâmes encore un peu, mais je n'arrivais pas à penser à autre chose qu'à Will. Je sentais encore sa caresse sur mon visage, même s'il ne restait qu'un faible picotement.

Habillée de façon recherchée en Marie-Antoinette — y compris la robe bleue à fanfreluches tombant sur les chevilles, l'éventail floral, les bas longs, la jarretière et la perruque blanche poudrée —, Josie nous trouva et nous serra toutes les deux dans une grosse étreinte.

— Je suis tellement contente que vous soyez venues! cria-t-elle par-dessus la musique à sa manière évanescente et insouciante.

— Une fête épatante, comme toujours! lui assura Kate en souriant.

Je hochai la tête.

— Oui! L'animateur est extraordinaire!

— Merci! dit-elle, lissant ses jupes et faisant battre son joli éventail. Il travaille pour MTV!

Pas étonnant. Elle dansa avec nous un moment, la musique tombant sur nous comme si le manoir s'effondrait sur nos têtes, avant de tourbillonner plus loin.

23

J'essayai de me débarrasser du doute et de la négativité et de profiter de la soirée. Je m'accordai une pause seulement lorsqu'un garçon s'avança vers Kate et moi; il arborait un masque blanc qui dissimulait la moitié de son visage, comme le Fantôme de l'Opéra. La moitié visible de son visage était à couper le souffle. Je n'avais jamais vu un garçon aussi beau. Ses pâles cheveux dorés étaient soigneusement peignés en arrière, avec seulement quelques mèches rebelles, et il portait un smoking noir sous une cape. Quelque chose dans le tissu délicat de son habit me dit que nous n'avions pas acheté nos costumes au même endroit.

Évidemment, il devait vouloir danser avec Kate. Je commençai à m'éloigner d'eux, mais la courbe de ses lèvres me fit hésiter. Il baissa la tête vers une Kate très excitée, dont le visage perdit toute expression lorsqu'il lui demanda :

— Puis-je vous séparer?

Elle fit un pas de côté et le garçon prit ma main, m'attirant immédiatement plus près de lui. Sa présence m'enveloppa, électrique et invitante, et il me fit tournoyer autour de la salle dans une valse qui convenait très peu à la musique qui jouait, mais il réussit je ne sais comment à nous faire danser en suivant le rythme. Avant que j'en prenne conscience, la musique et le chahut s'étaient affaiblis en un sourd rugissement jusqu'à ce que je n'entende plus rien. Je ne regardais nulle part ailleurs que dans ses yeux, qui étaient d'une flamboyante couleur noisette irisée comme je n'en avais jamais vu, presque inhumaine. Sa danse était comme l'eau qui bouge, puissante et inflexible, et pourtant fluide et égale à chaque mouvement, comme une rivière suivant son cours prédéterminé. Je lui permis de me guider à travers la foule dans un état de choc et d'extase mêlés, incapable de percevoir autre chose que son visage. J'avais envie de lui retirer son masque pour exposer la beauté en dessous. Nous dansâmes jusqu'à la fin de la chanson et il continua à me tenir contre son torse, sa bouche incurvée en un délicieux sourire.

— Viens avec moi, m'implora-t-il en me prenant la main.

Je hochai la tête comme une idiote et le laissai m'entraîner à travers la salle, de retour vers l'entrée en arche par laquelle nous étions tous entrés. L'affreux sentiment de rejet causé par Will s'évanouit pendant que le gars mystérieux me faisait quitter la piste de danse. J'étais trop impatiente de le suivre, trop impatiente de me donner l'impression de valoir quelque chose. Pendant un instant, je souhaitai que Will m'eût vue partir avec ce garçon. Peut-être qu'une étincelle de jalousie l'inciterait à agir.

Le garçon fantôme m'arrêta de l'autre côté du mur et joua avec une de mes boucles en observant mon visage avec un regard d'admiration et d'amusement.

— Tu es une belle fille, dit-il d'une voix légèrement étonnée, son visage si proche qu'il n'avait pas besoin de lever le ton pour que je l'entende par-dessus la musique.

— J'aime ton masque, jacassa ma bouche stupidement.

J'aurais voulu m'arracher les lèvres. J'aime ton *masque*?

Il rit, sa voix comme du velours.

— Je suis content que tu l'aimes. Comment t'appelles-tu?

— Ellie, répondis-je en me pâmant d'admiration.

Je m'appuyai lourdement contre le mur pour m'aider à rester debout.

— Je suis Cadan, répliqua-t-il.

— C'est un nom inhabituel, remarquai-je distraitement.

— Il est très, très vieux.

Le dos de ses doigts dessina le tracé de ma clavicule nue. Je frissonnai.

— Es-tu un ami de Josie? demandai-je, essayant de centrer mon attention sur la conversation alors qu'il me touchait.

Il rendait cela quasiment impossible.

— Non, dit-il en levant le regard de sur ma clavicule, ses yeux opalins et flamboyants retenant les miens prisonniers.

Pendant que je les fixais, j'aurais juré avoir vu des flammes dorées danser dans les iris. Je clignai des yeux et les flammes disparurent.

— Es-tu à notre école?

— Non.

— Connais-tu beaucoup de personnes, ici?

— Seulement une, répondit-il. Ton Will.

Dans ma confusion, je clignai des yeux, soudainement dégrisée.

— Mon…

À ce moment-là, Will apparut à côté de Cadan. Son poing fendit l'air et s'enfonça dans la mâchoire du garçon. Le masque du fantôme vola et éclata sur le plancher, comme s'il était fait de porcelaine.

D'accord, ce n'était pas tout à fait ainsi que j'avais voulu voir réagir Will quelques secondes plus tôt.

— Will! m'écriai-je, l'attrapant par l'épaule et le tirant violemment en arrière. Quel est ton foutu problème?

Il ne dit rien, mais se contenta de fixer Cadan. Les yeux de Will brillaient d'un vert vif et, même dans la salle sombre, je pouvais voir sa puissance bourdonner furieusement autour de lui. Cadan se leva en riant, une main en coupe sur sa mâchoire. J'aurais parié tout ce que je possédais que le coup de poing de Will aurait dû écraser tous les os du visage de Cadan. Comment pouvait-il même être en vie?

À moins qu'il ne soit pas humain.

— Que fais-tu ici? demanda Will, sa voix glaciale, effrayante même pour moi.

— Je voulais seulement la rencontrer, dit Cadan. Il me fallait jeter un œil sur la fille qui irrite tout le monde dernièrement. Elle semble faire l'objet d'une obsession chez Ragnuk, sans parler de Bastian. Peux-tu me blâmer d'être curieux?

La nausée me laboura l'estomac et mon corps se raidit de peur.

— Faucheur?

— C'est l'un des virs de Bastian, gronda Will sans me regarder.

Cadan lorgna Will d'un air entendu. Il tendit une main vers moi, mais avant que je puisse réagir, l'épée de Will se balança dans les airs et la pointe piqua la gorge du beau vir démoniaque.

— Ne t'avise pas de la toucher, le prévint Will, enfonçant plus profondément sa lame d'une fraction de millimètre.

Du sang apparut au bout. Je jetai un œil autour de moi, priant pour que personne ne le remarque.

— C'est une petite chose ravissante, dit Cadan, aussi immobile qu'une pierre, le menton levé, ses yeux fixés sur ceux de Will. Je comprends pourquoi tu la gardes si près de toi. Tu ne voudrais pas qu'elle ait un coup de foudre pour quelqu'un dans mon genre, n'est-ce pas ?

— Va-t'en ! ordonna Will. Sinon, nous irons à l'extérieur et nous finirons ce que nous avons commencé.

Cadan se lécha les lèvres comme si cette perspective était délicieuse.

— Je peux arranger cela.

Horrifiée, ma voix baissa jusqu'à n'être qu'un murmure rauque.

— Je ne peux pas me battre habillée en infirmière sexy !

— Ma chère, dit Cadan, sa voix aussi sensuelle que du vin, je n'ai pas l'intention de te faire de mal. Ton Gardien, lui, par contre, c'est une autre histoire. Nous avons un compte à régler.

— Nous n'allons pas amener notre querelle dans le monde des humains, dit Will. Cela peut attendre.

Je n'étais pas certaine si le visage de Cadan affichait ou non la déception.

— Une autre fois, alors? demanda-t-il.

— Entendu, gronda férocement Will.

Soudainement, Cadan disparut. Will donna un coup d'épée en avant, abasourdi et furieux, sa lame heurtant le mur. Je sentis des lèvres chaudes sur mon cou et je poussai un cri perçant, me retournant brusquement. Cadan m'attrapa et me rapprocha de lui. Alors que Will filait sur nous comme une flèche, Cadan me murmura à l'oreille :

— Nous nous reverrons bientôt.

Puis, il partit. Pour de bon, cette fois. Venait-il de me citer du Shakespeare? Will hurla de rage et frappa le mur avec ses jointures. Deux filles passèrent dans l'entrée en arche et nous fixèrent un bref moment avant de glousser et de continuer leur chemin.

Je le saisis par le bras.

— Calme-toi! Je ne peux pas croire que tu as percé un trou dans le mur de Josie!

Je regardai autour de nous, mon cœur battant la chamade.

— Nous devrions nous éloigner…

Je l'entraînai plus loin au fond d'une salle plus tranquille avant de me retourner vers lui. Malgré ma légère irritation contre lui, sa façon de défendre mon honneur était tout de même très attrayante. Avec son expression de colère sur le visage, il était incroyablement beau et tout aussi dangereux.

— Will, qui était-ce? demandai-je, reprenant mes sens, enfin capable de sentir à quel point j'étais perturbée.

— Cadan, grogna-t-il. C'est l'une des brutes de Bastian. Je ne comprends pas pourquoi il se trouvait ici ce soir. Je suis étonné qu'il tente de t'attaquer.

J'étais peu convaincue.

— Je ne pense pas qu'il cherchait la bagarre. Il a eu beaucoup d'occasions. Ne crois-tu pas qu'il aurait sauté dessus?

— Ne t'imagine pas qu'il n'est pas dangereux parce qu'il ne t'a pas abattue dès qu'il t'a vue.

Il y avait du malaise et de l'inquiétude dans sa voix.

— Tu ne comprends pas à quel point il peut être destructeur.

Je m'appuyai le dos au mur, souffrant d'une douleur aiguë à l'estomac. Je ne me sentais pas du tout menacée par Cadan, mais je devais faire confiance à la parole de Will. Il connaissait ces créatures mieux que moi. Il était l'une d'elles.

Will fronça les sourcils et me caressa doucement le bras.

— Tu devrais retourner à la fête. Kate pourrait se demander où tu es passée.

— Je n'ai plus envie de faire la fête, dis-je.

Un doux sourire se forma sur son visage.

— Comment rentreras-tu à la maison? Tu n'es pas venue dans ta voiture.

— Oh, c'est vrai, grommelai-je. J'imagine que je n'ai pas le choix.

Son appréhension sembla s'évanouir et il redevint encore une fois le roc familier, sûr et réconfortant. Il me prit la main.

— Viens.

Je le suivis dans la salle où Kate bondit par hasard devant nous, les paillettes de sa tenue de démone la faisant briller comme une boule disco. Une main était posée sur sa hanche et l'autre tenait une sucette Tootsie Pop coincée à l'intérieur d'une joue. Elle nous détailla tous les deux du regard.

— Où étiez-vous, les amis? demanda-t-elle en levant ses sourcils de manière suggestive. Vous vous embrassiez dans un coin, hein?

Embarrassée, je roulai les yeux en m'écartant de Will.

— Non, grommelai-je. Il y avait un gars qui me faisait des misères.

Je me disais que c'était sage de mentionner Cadan au cas où quelqu'un m'aurait vue avec lui.

— Pas le gars canon? demanda-t-elle en fronçant les sourcils.

Je hochai la tête.

— Il n'était pas aussi génial qu'il le semblait.

— Les emmerdeurs, ça arrive, dit Kate avec un hausse-ment d'épaules indifférent. Eh bien, il est minuit et ils sont sur le point de voter pour le concours de costumes!

À présent pleine d'enthousiasme, elle inséra un bras sous le mien et se fraya lentement un chemin en dansant au milieu de la salle, me traînant dans son sillage. Will suivit en silence.

L'animateur musical baissa le volume de la musique et monta celui de son microphone afin que tout le monde puisse l'entendre. Des applaudissements retentirent quand il commença à annoncer les gagnants. Le costume le plus effrayant ne fut pas celui de Landon, mais celui d'un autre zombie, ce qui eut pour conséquence de faire suer Landon au maximum. Chris gagna le prix du costume le plus drôle. Je décidai que j'allais devoir regarder *Super Troopers*. La catégorie du costume le plus séduisant fut remportée par une fille habillée comme Ève. Son corps beaucoup trop bronzé était couvert d'une feuille sur chaque sein et d'une feuille extrêmement minuscule en guise de culotte de bikini. Sans surprise, l'honneur du plus beau costume toutes catégories alla à Josie.

Kate se pencha vers moi et dit avec un rapide hochement de tête :

— Elle a payé quelqu'un pour obtenir ce prix.

Je hochai la tête pour marquer mon accord.

Quand une heure arriva, la fête commença à se calmer. J'étais de meilleure humeur, enfin capable de chasser le souvenir de Cadan. Alors que nous nous préparions à partir, nous restâmes debout près de nos voitures à discuter de l'étape suivante des célébrations de la nuit.

— L'après-fête est-elle toujours chez moi ? demanda Kate avec excitation.

— J'en suis, dit Landon.

Rachel s'accrocha fortement au bras d'Evan, posant la tête sur son épaule. Son visage était rouge et elle n'avait plus son chapeau de sorcière.

— Je suis prête à rentrer à la maison, en fait.

— Ça va, dit Evan. Je peux te ramener. Je me sens un peu fatigué aussi.

— J'ai de la vodka, dit Kate en agitant les doigts, essayant de les convaincre de venir avec elle. Cul sec, cul sec, cul sec !

Alors que Rachel commençait à s'enthousiasmer, Evan la guida vers sa voiture.

— Elle n'a pas besoin de boire plus.

— On se voit plus tard, les amis ! cria Rachel.

Ses paupières étaient bien fermées et son sourire était immensément grand.

— Je me suis tellement amusée !

Son visage se gonfla soudainement et elle plongea de l'autre côté de la voiture et vomit. Evan se précipita vers elle et ramena ses cheveux par-dessus ses épaules. Il lui frotta gentiment le dos jusqu'à ce qu'elle eût fini et ils montèrent dans sa voiture. Je grimaçai en sentant les vomissures.

— Dix dollars qu'ils vont baiser, dit Kate d'un ton pensif pendant qu'ils s'éloignaient.

Je la regardai, bouche bée de dégoût.

— Elle vient de vomir !

Kate haussa les épaules.

— Elle peut se brosser les dents.

Je l'observai, les sourcils froncés.

— Tu ne pourrais pas être plus crue même si tu essayais.

— Oh, je le pourrais, dit-elle. Je pourrais être beaucoup plus crue, mais je ne veux pas blesser tes jolies petites oreilles vierges.

Je l'écartai d'une poussée sur l'épaule alors qu'elle riait et je me tournai vers Will.

— Viens-tu avec nous ?

Il baissa le regard vers moi, ses yeux d'un vert menthe fraîche. Il semblait s'être calmé depuis le départ de Cadan.

— Si tu le souhaites.

— Je me sentirais mieux si tu étais près de moi, murmurai-je. Cadan m'a fait flipper.

— Alors, bien sûr, dit-il. Je te suivrai n'importe où.

Je me sentis rassurée sachant que Will resterait avec moi toute la nuit. Une partie de moi craignait que Cadan, ou même Ragnuk, attaque ce soir. Je donnerais n'importe quoi pour que cela ne se produise pas en présence de mes amis, mais je n'avais pas d'emprise là-dessus.

24

Nous terminâmes la soirée dans le sous-sol de Kate en regardant le premier film *Halloween*, mais nous ne fîmes qu'en rire tout le long, alors il ne devint jamais trop sanglant pour moi. C'était drôle de voir combien de véritables horreurs j'affrontais toutes les nuits, sans pourtant pouvoir supporter un stupide film de peur. Landon était affalé sur le fauteuil et moi, assise sur le divan avec Kate et Chris, tandis que Will était installé en silence à mes pieds. La chaleur de son corps contre mes jambes me réconfortait et je me sentais parfaitement en sécurité. Je ne pouvais pas dire s'il aimait le film, mais il se tenait aussi immobile qu'une statue, les yeux sur le téléviseur.

Je commençais à m'assoupir, alors je vérifiai mon téléphone cellulaire. Il était presque trois heures et je savais que j'allais m'effondrer d'une seconde à l'autre. Je fus ravie de constater que tous les autres paraissaient ressentir la même chose. Chris était déjà endormi, la tête appuyée sur le dossier du sofa et la bouche ouverte, et il ronflait. Il n'avait pas encore retiré sa ridicule moustache. Kate et Landon semblaient évoluer dans leur univers privé de petits rires et de verres qui tintaient. Dès que le film prit fin, Kate nous souhaita bonne nuit et quitta le salon. Landon choisit l'une des deux chambres à coucher et Chris ne donna pas l'impression qu'il allait évacuer le sofa pendant un moment. Je laissai Will à la télévision pour aller me changer dans la chambre à coucher non réclamée. Je posai lourdement ma mallette sur le lit, j'ouvris la fermeture à glissière et sortis mon pyjama. Je défis mes cheveux et secouai les grosses boucles.

Je marchai jusqu'à la salle de bain près de la petite cuisine pour me brosser les dents. Dès que j'ouvris la porte, je restai figée sur place. Kate et Landon s'écartèrent d'un bond l'un de l'autre et Kate arracha une serviette sur la barre pour couvrir son soutien-gorge. Landon se cogna contre le lavabo et renversa quelques objets. Leurs deux visages étaient déformés par le choc. Je fis courir mon regard de Kate à Landon au chandail de Kate gisant sur le plancher.

— Oh, mince, dis-je d'une petite voix.

Je tournai brusquement les talons et revins vers ma chambre, laissant la porte de la salle de bain se refermer dans mon dos. Je n'avais pas besoin de me brosser les dents à ce point. Il semblait que Landon m'avait oubliée.

— Ellie, attends! lança Kate d'une voix étouffée.

Je m'arrêtai et me retournai vers elle alors qu'elle tirait son chandail par-dessus sa tête et courait dans le couloir vers moi. Son expression était mortifiée.

— Oh mon Dieu, Ellie, je suis tellement désolée! C'est arrivé tout seul! Me détestes-tu? Je jure que nous n'avons rien fait. Nous nous sommes seulement embrassés.

— Ça va, dis-je avec franchise. C'est bon. Je m'en fous. Je n'en pince pas pour Landon, tu t'en souviens ?

Elle se voûta.

— Je sais, mais je ne voulais pas que cela devienne bizarre. Je suis un peu ivre et de très bonne humeur et il était là, simplement, et il est plus mignon que Chris. Je ne sais pas à quoi j'ai pensé.

Landon quitta la salle de bain sans rien dire et disparut dans la chambre qu'il avait choisie.

— Kate, c'est bon, l'assurai-je. Il est tout à toi.

— T'es sûre ?

Elle semblait inquiète, mais heureuse, si c'était possible. Sa mine inquiète était peut-être feinte.

— Absolument, dis-je avec un hochement de tête ferme. Bonne nuit.

Je me tournai vivement, sans découvrir si elle entrait dans cette chambre avec Landon ou si elle retournait dans la sienne. Je ne voulais pas le savoir.

Je fermai la porte et m'assis sur le lit. Eh bien, cela me causait tout un choc. Peut-être que si Landon était préoccupé par Kate, il m'oublierait pour de bon. Mais alors, s'ils commençaient à sortir ensemble, je ne pourrais jamais sortir avec eux. Je me sentirais comme la troisième roue du carrosse. Je n'avais certainement pas envie de les voir s'embrasser tout le temps. Oh mon Dieu, je vous en prie, faites que cela ne soit qu'une passade.

Un léger coup fut frappé à la porte.

— Entrez, dis-je.

Will s'exécuta.

— Je vais sortir et monter la garde.

— D'accord, dis-je. Penses-tu réellement que quelqu'un pourrait attaquer la maison?

— C'est toujours une possibilité, remarqua-t-il. Bonne nuit.

Il sourit et se tourna pour partir.

— Attends... Will?

Il se retourna.

— Ouais.

— Reste avec moi? S'il te plaît? Seulement jusqu'à ce que je m'endorme.

— Comme tu veux, dit-il.

Il resta debout sans bouger.

Je m'installai dans le lit. Au début, la couette était froide, mais elle se réchauffa rapidement. Will me rejoignit et s'assit sur le plancher, le dos appuyé contre le lit. Je m'approchai lentement de lui afin de pouvoir déposer ma tête près de son visage. Il sentait encore merveilleusement bon malgré qu'il ait assisté à la fête toute la soirée. Je supposai que je ne m'en étais pas aussi bien tirée.

Il lâcha une longue et lente inspiration et posa sa tête sur le bord du lit.

— Merci, murmurai-je. De rester.

— Je ferai tout ce que tu me demanderas, dit-il.

Je gloussai.

— Tu ferais mieux de ne pas dire ça. Je pourrais te demander de faire des trucs pas mal fous.

— Ce n'est pas comme si tu ne l'avais pas fait par le passé.

J'étais assez intriguée pour oublier, ou presque, mes pensées de Landon et Kate en train de se coller de l'autre côté du mur. Presque. Il fallait que je pense à autre chose avant de perdre l'esprit.

— Distrais-moi.

— Quoi?

— Je suis désespérée. Distrais-moi.

— Comment?

— Quelle est la chose la plus folle que je t'ai demandée de faire?

Il réfléchit un moment.

— Ce n'est peut-être pas la plus folle, mais une fois, nous avons pourchassé un faucheur et il a sauté en bas d'un pont. Tu m'as demandé de suivre le même chemin pendant que tu courais en bas de la rivière.

Je ris.

— Pas possible. Je t'ai demandé de sauter en bas d'un pont?

— Nous le voulions assez désespérément, celui-là, dit-il.

— Me raconterais-tu l'histoire?

— Parce que tu me l'as demandé, je vais le faire. C'était dans les années 1880, au Texas. Un faucheur terrorisait une petite ville. Il avait un goût pour les enfants.

Mon estomac se retourna.

— C'est atroce.

Il hocha la tête.

— Les habitants du coin pensaient que c'étaient seulement des coyotes qui traînaient les enfants dans la nuit ou la tribu kiowa à proximité qui les kidnappait pour en faire des esclaves, ou une autre bêtise de ce genre, mais nous étions plus avisés quand nous avons suivi la piste. La première nuit où nous sommes arrivés en ville, tu as décidé de servir d'appât. J'ai essayé de t'en dissuader, mais tu étais décidée à l'attraper avant qu'il ne blesse d'autres enfants. Tu as revêtu une robe de petite fille et attendu à la limite de la ville en faisant semblant de jouer avec une poupée. C'était l'une des soirées les plus sombres dont je me souvienne. C'était une nuit sans lune et la ville n'avait pas encore l'électricité, de sorte que nous ne disposions que d'une poignée d'étoiles pour éclairer notre route.

Pendant qu'il parlait, je me surpris à imaginer la scène dans ma tête, comme si j'y étais. Est-ce que je m'en souvenais ? Je m'efforçai de me rappeler pendant qu'il narrait l'histoire, et de brèves visions traversèrent mon esprit. Je savais qu'elles devaient être réelles.

— Le faucheur ne mit pas longtemps à se montrer, mais tu as agi comme s'il n'était pas là. Je ne t'avais jamais vue te comporter avec autant de calme auparavant. Quand il s'aperçut que tu étais le Preliator, je quittai ma cachette en courant, balançant mon épée. Je n'ai pas réussi à lui assener un coup solide avant qu'il s'enfuie dans l'obscurité. Nous l'avons pourchassé, le suivant à travers la forêt jusqu'au bout d'un champ. C'était un faucheur canidé, de sorte qu'il était rapide et plus agile que nous. Quand il a atteint la rivière au-delà des arbres, il a couru sur le pont et il a sauté. Il s'est laissé emporter par la rivière. J'imagine qu'il a pensé qu'il pouvait nous semer dans l'eau. Tu m'as crié de sauter moi aussi et tu as couru le long de la rivière au cas où il en sortirait. J'ai nagé aussi vite que possible, et quand je l'ai enfin rattrapé, il a combattu avec force. Il m'a déchiré la peau, mais il se battait avec tellement d'énergie qu'il a arrêté de prêter attention à toi et c'est là que tu as sauté dans la rivière. Nous l'avons eu ce soir-là.

— Ouah, fut tout ce que je pus dire.

— Cela fut toute une nuit, dit-il. Tu as été géniale.

— On dirait que toi, tu as été génial.

Il secoua la tête.

— Tu m'as toujours ébahi. Ta force m'a gardé auprès de toi et c'est pour cela que je te suis.

Je souris.

— J'aimerais m'en souvenir.

— Ça viendra, insista-t-il. Je n'arrête pas de te le dire parce que c'est vrai. Il y a beaucoup de choses que j'aimerais que tu oublies, mais tout cela forme ta personnalité. Je n'ai jamais connu personne d'autre qui a vu autant de tragédies innommables dans sa vie et pourtant, tu es encore plus humaine que tout le reste du monde.

— Tu sembles tellement triste, remarquai-je.

— Je le suis.

Il ne donna pas de détails.

Mes doigts s'entremêlèrent dans ses cheveux et il s'appuya en arrière contre ma main, tournant son visage afin que ses yeux regardent dans les miens.

— Ne le sois pas. Je suis désolée.

— Il n'y a aucune raison de t'excuser, dit-il. Peu importe le nombre de fois où je te dis à quel point je suis désolé, il ne compensera jamais toutes les fois où j'ai manqué à mon devoir envers toi et que je t'ai laissée mourir.

— Will…

Il me regarda farouchement dans les yeux.

— J'étais sincère quand je t'ai dit que je n'ai jamais manqué à une promesse envers toi. Tu survivras à Bastian, je le jure.

— Je te crois.

Il resta assis sans bouger et en silence un certain temps. Je reposai ma tête sur le lit et je l'observai. Il paraissait profondément plongé dans ses pensées et cela me brisait le cœur de le voir aussi tourmenté.

— J'ai une question sur les Grigori, dis-je, cherchant désespérément un sujet qui le distrairait de ce qui le dérangeait. Certains d'entre eux n'ont-ils pas eu des enfants avec des humains?

Il hocha la tête.

— Les Grigori n'étaient pas entièrement mauvais comme les déchus l'étaient lorsqu'ils se sont rebellés contre le Paradis, mais le fait d'être liés à la terre comme punition les a amenés d'une manière ou d'une autre à développer des désirs et des émotions humaines. Au lieu de surveiller en silence le monde humain comme ils étaient censés le faire, ils ont couché avec des mortelles et engendré de puissantes créatures mi-humaines, mi-angéliques, appelées «néphilims».

— Pourrais-je être l'une de ces créatures? demandai-je. Je suis mortelle, mais j'utilise la puissance du feu d'ange.

— Non, dit-il doucement. Les néphilims étaient des monstres. Ils avaient été conçus par un esprit déchu et rien de bon n'est sorti d'eux. Ils étaient énormes et violents, plus monstrueux que le plus effrayant des faucheurs. Dieu a inondé la terre pour les détruire et Il a rendu les Grigori infertiles afin qu'aucune abomination ne soit créée à l'avenir. Une poignée de néphilims ont peut-être survécu, mais je n'en ai jamais vu. Il n'est pas possible que tu sois l'un d'eux. Tu mesurerais plus de trois mètres et tu chercherais la bagarre à tous les coins de rue.

— Ils semblent cruels.

— Ils l'étaient, dit-il. Assez pour que Dieu inonde le monde pour les tuer tous. Il a fait cela une fois seulement et tu connais maintenant toutes les choses atroces qu'il y a en ce monde. Il était plutôt désespéré.

Je ne pouvais pas imaginer de monstres plus terribles que les faucheurs que j'avais vus. Cela me porta à me demander à quoi ressemblaient les déchus et à m'interroger sur la vérité derrière Lucifer, Samaël et Lilith.

— Pourquoi Lucifer s'est-il rebellé? Pourquoi prendrait-il un risque comme une guerre contre le Paradis?

— Je ne pense pas que je sois qualifié pour répondre à cela.

— Mais qu'en penses-tu? m'enquis-je. Je suis certaine que tu as une théorie.

Il ferma les yeux pendant que je faisais encore une fois glisser ma main sur ses cheveux.

— L'amour, je crois.

— L'amour?

J'émis un petit rire.

— Je pensais que Lucifer était maléfique. Il ne peut rien aimer.

— Il a aimé, dit Will en me regardant de nouveau. Il a beaucoup aimé Dieu, mais il n'est pas censé éprouver de l'amour. Dieu oui, par contre, et il aime les humains plus que tout. Un ange n'est pas censé ressentir de la jalousie non plus, mais c'était le cas de Lucifer. Il était jaloux des humains parce que Dieu les aimait davantage. Il s'est rebellé. Et il a perdu.

— Cela me paraît étrange, mais je me sens un peu mal pour lui.

— L'amour est beau, mais c'est une chose terrible, dit-il. On doit être prudent avec lui. Il peut vous détruire. C'est pourquoi les anges ne sont pas censés ressentir des émotions. Ils doivent être infaillibles et ne douter de rien.

— Cela me semble difficile comme boulot. Ça doit être nul de devoir être parfait.

Il sourit.

— C'est une bonne chose que nous n'y soyons pas obligés.

Je tirai les couvertures jusqu'à mon menton et gardai le silence un petit moment. Son visage se trouvait tellement proche du mien que je pouvais goûter son haleine. Je me demandai comment ce serait de l'embrasser.

— Merci de m'avoir accompagnée ce soir.

— Pas de quoi.

— Et d'être resté avec moi. Merci encore.

— N'importe quoi pour toi, Ellie.

Je souris, mais ses mots altruistes me brisèrent le cœur. Il était pleinement sincère et j'avais confiance en son serment.

— Je me sens toujours mieux lorsque tu es près de moi.

Il observa mon visage quelques instants pendant que son expression prenait un air paisible.

— Tu devrais essayer de dormir.

Je hochai la tête.

— Ouais. Seras-tu ici à mon réveil ?

— Je ne quitterai pas la chambre.

Mes yeux se fermèrent.

— Merci.

La vir s'enflamma brusquement alors que sa tête s'arrachait de ses épaules en pivotant. Des cendres se déposèrent autour de moi et s'accrochèrent à ma chevelure et aux plis épais de mes jupes autour de mes jambes. Je lâchai mes épées et lorsque le feu d'ange mourut, la rue citadine redevint sombre. Will cria mon nom pendant qu'il en finissait avec l'autre faucheur, son corps se transformant en pierre et s'écroulant sur le sol. La douleur dans mon abdomen engourdissait mon esprit et ma gorge n'arrêtait pas de se remplir de sang. Je m'étouffai et retirai ma main de sur mon ventre pour voir l'ampleur des dommages causés par la faucheuse lorsqu'elle m'avait poignardée. Le tissu était déchiré et il y avait trop de sang pour que je voie ma peau. Je fermai les yeux très fortement alors qu'une autre violente vague de douleur me traversait. Je trébuchai, en proie au vertige, pendant que Will m'appelait de nouveau.

Il me toucha l'épaule et je serrai les dents de douleur. Chaque centimètre de mon corps était douloureux et le froid m'envahit d'un coup en partant de la plaie dans mon ventre.

— Tu as été formidable, dit-il avec un doux sourire alors qu'il retenait son souffle.

Une entaille sur son cou se refermait lentement. Je levai la main pour le toucher, pour le toucher lui, parce que je savais que ce serait ma dernière occasion. Son sourire s'évanouit comme s'il avait lu dans mon esprit.

— Qu'est-ce qui ne va pas ?

Je me mordis la lèvre pour m'empêcher de grimacer au moment où quelque chose éclatait en moi, essayant en vain de guérir.

— Je vais bien.

Les yeux de Will brillèrent vivement pendant qu'il prenait mon visage en coupe entre ses deux mains, lissant mes cheveux en arrière, examinant les dommages. Il savait. Il n'avait pas encore trouvé la blessure, mais il savait qu'elle était là.

— Tu es blessée. Où ? Je t'en prie, laisse-moi t'aider. Où est la blessure ?

Alors que son cœur se brisait devant moi, des larmes glissèrent sur mes joues et je m'écartai, refusant de le laisser regarder. Je ne voulais pas qu'elle soit réelle pour lui. Pas encore une fois. Le mouvement brusque me fit crier à voix haute et plier en deux. Will hurla mon nom et se jeta à mes côtés, lançant son épée plus loin et m'attirant près de lui au moment où mes genoux touchaient le sol. Le rouge trempait ma robe et formait une flaque autour de moi, assombrissant le sol en le mouillant, obscur comme un trou menant aux Enfers.

Will m'attira contre son torse, me soutenant délicatement. Il écarta le corsage déchiré de ma robe pour examiner la plaie. Je fixai son visage lorsqu'il vit l'étendue des dommages et ferma les paupières, aspirant sa lèvre supérieure et serrant la mâchoire. Il prit une profonde inspiration et leva les yeux vers mon visage, coinçant mes cheveux emmêlés derrière mon oreille et caressant tendrement ma joue avec son pouce. Il ouvrit la bouche pour dire quelque chose, mais il la referma. Il n'allait pas me mentir et me dire que j'irais bien. Il ne me mentait jamais. Il se pencha sur moi et pressa son front contre le mien, son corps frissonnant d'une douleur différente de la mienne.

— Will, dis-je dans un souffle.

C'était douloureux de parler et je pouvais à peine le regarder, mais je devais faire les deux. Pour lui. J'observai son visage, la couleur de ses yeux, semblable à un joyau, la courbe de ses lèvres, mémorisant chaque partie de lui.

— Je suis désolée.

Il s'écarta et secoua la tête. Son pouce dessina délicatement ma lèvre inférieure.

— *Ne sois désolée pour rien. Jamais.*

— *Je te reviendrai, promis-je.*

Il hocha la tête, des larmes s'accumulant dans ses yeux.

— *Je le sais. Et je t'attendrai. Je t'attendrai toujours.*

Je m'éveillai, agrippée à mes draps. Je les libérai et me redressai, essayant désespérément de me rappeler le cauchemar que je venais de faire. Je me touchai le ventre et fus soulagée de le découvrir lisse et indemne. J'avais presque l'impression que Will me touchait encore et la peau picotait là où je me souvenais qu'il l'avait fait. Dans mon rêve, il croyait que j'allais mourir, mais je n'étais pas certaine d'être morte, en fin de compte. Cette partie n'était pas dans mon rêve.

Était-ce un souvenir ou simplement un rêve ? Je n'étais plus capable de faire la différence, à présent.

Dans le monde réel, Will se tenait debout, dos à moi, regardant par la fenêtre. Quand les couvertures bruissèrent, il se tourna vers moi. Je rougis sans aucune raison quand je vis son visage. Le Will de mes rêves me fixait avec son beau sourire gentil et je mis un instant supplémentaire à distinguer la réalité de mon souvenir. Il me donnait l'impression d'être tellement loin et il était si proche de moi quelques moments plus tôt, dans mon rêve.

— Comment a été ton sommeil ? demanda-t-il.

Il s'appuya contre le mur et croisa les bras sur son torse. J'étirai les bras très haut.

— J'ai rêvé de toi.

— J'espère que ce n'était pas gênant.

— Non, dis-je. Mais ce n'était pas non plus un beau rêve.

Son regard erra un moment et il ne dit rien.

— Penses-tu que c'était un souvenir? demandai-je.

— C'est possible, dit-il. Que s'y passait-il?

Je le lui expliquai : la bataille avec les faucheurs et moi allongée dans la rue, mais je laissai de côté les détails intimes. Il garda une expression neutre et il hocha la tête quelques fois.

— Était-ce réel? demandai-je.

— Oui, dit-il. C'était à New York, juste avant le début de la Guerre civile. Je suis content que ta mémoire te revienne, mais j'aurai aimé que tu te rappelles autre chose.

— Suis-je morte? murmurai-je.

Son regard plongé dans le mien était intense et il ne dit rien. C'était inutile. Son visage me révéla ce qu'il ne dit pas à voix haute.

— Au moins, tu te rappelles, dit-il doucement. Nous pouvons nous montrer reconnaissants de cela.

— C'est vrai, dis-je, même si je n'en étais pas aussi sûre.

Autant j'avais très envie d'en apprendre davantage sur mon passé, autant j'avais peur de découvrir d'autres choses aussi — surtout sur la mort, le désespoir et les coins sinistres du globe. Je priai que ces souvenirs-là ne me reviendraient pas parce que je sentais au fond de moi que certaines choses étaient trop effrayantes à se rappeler.

25

Novembre fut morose. Kate et Landon ne mentionnèrent jamais l'incident de la salle de bain du soir de l'Halloween et il n'était pas question pour moi de leur demander des détails. S'ils ne voulaient pas en parler, alors ça me convenait. Au moins, Landon ne semblait plus intéressé par moi, finalement, de sorte que je n'avais pas à m'inquiéter de lui donner de faux espoirs ou de le blesser dans ses sentiments.

Une nuit, après une rude séance d'entraînement, je m'installai à un bureau bancal dans l'une des vieilles pièces de notre entrepôt, parcourant une pile de devoirs, pendant que Will était sereinement assis sur une chaise brisée en face du bureau. Essayer de ne pas échouer à l'école tout en intégrant la chasse aux faucheurs devenait de plus en plus difficile à équilibrer. Ce n'était pas la première fois que je devais apporter des devoirs à l'une de nos séances d'entraînement. Nous boxions, je remplissais une feuille de vocabulaire ou autre chose du genre, puis nous reprenions la boxe. J'allais en perdre la tête.

— Tu sais, si tu es pour regarder par-dessus mon épaule, tu ferais aussi bien de m'aider, grommelai-je. Je dis à tout le monde que tu es mon tuteur. Rends-toi utile et enseigne-moi.

— Je me rends utile, répondit-il. J'écoute. Et d'ailleurs, je ne connais pas du tout la signification de tout cela.

Je maugréai.

— Ce n'est même pas une matière avancée. Je suis dans les cours de physique pour élèves idiots.

— Tu n'es pas idiote.

— Je le suis en physique.

Il cligna des yeux.

— J'ignore ces trucs et je ne suis pas idiot.

— D'accord, eh bien, nous sommes tous les deux sans éducation en ce qui concerne la physique, dis-je. Content ?

— Mais tu apprends.

— Ouais, c'est parce que je ne suis pas instruite.

— Cela ne veut pas dire que tu es idiote.

Je ressentis une forte envie de le frapper. Le regard sincère de perplexité sur son visage m'empêcha de le faire, bien que je fusse encore douloureusement tentée. Peut-être que si je lui donnais seulement un petit coup entre les deux yeux ou quelque chose du genre...

— Je suis désolé, dit-il en se levant. Je t'envahis. Je vais t'attendre dehors.

— Tu n'es pas obligé de partir.

— Non, je le devrais. Je ne resterai pas loin.

Il me quitta, ainsi que la pièce, en silence.

Dès qu'il fut sorti, je désirai son retour. Je me surpris à fixer sa chaise vide et à ressentir son absence. J'avais résolu — ou du moins, je l'espérais — une poignée supplémentaire de problèmes dans mon devoir quand je crus entendre de la musique. Elle était très basse, mais assez forte pour susciter mon intérêt. D'où venait-elle?

Je me levai et suivis le son à travers les couloirs délabrés, mais alors que je me glissais sous la lumière tombante, le monde s'effaça encore une fois et je ne pus que me dire à moi-même «pas encore». Je m'appuyai contre le mur, me pressant sur la peinture écaillée, sentant qu'elle m'égratignait la peau — n'importe quoi pour empêcher mon esprit de tomber dans une époque plus sinistre. Toutefois, pendant que l'univers changeait autour de moi, mon visage se crispa et se serra jusqu'à ce que je ne puisse plus bouger, mais je ne ressentais pas la peur, seulement la colère.

Quelque chose luisit soudainement devant moi, si vivement que je dus détourner le regard. Le dernier faucheur venait d'exploser en flammes. Ma peau et mes vêtements étaient éclaboussés de sang, mais au moins, je portais un pantalon d'homme au lieu des détestables jupes épaisses que j'étais censée mettre en tant que jeune femme parmi les humains. Sans aucun autre ennemi devant moi, je descendis plus bas dans le château, me déplaçant dans les Ténèbres, à travers les couloirs de pierre sinueux éclairés uniquement par mon feu d'ange. Mes épées enflammées se substituaient parfaitement aux torches.

Je marquai une pause, fouillant avec mon esprit et localisant une énergie à proximité. Elle grossit, mourut et grossit encore. Cependant, il n'y avait qu'une seule empreinte qui flamboyait et non plusieurs, de sorte qu'une bagarre ne pouvait pas être en cours. Je la suivis en haut d'une volée de marches et à travers une porte plus haute que la plupart des autres que j'avais traversées dans ce lieu.

Entrant avec précaution dans la vaste pièce, je tins mes épées prêtes pour le combat. Pendant un moment, je crus avoir eu tort.

Dans la salle, il y avait trois virs, qui se tournèrent pour me regarder et me reconnurent instantanément. Ils m'attaquèrent, les ailes, les griffes et les dents mordant et frappant. Je virevoltai et pivotai, me baissant vivement sous les éclairs de pouvoir enfumés et l'odeur étourdissante du soufre. Je m'en débarrassai en quelques secondes, mes bras douloureux d'avoir manié mes épées. Je survolai la pièce du regard une deuxième fois pour m'assurer que je les avais tous vaincus.

Au lieu de tomber sur une autre bataille, je découvris un quatrième vir enchaîné. Ses bras étaient écartés et levés au-dessus de sa tête, ses poignets entravés par des fers au mur. Son pouvoir prit de l'expansion et il tira sur ses chaînes, mais même à cette distance, je pouvais dire que les chaînes étaient fabriquées en argent et qu'elles l'affaiblissaient. Après une seconde tentative pour recouvrer sa liberté, sa force diminua et il s'abandonna contre ses liens.

Alors que je m'approchais de lui, il baissa les yeux vers moi et je profitai d'une bonne vue sur son visage pour la première fois. Il était, faute d'un meilleur mot, beau. Ses cheveux étaient foncés, d'une teinte riche comme le bois de noyer poli, et ses traits étaient séduisants, acérés et avides. Ses lèvres étaient sculptées comme celles des statues de marbre de la Rome antique et ses yeux étaient d'un vert brillant et cristallin — les yeux inhumains caractéristiques d'un faucheur. Mais était-il démoniaque ou bien angélique ?

Il fixa mes épées enflammées, puis mon visage, bouche bée sous l'effet du choc et de l'admiration. Ce faucheur m'était inconnu et je ne l'avais jamais croisé, comme me le prouvait la surprise sur son visage. Il ne m'avait jamais vue non plus, mais il savait exactement qui j'étais. Il leva la tête dans un vaillant effort pour ne pas avoir l'air vaincu et faible.

— Je sais qui tu es, dit-il en anglais.

Sa voix était faible et forcée, cassée, mais je reconnus son accent écossais. — S'ils m'avaient pris mes yeux, je saurais quand même qui tu es. Ne me tue pas.

— Mais je ne sais pas ce que tu es, toi, dis-je, inclinant ma tête levée vers lui.

Son élégante chemise blanche était déchirée et tachée de sang, et son haut-de-chausse ne s'en était pas mieux sorti. Il était vêtu comme un noble et avec son visage séduisant et sa chevelure propre attachée en arrière grâce à un ruban, cela ne m'aurait pas surprise d'apprendre qu'il s'agissait d'un aristocrate. Il y avait de nombreux faucheurs d'une richesse monstrueuse qui assumaient des postes de pouvoir partout en Europe.

Son expression se durcit.

— Je ne suis pas ce que tu crois que je suis.

— Non ? demandai-je en l'évaluant. Tu es un faucheur et on t'a foutu une raclée. Qu'as-tu fait pour la mériter ?

Un sourire incurva ses lèvres.

— Les démons ne m'aiment pas beaucoup puisque je tue tous ceux que je débusque. Ils m'ont finalement rattrapé, comme tu peux le constater.

Je ne trouvai pas sa remarque amusante.

— Tu as quoi ? Un siècle seulement ? Tu n'as pas ce type de force.

— Appelle ça un don.

Je l'examinai un moment. Ses yeux brillèrent tandis qu'il tentait à nouveau de briser ses chaînes.

— Tu as été pris, tu ne peux donc pas être si fort.

— On m'a tendu une embuscade, dit-il à travers une violente toux. Et tu peux bien parler. Tu es aussi bien reconnue pour tes propres morts que pour tes victoires.

Son attitude commençait à m'agacer.

— Dois-je te rappeler que tu es à ma merci en ce moment?

— Tu ne détruis pas les faucheurs angéliques. Me tuer te discréditerait.

— Je n'ai aucune raison de croire que tu n'es pas démoniaque, dis-je. Et si tu étais un traître envers ton maître? Tu t'es peut-être rebellé contre lui pour délimiter ton propre territoire. Pour cela, tu serais sévèrement puni. Je comprends la politique de ton espèce.

— Je ne suis un traître pour personne, gronda-t-il. Je ne fais que mon devoir, comme les faucheurs angéliques y sont tenus. Si tu ne me crois pas, alors pose ta flamme sur ma chair. Elle ne me blessera pas.

S'il était vraiment démoniaque, alors il était brave. Mais s'il disait la vérité... Je soutins son regard pendant plusieurs battements de cœur jusqu'à ce que je lève finalement mon épée, la lame d'argent avalée par le feu d'ange. Je me servis de la pointe pour écarter plus largement le col de sa chemise, exposant son torse nu. Je plongeai mon regard dans le sien. Il me fixa fermement sans peur pendant que la lumière du feu d'ange dansait sur ses traits. Peu importe ce qu'il était, je l'admirais. Je dessinai une ligne de sang sur son torse avec la lame alors que le feu lui léchait la peau et sa mâchoire se serra, dure comme la pierre, à cause de la douleur. Je reculai et examinai la plaie. Comme il l'avait promis, le feu d'ange ne lui causa aucune blessure.

— Je te l'avais dit, dit-il avec un sourire sinistre.

Sa plaie se referma, abandonnant seulement une traînée de sang derrière elle.

— Je peux encore te laisser enchaîné.

— Si tu coupes mes liens, dit-il, je peux t'aider. Nous chassons tous les deux les démons.

— Je n'ai pas besoin de ton aide.

— *Tu ne veux pas que quelqu'un surveille tes arrières ?*

— *Je peux le faire toute seule.*

— *Bien sûr que tu le peux.*

Son beau sourire s'élargit.

— *Alors, tourne-toi, ajouta-t-il.*

Dès qu'il eut dit cela, je sentis une énergie éclater derrière moi. Je me retournai et balançai mes épées, décapitant une faucheuse qui avait plongé sur moi dans mon dos. Elle s'enflamma et je revins vers le faucheur angélique.

— *Tu vois ? Je suis utile.*

Je lui lançai un regard furieux. Puis, je repris mes épées et coupai ses chaînes. Il s'affaissa sur le sol et s'affala contre le mur, haletant de douleur.

— *Comment t'appelles-tu ? demandai-je.*

— *Appelle-moi Will, tout simplement.*

Je plongeai mon regard dans ses yeux verts au moment où il se remettait difficilement debout.

— *Je ne veux plus jamais revoir ton visage, Will.*

Je lui tournai le dos et perçus de nouveau la musique. Je fermai les yeux, centrant toute mon attention sur le son délicat, jusqu'à ce que je n'entendisse que lui.

Quand j'ouvris de nouveau les yeux, j'étais revenue dans le vieil entrepôt croulant. Je soupirai de soulagement. Un voile de chaleur tomba sur moi au moment où je m'aperçus que je venais de me rappeler la première fois où j'avais rencontré Will. Je me souris à moi-même, me remémorant mon agacement devant sa langue acérée. Puis, je me souvins qu'en septembre, il s'était présenté à moi exactement de la même manière que lorsque je l'avais rencontré cinq cents ans auparavant :

« Appelle-moi Will, tout simplement. »

J'écoutai encore une fois la musique et la suivis jusqu'à l'extérieur de la salle d'entreposage principale du bâtiment. D'une poussée, j'entrebâillai la lourde porte, laissant la douce musique inonder mes oreilles et le couloir derrière moi, et je jetai un petit coup d'œil discret à travers l'ouverture.

Will était assis sur une chaise contre un mur avec une guitare acoustique entre les mains. J'observai la manière dont ses mains bougeaient rapidement, fluides et précises comme les ondulations sur l'eau, les muscles de ses bras tendus et définis. La façon dont sa tête oscillait et dont son pied battait le rythme sur le plancher me captiva. Je reconnus la chanson, même si j'étais incapable de la replacer tout à fait. Cependant, le nom de la chanson importait peu. J'étais charmée. C'était assez attirant de le regarder jouer. Attirant et beau, comme tous les autres aspects de sa personne.

Tandis que je l'écoutais et le regardais, je savais qu'il était parfaitement conscient de ma présence, comme je l'étais de la sienne, bien qu'il conservât le rythme de manière infaillible. Je savais qu'il pouvait sentir chaque centimètre de ma peau à l'autre bout de la pièce, comme moi pour lui, ressentant chaque brin du lien puissant que nous partagions depuis plusieurs siècles. À ce moment-là, mes lèvres s'engourdirent et quelque chose de délicieusement chaud remua dans ma poitrine. À cet instant précis, je sus que j'étais incontestablement amoureuse de lui.

Je pris une inspiration pour me donner du courage et poussai la porte pour l'ouvrir au complet afin de pouvoir entrer. Je croisai les bras sur ma poitrine en me glissant vers lui, souriant comme si rien n'avait changé en moi. Il ne s'arrêta pas de jouer pendant que je m'approchais, mais il leva les yeux sur moi et fit un grand sourire, transformant mes entrailles en bouillie. Ce sourire entendu était le même sourire dont il m'avait gratifiée le soir où je l'avais rencontré, cinq cents ans plus tôt.

— J'imagine que je suis chanceuse, alors, dis-je, me rappelant ce qu'il m'avait dit à propos de cette facette de lui-même.

Il ne rata pas un accord.

— J'imagine que tu l'es.

Je n'ajoutai rien jusqu'à ce qu'il eût terminé et je l'applaudis.

— Qu'est-ce que c'était?

— Journey, dit-il. L'une de mes préférées, *Wheel in the Sky*.

— C'était vraiment bon. Où t'es-tu procuré la guitare?

— Je garde certains de mes effets ici. La majorité est chez Nathaniel.

J'imaginai quelles autres choses il pouvait avoir conservées au fil des ans et j'eus très envie de les voir, juste pour en apprendre un peu plus sur lui.

— Pourquoi ne joues-tu pas plus souvent? demandai-je.

Il haussa les épaules et mit la guitare de côté.

— J'ai d'autres choses en tête, j'imagine.

— Chantes-tu aussi?

Il rit et secoua la tête.

— Non. Le chant ne fait pas partie de mes talents.

— C'est dommage, dis-je en mâchouillant ma lèvre, rassemblant le courage de lui parler de mon retour en arrière. Will, au moment où je quittais le bureau, je me suis souvenue de quelque chose. C'était le soir où je t'ai rencontré, quand j'ai coupé tes chaînes, il y a des siècles de cela. Même à l'époque, tu étais un petit malin.

— Je ne le nie pas.

— Comment t'étais-tu fait capturer ? demandai-je.

Son regard s'attarda sur mon visage un certain temps.

— Je chassais les faucheurs démoniaques avec Nathaniel. Nous avons été séparés et moi, piégé. Ils m'ont torturé et interrogé pour découvrir ce que je savais à propos des autres faucheurs angéliques, mais je ne savais rien. Je jouais les agents solos avec Nathaniel. Nous ne savions pas ce que nous faisions à cette époque. Et ensuite, tu es arrivée.

Son expression s'adoucit au moment où il me regarda, une expression distante et pleine d'envie dans ses yeux.

— Tu étais comme l'ange guerrier que j'avais vu sur le vitrail d'une cathédrale. J'ai su qui tu étais dès que je t'ai vue parce que j'avais entendu parler de toi. Comme tout le monde. Et tu m'as libéré.

— Mais je t'avais dit de me laisser tranquille, dis-je. Qu'est-ce qui t'a poussé à essayer encore ?

— Cette même nuit, un ange m'est apparu, avoua-t-il. Je ne connais pas son nom ni pourquoi il m'est apparu à moi, mais il m'a dit que ton destin et le mien étaient liés. Il a dit que je devais te protéger parce que tu étais la chose la plus sacrée de toutes. Ma destinée était de devenir ton Gardien, à la suite d'une longue lignée de Gardiens : j'étais l'élu. Il m'a donné mon épée et le pouvoir de te réveiller, afin que tu puisses devenir le Preliator à chaque réincarnation. Il m'a donné un but, un genre de détermination dans mon immortalité, un objectif. Tu m'as donné un sens.

Je lui fis un sourire et il me le rendit. J'étais très reconnaissante qu'il soit devenu mon Gardien. Me souvenir de
cet épisode dans l'ancienne Égypte me porta à souhaiter ne
plus jamais connaître la vie sans lui. J'avais ressenti la perte
de mes Gardiens précédents, mais pour protéger ma vie, je
ne faisais confiance à personne autant qu'à Will. Sans lui,
je ne pensais pas pouvoir remplir ma mission de destruction des faucheurs démoniaques.

Mon téléphone sonna, brisant le silence entre nous.

— C'est Nathaniel.

Je portai l'appareil à mon oreille.

— Ellie, dit Nathaniel avant que je puisse parler. Où
êtes-vous ?

— À l'entrepôt. Qu'est-ce qui se passe ?

— Ne partez pas. Je viens vous rejoindre.

Il raccrocha. L'urgence dans sa voix fit battre mon cœur.
Mes yeux rencontrèrent ceux de Will.

26

Tendus par l'appréhension, nous attendîmes l'arrivée de Nathaniel. Quand il roula enfin dans l'allée et se gara derrière ma voiture, lui et Lauren, la médium que j'avais rencontrée la première fois que j'avais vu Nathaniel, descendirent et nous dépassèrent pour pénétrer directement dans l'entrepôt. Nathaniel agita la main pour nous faire signe de les suivre dans la salle où nous conservions le sarcophage. Dès que j'entrai, je sentis le bourdonnement effrayant et familier de l'Enshi. Nathaniel et Lauren se tenaient debout à côté du sarcophage.

— Ravie de te revoir, Ellie, dit Lauren.

— Même chose pour moi, répondis-je avec un sourire. Quoi de neuf, Nathaniel?

— J'ai compris le langage sur le sarcophage, dit-il.

Will s'égaya.

— Et?

— L'écriture est en effet une forme archaïque du cunéiforme, dit Nathaniel avec excitation. Cependant, c'est plus vieux que de l'ancien assyrien, plus vieux même que le style akkadien.

Je fixai la boîte, ma tête se remplissant d'épais nuages, m'empêchant de bien réfléchir.

— Ancien à quel point précisément?

— Environ cinq mille ans.

Mes yeux sortirent de leurs orbites. Will remua à côté de moi, mal à l'aise. Je le regardai et son regard croisa le mien.

— Doux Jésus, murmurai-je.

— Non, intervint Nathaniel. Jésus n'est pas là-dedans.

Je clignai des yeux.

— Je ne…

Il sourit et me décocha un clin d'œil. Je supposai que c'était censé être une autre de ses étonnantes plaisanteries, mais elles n'étaient tout simplement pas drôles pour moi. J'émis un petit rire gêné pour lui faire plaisir. Son visage rayonna fièrement. Je jetai un coup d'œil à Will, qui se contenta de hausser les épaules et de secouer la tête. Il comprenait totalement.

Nathaniel redevint sérieux.

— Ce que je veux dire, c'est que l'Enshi a été enfermé dans ce sarcophage trois mille ans avant la naissance du Christ.

— Est-ce que ça dit ce qu'est l'Enshi? demanda Will.

Nathaniel répondit à moitié par un hochement de tête, à moitié par un haussement d'épaules.

— Oui et non. Ce ne sont que de mauvaises nouvelles, ce qui explique pourquoi j'ai emmené Lauren ici pour nous aider à découvrir ce qui se trouve à l'intérieur.

— Quel genre de mauvaises nouvelles? demandai-je.

— Eh bien, si tu examines attentivement le sarcophage, commença Nathaniel, caressant tendrement la boîte, tu remarqueras qu'il est joliment décoré. Les anciens

Mésopotamiens enterraient seulement les gens très importants de cette façon, de sorte que le corps à l'intérieur revêt à tout le moins ce type de grande importance. C'est la première mauvaise nouvelle. La seconde c'est — si tu voulais bien regarder ce symbole — que les inscriptions ici me disent que notre ami à l'intérieur est un véritable faucheur d'âmes.

— En anglais, s'il te plaît? demandai-je d'un ton morne.

Nathaniel me lança un drôle de regard.

— C'était de l'anglais.

— En américain, alors, dis-je. Rien de ce que tu as dit n'a le moindre sens pour moi.

L'épaule de Will frôla la mienne.

— Il veut dire un être qui peut faire tout ce qu'il veut avec les âmes plutôt que simplement les expédier aux Enfers.

— Pas possible, dis-je. Comme la Grande Faucheuse? La mort elle-même?

— C'est le nom qu'aiment lui donner les humains, dit Will. Est-ce possible que l'Enshi soit un ange, alors? Ou bien du rang d'un archange, peut-être?

Nathaniel hocha la tête.

— Oui. Dans le meilleur des cas, c'est un genre de faucheur super puissant qui peut envoyer les âmes aux Enfers ou au Paradis. C'est probablement ainsi qu'est née la légende de la Grande Faucheuse. Dans le pire des cas, notre ami endormi mange en fait des âmes, signifiant que l'âme est perdue à jamais. Pas d'enfer. Pas de Paradis.

— C'est affreux, dis-je.

L'expression de Will devint sombre.

— Et Ellie? Cela veut-il dire...

Nathaniel hocha la tête.

— Ouais, c'est ça.

Will lâcha une longue et douloureuse inspiration teintée de crainte.

Mon cœur se serra. J'examinai attentivement leurs visages.

— Que voulez-vous dire ? Qu'est-ce que ça veut dire pour moi ? Will ?

Il ferma les yeux.

— Cela veut dire que l'Enshi peut détruire ton âme. S'il le fait, c'en est fini de toi. Tu ne passeras pas dans un autre monde et tu ne renaîtras plus jamais. Tu disparaîtrais.

J'essayai de calmer mon cœur battant la chamade.

— Je ne reviendrais pas ?

Il hocha la tête une seule fois.

— Cela doit expliquer pourquoi Bastian le veut à ce point.

Ma bouche s'assécha instantanément. Je disparaîtrais ? Cela signifiait que je ne me réincarnerais plus jamais. Je n'irais jamais au Paradis. Je ne reverrais plus Will ou Nathaniel ou ma mère ou ma grand-mère. Il n'était pas question que je permette que ma fin se passe ainsi. L'enjeu était trop important, il restait trop de choses à accomplir pour que je meure et disparaisse. Je ne voulais pas disparaître.

— Alors, nous devons tuer cette chose avant qu'elle se réveille, dis-je dans un souffle.

— Nous ignorons comment, insista Will. Je ne veux pas faire quelque chose qui pourrait le réveiller.

— Ne pouvons-nous pas simplement le faire exploser ? m'enquis-je. Pas comme du maïs soufflé au four à micro-ondes, je veux dire avec une bombe.

J'écartai largement les mains et émis un son d'explosion pathétique.

— Une grosse bombe. Vous me semblez deux gars pleins de ressources, je suis certaine que vous pourriez vous en procurer une.

Nathaniel secoua la tête.

— Je n'ai pas accès aux armes nucléaires, malheureusement.

— Oh, j'ai une idée ! intervins-je. Et si nous l'enchaînions solidement et le lâchions au milieu de la mer ? Toute cette pression écraserait la boîte, non ?

Nathaniel haussa les épaules et cligna des yeux.

— En fait, ce n'est pas une mauvaise idée. Et je ne pense pas que des forces non magiques pourraient ressusciter l'Enshi.

— Où trouverions-nous le bateau pour le faire ? demanda Will.

— Je peux organiser cela, dit Nathaniel. Maintenant, Ellie, tu dois me rendre service. Tu sens ce qu'il y a à l'intérieur, non ?

Je hochai la tête, pas trop certaine d'aimer le nouveau tour de la conversation.

— Lauren aussi. Elle pratique la clairsentience, ce qui veut dire qu'elle est capable de savoir des choses en touchant les objets, et elle pourra dire s'il existe un lien entre toi et l'Enshi.

Je la regardai et elle hocha la tête.

— À quoi cela servira-t-il ?

— Je dois savoir ce que tu ressens, dit-elle, et non seulement ce que je sens se dégager du sarcophage.

Lauren avança vers moi et prit ma main. Elle m'attira vers la boîte et me fit signe de poser mes doigts sur le couvercle. Je m'écartai brusquement, craintive.

— Je pensais que je n'étais pas censée y toucher, dis-je en regardant nerveusement Will.

Son expression était calme, mais sérieuse.

— Y toucher, ça va, m'assura Lauren. Je dois provoquer une réaction et ce qu'il y a à l'intérieur t'aime... beaucoup. Alors, s'il te plaît, touches-y. Il ne mordra pas, je te le promets.

Son sourire ne m'aida pas à me sentir mieux. Avec hésitation, je frôlai le couvercle de mes doigts et sentis la réaction immédiatement. La voix dans ma tête devint plus forte pendant un moment et j'aurais juré l'avoir entendu haleter à mon contact. Le courant électrique vibra dans la pierre sous ma peau et je voulus m'éloigner, mais Lauren s'empara de ma main et la retint immobile.

— Que fais-tu ? demandai-je lorsqu'elle ne me lâcha pas. Je...

Je me tus en voyant le visage de Lauren. Sa bouche était grande ouverte et ses yeux avaient roulé dans leurs orbites pour ne laisser que le blanc vif. À ce moment-là, je tentai de me libérer en tirant d'un coup, mais sa poigne était aussi forte que celle d'un faucheur. La puissance s'échappa lentement du sarcophage, comme si elle suintait, et l'énergie rampa sur mes doigts et dans mon bras, et dans celui de Lauren. Son corps tressauta une fois et elle me relâcha. Elle recula en vacillant et je m'écartai d'un bond.

— Qu'est-ce que c'était ? demandai-je, posant une main sur ma poitrine pour calmer mon cœur qui battait la chamade.

Will m'attira près de lui d'un bras protecteur et prit ma main pour s'assurer que je n'étais pas blessée.

Lauren recula, puis s'appuya contre une colonne d'acier tordue, respirant lourdement. Ses yeux étaient revenus à la normale, mais je voyais qu'elle était pétrifiée par la peur.

— C'est mauvais, murmura-t-elle.

Will avança d'un pas et lâcha ma main.

— À quel point ? Qu'as-tu senti ?

— L'Enshi, dit Lauren dans un souffle. Je pouvais l'entendre crier là-dedans. Il remplissait ma tête de ses cris atroces. La présence du Preliator le rend fou. Ce simple toucher léger l'a plongé dans un état de frénésie.

— Une bonne frénésie ? m'enquis-je, espérant qu'il me craignait.

— Non, dit-elle en secouant lentement la tête. Il ne s'agissait pas de peur. Il te veut. Il a *besoin* de toi. Il crie ton nom et sa puissance est immense, comme un vide noir, un trou sans fond de mort et de désespoir. C'est tellement sombre, là-dedans, tellement obscur et affamé. Nathaniel, je n'ai jamais rien vu de pareil. Vous devez le détruire. Vous ne pouvez pas laisser l'Enshi se réveiller. Vous ne pouvez pas laisser Bastian s'en emparer.

Mon corps tremblait de peur. La terreur de Lauren était évidente pour nous tous. Je pouvais sentir l'Enshi là-dedans, mais pas de la même manière que Lauren.

— Sais-tu à quoi nous avons affaire ? s'enquit Will d'une voix sinistre.

— C'est vieux, dit-elle, les yeux figés sur le sarcophage. Plus vieux que Bastian, plus vieux que le Preliator, plus vieux que le sarcophage dans lequel il est coincé. Il est tellement vieux, il donne juste une impression de vide. Comme un trou noir.

— Est-ce un véritable faucheur d'âmes? demandai-je. Est-ce que ça, c'est vrai? Peut-il détruire mon âme?

— C'est possible, dit-elle. Ne le touche plus. Je crois que la présence d'Ellie pourrait suffire à le réveiller si elle restait trop longtemps près du sarcophage. Peut-être même que le toucher au mauvais endroit ferait l'affaire.

La perplexité m'envahit.

— Mais je pensais que tu avais dit que c'était sans danger de le toucher?

Ses yeux plongèrent brusquement dans les miens, et sa voix se fit tranchante et froide.

— Ne le touche pas.

Je hochai la tête. Il n'était pas question que je discute avec elle.

— Nous devons nous rendre dans les Caraïbes, déclara Nathaniel. Je pense que si nous partons en bateau de Puerto Rico, nous pourrons naviguer très loin au-delà de la fosse de Puerto Rico jusqu'à la fosse de Milwaukee. C'est la partie la plus profonde de l'océan Atlantique — presque aussi profonde que le mont Everest est haut. Si lâcher le sarcophage par-dessus bord ne l'écrase pas sous la pression au point de le démolir, alors au moins personne d'autre ne pourra plonger pour le récupérer.

— Le plan me semble bon, acquiesça Will.

Je levai la main.

— Heu, les gars, je ne peux pas partir une semaine dans les Caraïbes pendant l'école. Comment expliquerais-je cela à mes parents ?

Will fronça les sourcils.

— Ne peux-tu pas leur dire qu'il s'agit d'un voyage d'études ou un truc du genre ?

Je ris.

— Ouais, sans leur fournir aucune autre information ? Les voyages d'études exigent beaucoup de préparatifs. Je ne pense pas que je pourrai m'en sortir seulement en leur faisant signer un billet de permission.

— Le congé de l'Action de grâce est pour bientôt, non ? suggéra-t-il.

Éclair de génie.

— Exact. Ce serait parfait.

— Peut-on y aller en avion ? demanda Nathaniel. Partir mercredi soir et être de retour vendredi au plus tard ? Expédier le sarcophage sera coûteux, mais nous n'avons pas d'autre choix. Je devrai me procurer une fausse pièce d'identité pour Ellie, puisqu'elle est mineure. Je vais en fabriquer une pour toi aussi, Will. Je pense que tu auras besoin d'une place dans l'avion pour protéger Ellie au lieu de voyager dans les Ténèbres. Les faux ne seront pas un gros problème.

— Je préfère ce plan, dis-je. Je peux raconter à mes parents que j'accompagne Kate à sa maison sur le lac dans le nord pour l'Action de grâce.

— Je n'irai pas, dit Lauren. Je ne peux pas me défendre et je ne veux pas être un boulet.

— Cela vaut probablement mieux, acquiesça Nathaniel.

Will hocha fermement la tête.

— Nathaniel, peux-tu tout organiser?

Nathaniel fit signe que oui.

— Ouais. Je vais m'y mettre immédiatement. Nous devrions partir, Lauren.

— Je suis désolée de t'avoir perturbée, Ellie, dit Lauren. Il me fallait ressentir la même chose que toi. Tu es une fille courageuse.

— Je ne suis pas si sûre de ça, l'assurai-je avec un rire inquiet.

— Plus brave que moi.

Elle sourit.

Nathaniel et Lauren s'en allèrent et j'écoutai le son de leur voiture s'éloigner.

— Est-ce que ça va? demanda Will, posant une main légère sur mon épaule.

Je hochai la tête.

— Je vais survivre.

En vérité, j'étais terrifiée. J'ignorais comment tout cela se terminerait ou si cela finirait bien. J'étais assez convaincue de pouvoir mentir à mes parents à propos du voyage à Puerto Rico, tant qu'ils ne parlaient pas aux parents de Kate. Celle-ci confirmerait mon alibi au cas où ils la questionneraient. La partie mensonge me dérangeait. J'avais l'impression que tout ce qui sortait de ma bouche était un nouveau mensonge destiné à mes parents.

— Ouais, mais est-ce que tu vas bien? répéta-t-il.

Je levai les yeux vers lui et rencontrai son regard.

— J'ai une peur bleue. Cette chose me fait foutrement peur. Will, je ne veux pas finir juste comme ça. Je ne veux pas ne plus jamais revenir. Je commençais à me faire à l'idée que le Paradis et les anges existent véritablement. Je ne veux pas perdre mon âme!

— Ce truc disparaîtra bientôt, m'assura-t-il. Nous allons le jeter au milieu de l'océan et tout sera terminé.

— Pas tout à fait, dis-je. Même si nous détruisons l'Enshi, nous devrons encore faire avec Bastian et ses sbires, y compris Ragnuk. Je ne pense pas que je vais sortir vivante de cette situation.

Il me toucha doucement la joue.

— Hé, te souviens-tu de ce que je t'ai dit? J'ai promis de te protéger contre eux. Je ne suis pas sur le point de manquer à ma promesse envers toi.

Je souris.

— Je sais.

Soudainement, la porte d'entrée s'ouvrit dans un coup de vent et je me retournai brusquement au moment où elle s'écrasa sur le sol. Quelque chose d'invisible fonça dans l'embrasure de la porte, démolissant le cadre et les murs de chaque côté.

Ma surprise me fit bondir dans les Ténèbres, où je pus voir l'immense silhouette sombre de Ragnuk élargir l'entrée avec son corps afin qu'il puisse la franchir pesamment, tandis que des morceaux de brique s'effondraient à ses pattes. Il me fixa de ses yeux sombres et voraces. Sa langue pendait par-dessus sa mâchoire et des gouttes de salive coulaient sur le plancher. Il avait l'air à moitié fou de haine et de faim.

Instinctivement, je saisis mon collier ailé pour me réconforter et reculai vers Will, mais je ne pouvais pas quitter Ragnuk des yeux.

— À présent, je te tiens, Preliator! rugit le faucheur, me crachant son injure comme si le nom lui-même représentait quelque chose de dégoûtant. J'ai suivi ton odeur puante jusqu'ici. Cette fois, tu ne m'échapperas pas et nous ne serons pas dérangés. C'est la fin pour toi et j'emporte l'Enshi avec moi. Cela se termine ce soir!

27

Un frisson de peur me parcourut, mais je tins bon. Il plongea brusquement en avant, mais Will était juste là, devant moi. Au moment où Ragnuk bondit, Will l'esquiva et enfonça de toutes ses forces son épaule dans le poitrail de l'ursidé et le fit voler très haut par-dessus nos têtes. Ragnuk s'écrasa contre le mur derrière nous, faisant éclater d'autres briques. Il pivota soudainement et concentra son pouvoir vers le torse de Will, le propulsant en arrière jusqu'à ce qu'il frappe le mur du fond. Will hurla et tira faiblement sur son ventre. Mon cœur se serra. Un tuyau de fer ressortait de l'abdomen de Will, l'empalant avec brutalité.

— Will! criai-je d'une voix perçante en me précipitant vers lui.

Ragnuk se tourna vers moi, lent comme un serpent, une expression de victoire méchante sur son visage carré. Il disparut un instant et je sentis quelque chose de puissant me rentrer dans le corps et me renverser en arrière sur une colonne, faisant craquer mon dos.

— Ellie! rugit Will de l'autre côté de la salle.

Mes yeux s'embuèrent et je m'affaissai, étourdie, mais quand je levai les yeux, le visage sombre du faucheur se trouvait à quelques centimètres du mien.

— Réveille-toi, Belle au bois dormant, se moqua Ragnuk, son haleine chaude soufflant sur moi.

J'écrasai mon poing sur son nez aussi fort que possible et il vola loin de moi, battant violemment l'air de ses pattes. Il se remit debout tant bien que mal, secouant la tête et tonnant de rage. Je courus vers Will et m'arrêtai à côté de lui dans un glissement. Il tirait son corps en avant le long du tuyau, cherchant désespérément à se libérer. Je pris son visage en coupe dans mes deux mains et pressai mon front avec désespoir contre sa joue.

— Je vais te sortir de là, promis-je, haletante, mes mains courant sur la longueur du tuyau rougi. Je vais t'aider!

— Appelle tes épées, gémit-il. Vite.

Je hochai la tête et je les fis apparaître par ma volonté dans mes mains étonnamment stables.

Les yeux de Will s'arrondirent brusquement.

— Derrière toi!

Je me retournai à toute vitesse. Ragnuk bondit à travers la pièce sans me laisser le temps de réagir. Il donna un coup de patte vers moi et enroula ses griffes autour de ma jambe, puis me lança à l'autre bout de l'entrepôt, entraînant la chute de mes épées. Je m'écrasai dans une grosse caisse en bois sur laquelle s'empilaient des bouts de métaux et des boîtes de carton, me brisant le poignet. Je gémis en levant mon poignet cassé et cherchai mes armes.

— Laisse-la tranquille! tonna Will.

Je levai la tête et le vis se débattre encore pour se libérer du tuyau qui l'empalait. Ses mains étaient serrées autour du bout et il se tirait en avant avec le peu de force qu'il lui restait, un centimètre à la fois.

Le faucheur avança vers moi, la tête basse, ses yeux noirs fixant sur moi un regard affamé.

— Lève-toi, petite !

Je me relevai avec difficulté dans les débris, tenant délicatement mon poignet cassé, vacillant sous la douleur qui remontait vivement dans mon bras. Je pouvais sentir les os minuscules claquer et bouger sous ma peau, se remettant en place.

— Donc, nous voici, se moqua-t-il. À présent, Bastian s'en fout si tu meurs ou non. Ta mort n'est plus nécessaire, dit-il. Eh bien, ses ordres ne signifient plus rien pour moi. Je vais quand même te manger vivante.

— Ellie, ne l'écoute pas ! cria Will.

Ragnuk tourna sa tête vers Will.

— Ton Gardien ne sait pas quand il a perdu. Typique d'un vir.

Le faucheur marcha d'un pas sourd vers Will et le détailla du regard.

— Vous vous croyez tous des dieux, tempêtant et aboyant des ordres. Vous ne valez pas mieux que les humains. Vous leur ressemblez parfaitement.

Il cracha sur le sol aux pieds de Will.

— Pour la plus grande partie.

Ragnuk leva une patte griffue vers la joue de Will et y traça une ligne de sang rouge. La coupure guérit instantanément. La griffe était assez longue pour transpercer le crâne de Will, mais le geste du faucheur ursidé était terriblement doux.

— Tu fais du bon boulot, Gardien. On dirait que tu l'as amenée à croire que tu es humain. Elle ne se rappelle même pas ce dont tu es capable, n'est-ce pas?

Will ne lui répondit pas. Pourquoi Ragnuk ne se contentait-il pas de tuer Will? Je ne le comprenais pas. Il nous tenait tous les deux à sa merci, en ce moment, mais il choisissait de nous railler au lieu d'en finir. C'était comme s'il avait l'impression de planer à cause de son pouvoir momentané sur nous.

— Tu ne lui as rien dit, pas vrai? dit Ragnuk en riant. Espèce de vir arrogant. Aucune tentative pour remuer sa mémoire? Devrais-je m'accorder cet honneur? Devrions-nous lui rappeler le monstre que tu es véritablement?

Il sourit avec son visage d'ours et se lécha les crocs.

Will s'écarta brusquement de lui et lui balança son poing, mais le faucheur bougea sa tête d'un mouvement fluide de côté et évita le coup sans effort. Ragnuk mordit le bout du tuyau et le plia vers le haut. Le métal grinça et geignit jusqu'à ce qu'il pointe vers le plafond à un angle de quatre-vingt-dix degrés. Will haleta en cherchant son souffle.

— Sors-toi de ça, Gardien, se moqua Ragnuk d'une voix sinistre et cruelle.

— Will! m'écriai-je, horrifiée.

Je serrai le poing et gémis de douleur.

Ragnuk sourit et s'écarta de Will d'un pas lourd, ses pattes griffues cliquetant sur le plancher. Il avança péniblement vers moi, mais il s'arrêta à mi-chemin et se tourna pour marcher de long en large. Il semblait en conflit avec lui-même, probablement en train de décider s'il allait me tuer ou me mâchouiller un moment avant que je meure.

— Pourquoi ne lui montres-tu pas ta véritable person-nalité ? gronda Ragnuk à l'intention de Will. Tu pourrais échapper facilement à ce piège. Je t'ai vu te libérer de pires situations. Tu te retiens, Gardien !

Je fixai Will avec perplexité. De quoi parlait Ragnuk ? Will m'avait dit qu'il ne se métamorphosait pas comme Geir. Mon ventre tressaillit. M'avait-il menti ? Était-il sur le point de se transformer sous mes yeux ?

Les bras de Will se tendirent sous le pénible effort de se libérer du tuyau. Il ne leva pas le regard vers Ragnuk lorsqu'il répondit. Il baissa les yeux fixement vers le tuyau, ses cheveux lui tombant dans les yeux.

— Je ne suis pas comme toi.

L'ursidé rit et mugit.

— Tu es un faucheur ! cria-t-il en postillonnant. Je me fous que tu sois angélique ou démoniaque ou idiot. Tu n'es pas humain, alors arrête de faire semblant ! Tu as une faim qui ne pourra jamais être rassasiée.

— Je vaux plus que cela, gémit Will.

— Non ! rugit férocement Ragnuk. Tu penses que tu n'es pas un monstre, mais tu l'es. Montre-lui, Gardien. Montre-le à la fille !

— Je ne suis pas un monstre !

Alors que Will traînait son corps vers le bout du tuyau, son pouvoir explosa, frappant violemment le sol et le mur derrière lui. Il s'empara du tuyau à deux mains et le plia jusqu'à ce que le métal soit droit. Je regardai avec horreur pendant que Will glissait en avant et qu'il tombait au sol, tombant du tuyau sombrement taché avec un trou béant dans son abdomen. Il s'effondra au sol à quatre pattes, répandant du sang rouge. Il toussa et gémit en se remettant faiblement debout et il fit face à Ragnuk.

— Mais je ne suis pas humain non plus.

Will vacilla sur le côté, s'appuyant contre le tuyau couvert de sang pendant que le trou dans son abdomen se cicatrisait. Quand il se retourna vers moi avec des yeux angoissés, son ventre était lisse, mais son pull était en lambeaux. Il arracha le tuyau du mur, et un morceau de mur avec lui. Ragnuk rugit férocement, retroussant ses lèvres et exposant ses crocs imposants. L'ursidé frappa Will pour l'acculer au mur, sa mâchoire largement ouverte, prête à se refermer d'un coup. Will balança le tuyau vers le ciel avec ses deux mains et cogna Ragnuk sur la bouche. L'ursidé mâcha bruyamment, lançant énergiquement sa tête d'avant en arrière, s'étouffant et grondant. Will tira brusquement sur la barre dans la gueule de Ragnuk et il la coinça dans le cou de l'ursidé. Ragnuk rugit et se battit violemment, enfonçant son crâne dans la tempe de Will avec un craquement sinistre. Will heurta le sol avec force et ne bougea pas.

Je vérifiai ma prise encore une fois et découvris que ma main était à présent totalement guérie. Je bondis en avant et attrapai l'une de mes épées en passant tandis que je courais aider Will. La patte de Ragnuk me frappa à la poitrine et m'écrasa au sol, me coupant le souffle. Pendant que j'étais allongée, haletante, son autre patte avant marcha sur mon bras qui tenait l'épée, épinglant ma lame. Je tirai brusquement, mais le manque d'oxygène m'avait affaiblie. Je fixai mon regard vers le haut, dans les yeux noirs comme de l'encre du faucheur.

— C'est ta fin, siffla-t-il.

Du sang venant du tuyau qui empalait son cou coulait sur mon chandail.

— Non, c'est faux, grondai-je férocement.

Il sourit cruellement.

— Oh, je pense que oui. Encore une fois, ton Gardien est tombé et tu es seule. Je sais que tu te rappelles la dernière fois où toi et moi avons été seuls. J'aimerais me délecter de ce moment, le savourer, si cela ne te dérange pas.

Je plongeai un regard furieux dans ses yeux vides. Ma peur pour la sécurité de Will me consumait et cette peur se transformait en haine et en rage.

— C'était le passé. Les temps ont changé.

Mon pouvoir augmenta et devint un orbe tourbillonnant dans ma paume, sa chaleur soufflant sur nous sans ménagement. Les yeux de Ragnuk s'agrandirent. Je laissai mon pouvoir exploser carrément dans son visage et la lumière chauffée à blanc avala tout le haut de son corps. Il hurla et recula en chancelant, secouant violemment la tête, aveuglé par la lumière de mon pouvoir. Je roulai loin de lui et ramassai ma seconde épée en passant.

Ragnuk recula et se battit contre la lumière aveuglante. Quand elle s'apaisa, je fus ébahie par les blessures qu'elle lui avait causées. La moitié de son visage avait brûlé, dévoilant des muscles tendineux, des morceaux de chair tombante et des os blancs brillants. Ses crocs imposants étaient entièrement exposés du côté droit et les os carbonisés de sa mâchoire cliquetaient d'une manière grotesque. Son œil droit manquait dans l'orbite osseuse et sombre et l'autre œil était fermé à cause de la douleur. Il respirait difficilement, sifflant et titubant sur ses pattes. Avec horreur, j'observai son visage tenter de se guérir; la chair bouillonna et s'étendit lentement, inutilement. Il avait besoin de se nourrir.

Le faucheur me regarda avec un œil injecté de sang, une nouvelle haine et une faim faisant rage en lui. Mon pouls s'accéléra.

— Regarde ce que tu as fait, à présent, cracha-t-il avec son visage à moitié squelettique. Comment as-tu fait pour me brûler? On dirait du feu d'ange!

Je tins bon, ma propre fureur égale à la sienne. Ma vision périphérique pulsa et s'assombrit et je m'efforçai de rester concentrée. Mon pouvoir augmentait régulièrement, s'étendant au-delà de ma limite de maîtrise. Je glissais encore une fois, mais je ne résistai pas. Je n'éprouvais qu'une envie, maintenant : enfoncer mes mains dans les entrailles de Ragnuk et sentir le grésillement du feu d'ange sur le cuir de sa peau.

— Tu n'as aucune chance, fille, gronda-t-il férocement. Tu pues l'humanité. Je peux sentir ton âme à travers ta peau. Elle te rend faible.

— Mon humanité me rend forte! criai-je, la vérité de mes paroles trouvant un profond écho dans mon cœur. Elle me donne la passion afin que je puisse continuer à me battre, et mes amis et ma famille me donnent une raison de combattre!

— Et si tu n'avais pas ces épées?

Il rit, de la salive et du sang volant hors de sa gueule.

— Toi et tes armes. Tu es impuissante sans elles. Tu ne serais rien sans elles. Mes armes font partie de moi. Dents, griffes et os.

Il enfonça ses ongles dans le plancher et lécha les restes carbonisés de ses lèvres noires.

— Tu es sans défense, Preliator, et tu le seras toujours.

Quelque chose prit de l'ampleur en moi, une chose en colère, désespérée et sinistre. Elle coula en moi comme le brouillard, vacillante, avec de petits éclairs d'électricité. Je m'accroupis, sentant l'énergie vibrer hors de moi dans l'espace. Le plancher palpita comme s'il avait un cœur, martelant ma tête au rythme de mon propre pouls, noyant mes sens dans son tempo hypnotique. Je m'obligeai à lever les yeux pour croiser le regard furieux du faucheur.

Je poussai un rugissement de fureur, liant mon pouvoir à ma personne, le sentant battre contre ma volonté.

— Je ne suis pas sans défense! hurlai-je d'une voix perçante, libérant mon pouvoir à sa pleine puissance.

Le sol de béton s'enfonça sous moi et moi avec lui, la lumière blanche avalant Ragnuk en entier. Il rugit et bondit haut dans les airs avant de descendre sur moi. Il atterrit avec un bruit de tremblement de terre et abattit une patte sur moi, mais mon bras s'éleva, faisant dévier son coup. Je balançai l'épée dans mon autre main, mais ses dents se refermèrent sur la lame enflammée, l'arrachant de ma poigne et la projetant à côté. J'enfonçai mon poing dans sa gorge molle et sa mâchoire se referma dans un craquement.

Je plongeai mon regard dans les yeux de Ragnuk et me sentis glisser encore une fois, dans les profondeurs sinistres de mon être. Tout au fond de moi, je savais que si je perdais la maîtrise de moi-même, je pouvais blesser Will. Mais dès que la pensée disparut, la sensation s'évanouit aussi. Je m'accroupis très bas sur le plancher, je rassemblai mon pouvoir comme je l'avais fait quelques instants plus tôt, mes épées de retour dans mes mains. Je serrai fermement les dents pendant que l'énergie se massait en moi, m'avalant dans sa lumière blanche, poussant vers l'extérieur dans chaque centimètre de mon corps.

— Tu ne peux pas réussir, fille ! tonna Ragnuk, le blanc de son seul œil en place luisant comme celui d'un animal fou.

Je sentis le plancher craquer, gémir et vibrer sous une force qui ne pouvait pas m'appartenir. Avec un cri rauque, j'obligeai mon pouvoir à pénétrer dans le sol, écrasant le béton avec la puissance d'un raz-de-marée. Le sol roula par vagues, s'élevant et retombant comme de l'eau avant de s'enfoncer plus profondément dans un immense cratère. Le bâtiment souffrait et gémissait pendant que la poussière volait librement.

— Ça n'arrivera pas !

La voix du faucheur me parvint, lointaine et étouffée.

J'envoyai une autre onde de choc voler à toute vitesse autour de moi, et elle explosa dans les murs et les colonnes comme une bombe. Les fenêtres éclatèrent et firent pleuvoir d'innombrables éclats de verre tout alentour. L'acier craqua et hurla, et le plafond s'affaissa lourdement. Des débris s'écrasèrent au sol. Mes cheveux flamboyaient autour de mon visage comme un incendie de forêt. Quelqu'un très loin semblait crier et je m'aperçus après un moment qu'il s'agissait de moi.

Encore. Les colonnes les plus proches de moi et les poutres s'abattirent au sol, arrachant d'immenses morceaux de plafond. Alors qu'une poutre s'effondrait à côté de Ragnuk, je pus enfin voir la peur trouver un écho sur son visage brûlé. Il rugit et se lança sur moi, pattes griffues déployées.

Mon pouvoir fit trembler le bâtiment une autre fois et le plafond dégringola sur Ragnuk. Je serrai fortement les paupières et me préparai à subir le même sort que lui.

Mais cela ne se produisit pas. Des mains chaudes s'enroulèrent autour de moi, me tenant délicatement auprès d'un corps encore plus chaud. Je ressentis une étrange sensation enivrante qui disparut un moment plus tard. L'air était à présent froid et j'étais à nouveau debout sur mes pieds. Alors que ma vue devenait plus nette, je me découvris au milieu d'une rue à regarder l'entrepôt détruit. Ma vision trembla et je ne fus pas certaine de savoir si ce que je voyais était vraiment réel. La moitié du bâtiment s'était effondrée au sol et n'était plus qu'un amas indéfinissable de bois, de brique et de métal.

Je cherchai Ragnuk au cas où il aurait survécu. Tout semblait calme jusqu'à ce que j'entende un bruissement parmi les débris. La fureur en moi augmenta encore une fois, remonta à la surface et se déversa. Je grimpai sur la pile de débris et trouvai Ragnuk écrasé sous une partie du plafond. Du sang s'écoulait peu à peu de sa gueule. Ses os étaient aplatis sous les décombres — tous sauf son crâne à moitié exposé et une patte avant. Les griffes de sa patte libre grattaient faiblement les gravats, comme s'il tentait de se frayer un chemin vers la liberté, mais ses efforts étaient vains. J'avançai jusqu'à lui, mes deux épées en main, les lames égratignant les morceaux de béton sous moi. L'œil noir et mouillé du faucheur roula vers le haut pour croiser mon regard, pivotant tellement qu'un anneau de blanc rougi se formait tout autour.

— Vas-tu… Tu vas… en finir avec moi, maintenant?

Ragnuk luttait, sa mâchoire craquant aux articulations, les muscles visibles déchirés, ses pattes griffues creusant des bandes désespérées dans le béton. La chair brûlée sur son visage bouillonnait encore et se tendait, essayant de guérir. J'étais étonnée qu'il puisse encore parler, encore plus respirer.

Je ne dis rien tandis que je lui jetais un regard froid. Je ne pouvais pas rassembler suffisamment mes esprits pour répondre. Je pouvais seulement percevoir à quel point je ressentais de la colère envers la bête qui était à présent à ma merci. Pendant tellement longtemps, je l'avais craint, mais aujourd'hui qu'il était impuissant à mes pieds, je ne sentais que de la satisfaction et un brûlant besoin de destruction.

— Qui… est le monstre… maintenant?

Il rit, d'un rire sifflant et pathétique, au moment où mes lames s'enflammaient. La lumière blanche vacilla sur nos visages sous le ciel nocturne.

— Tu… n'as pas le courage! siffla-t-il avec un amusement morbide, sadique.

Malheureusement pour lui, c'était la miséricorde qui me manquait, et non le courage. Je levai mes épées très haut au-dessus de ma tête. Il cessa de rire quand j'eus terminé de lui trancher la tête.

28

Quelqu'un parla derrière moi et je me retournai vivement, brandissant mon épée très haut dans les airs en poussant un cri terrible. Le goût du sang m'embrouilla la vue alors que mon agresseur me frappait au bras, bloquant le coup de mon épée. Je lui assenai un coup de pied dans le torse et il tomba sur le dos avec un grognement. Mon épée fendit l'air encore une fois, déchirant cette fois la chair, et je plongeai de nouveau, mais il m'attrapa le poignet et le serra jusqu'à ce que je lâche mon épée sous l'effet de la douleur. Je balançai mon poing nouvellement libre et l'atteignis à la mâchoire. Il gémit et vacilla de côté. Je fondis sur sa gorge, mais sa paume me frappa à la poitrine, me coupant le souffle. Je m'effondrai en avant, haletante, dans les bras de mon agresseur.

— Ellie.

Mon cœur parut s'arrêter au moment où mes genoux touchaient le sol et qu'il tomba sur moi. Sa voix secoua mon âme et me réveilla, et ses mains fermes sur mes épaules m'empêchèrent de faire une chute. Son odeur remplit ma

tête et je m'accrochai à lui, horrifiée par ce que j'avais fait —
ce que je lui avais infligé.

J'ouvris les yeux et restai là, le regard baissé sur le visage
de Will, alors qu'il levait le sien vers moi, l'air d'avoir le cœur
brisé. Je mordis l'intérieur de ma joue tandis que je touchais
la profonde entaille que j'avais dessinée sur son bras.

— Je t'ai blessé, dis-je, ma voix se cassant. Tu m'as sortie
de là et je t'ai blessé.

Le visage de Will continuait d'être peiné.

— Je vais bien.

La plaie disparut. Ma main remonta vers son épaule et
son cou pour prendre sa joue en coupe.

— Je suis tellement désolée. Je n'aurais pas dû laisser les
choses s'envenimer ainsi.

— Aucune importance. Ce qui est fait est fait.

J'enfouis mon visage dans mes mains, les dernières
paroles de Ragnuk résonnant dans ma tête.

— Tous ces cauchemars, toutes ces hallucinations… Je
me transforme en monstre !

Will se leva et sa présence m'enveloppa.

— Tu ne te transformes pas en monstre.

— Comment le sais-tu ? Comment peux-tu être si
convaincu que je ne deviendrai pas quelque chose qui n'est
pas moi ?

— Parce que je te connais, dit-il, levant le menton et
regardant dans mes yeux. Je te connais mieux que personne. Après tous ces siècles et dans chaque vie que tu as
menée, tu t'es toujours accrochée à qui tu es.

Secouant la tête, je réprimai un sanglot.

— Je ne peux pas le supporter lorsque j'ai l'impression
de devenir une autre personne. Je deviens tellement

furieuse, si violente, et je sais que ce n'est pas moi. Et si je ne pouvais pas maîtriser cela ? Et si je te faisais encore plus mal la prochaine fois ? Je n'étais pas capable de te distinguer de mon ennemi. Enfin, regarde ce que j'ai fait !

Je lançai mes bras vers les décombres de l'entrepôt.

— Je suis aussi démoniaque que les créatures que je combats.

— Tu n'es pas démoniaque et tu n'es pas un monstre, dit-il, sa voix plus ferme. Même lorsque ton pouvoir menace de prendre la maîtrise de ta personne, il ne le réussit jamais. Il s'est produit des événements, oui, mais tu restes toujours toi. Tu dois me faire confiance, Ellie.

— Mais j'ai tellement peur de moi-même et de quoi je suis capable. Et maintenant, je vais perdre mon âme pour l'éternité. Je ne veux pas mourir et je ne veux pas finir dans le néant.

— Je ne laisserai pas cela se produire. Je vais m'assurer que tu survives !

— Je ne veux pas survivre, Will. Je veux vivre ! m'écriai-je.

À ce moment-là, il se figea et me fixa, le temps que ce que je venais de lui avouer pénètre dans son esprit.

— Je veux vivre, répétai-je. Je veux rester moi-même et aller à l'école, à l'université, à des fêtes, au cinéma, à la salle de quilles, à des parties de football. Je veux me rouler dans la neige en maillot de bain et sauter ensuite dans un spa. Je veux choisir ma robe de bal de fin d'année avec ma mère et je veux partir en voiture sans destination précise cet été avec Kate. Je veux vieillir. Je veux me marier et peut-être avoir un bébé un jour. Je ne veux pas passer chaque jour à craindre ce qui pourrait me sauter dessus dans l'ombre. Je ne veux pas me cacher parce que des trucs atroces me pourchassent. Je ne veux pas mourir et renaître et ne pas me souvenir de ton visage, Will. Je ne veux pas passer une autre existence à ne pas savoir qui tu es !

Il m'attira près de lui et m'entoura de ses bras. Je pressai mon visage contre son torse chaud et m'accordai enfin la permission de pleurer.

— Ça va aller, murmura Will dans ma chevelure, prenant une longue inspiration torturée.

Ses mains caressèrent mes épaules et mon dos, me tenant fermement contre lui. Mes doigts s'agrippèrent à son chandail simplement pour le tenir plus près de moi.

Avec une profonde inspiration, je jetai un coup d'œil derrière lui et vis ma voiture indemne dans l'allée du côté de l'entrepôt qui ne s'était pas effondré, mais couverte d'une épaisse couche de poussière. Le sarcophage se trouvait juste derrière l'Audi, également intact. Will avait je ne sais comment réussi à se sortir lui-même du danger juste à temps, avec le sarcophage. Juste avant que je laisse tomber le bâtiment sur sa tête.

Je ne sais pas combien de temps il me tint ainsi avant que je m'écarte. Des heures auraient pu s'écouler sans que je le remarque.

— Que voulait dire Ragnuk lorsqu'il t'exhortait de me montrer ta véritable personnalité ?

Tout d'abord, il ne répondit pas et ses mains frottèrent doucement mes épaules. Sa joue était enfouie dans ma chevelure.

— Il croyait que je suis quelque chose que je ne suis pas, dit-il. J'ai essayé très fort de ne pas être du genre sinistre comme eux. Les faucheurs démoniaques détestent mon type pour cette raison et ils me haïssent encore plus de te protéger.

Je m'appuyai davantage sur lui. Je comprenais ce qu'on ressentait quand on était quelque chose de terrifiant et qu'on essayait de conserver quelques miettes d'humanité. Will combattait le même genre de méchanceté qui menaçait de détruire la personne que j'étais réellement, le côté sombre qui menaçait de le détruire lui et de l'emporter loin de moi. Nous menions tous les deux une guerre interne contre le monstre en nous. Cela nous rendait dangereux pour tout le monde dans notre entourage et l'un pour l'autre. J'avais été tellement occupée à m'inquiéter de lutter contre ce côté effrayant de moi que j'avais oublié qu'il faisait de même. Il pensait toujours à moi et à mes besoins et je ne songeais jamais à ce dont il avait besoin.

— Qu'est-ce qui ne va pas, Ellie ? Dis-moi comment arranger les choses.

Mon souffle trembla lorsque j'inspirai et je pressai mon visage plus profondément contre son torse.

— Je croyais qu'il t'avait tué.

Il expira et embrassa mes cheveux.

— Je pensais que j'allais te perdre, avouai-je, réprimant un sanglot qui menaçait de m'échapper.

Will s'écarta afin que nous nous regardions dans les yeux. Les siècles que nous avions passés ensemble remplissaient mon cœur de tant d'émotions qu'il me semblait sur le point d'exploser. Je ne me souvenais de rien, mais je savais tout dans mon âme.

— Tu ne me perdras jamais, dit-il à voix basse en essuyant les larmes sur mes joues. Je serai toujours là.

J'enroulai mes bras dans son dos et le tins aussi serré que possible, craignant qu'il glisse lentement loin de moi. Il baissa la tête près de la mienne, son corps si proche que je pouvais à peine le supporter.

— Si nous sommes séparés, si je te perds, je te retrouverai, souffla-t-il, sa joue touchant délicatement la mienne, faisant exploser de minuscules feux d'artifice sur ma peau.

De nouvelles larmes, chaudes et implacables, roulèrent sur mes joues. Sa promesse se fondit en moi et mon cœur se serra à cause de tout ce que je voulais et ne pouvais pas obtenir. En fin de compte, il était tout ce que j'avais. À travers chaque vie, chacune des choses que j'apprenais à connaître et à aimer dans le monde changeait ou disparaissait totalement, sauf lui. Il constituait la seule chose permanente en tout à jamais.

Puis, il m'embrassa, lentement et doucement. Il ne s'agissait que d'un léger frôlement de ses lèvres sur les miennes, mais je me raidis, étonnée, ne sachant pas trop comment réagir. Il s'écarta légèrement, retenant mon regard, ses lèvres touchant presque les miennes, comme s'il m'attendait. J'inclinai le menton vers le ciel et entrebâillai la bouche jusqu'à ce qu'il revienne, m'embrassant de nouveau, longuement et en prenant son temps. Il semblait trop prudent, comme s'il prévoyait que j'aurais peur. Je m'obligeai à me détendre et levai une main hésitante pour caresser sa joue, puis je répondis à son baiser. Ses doigts remontèrent lentement le long de ma colonne vertébrale et frôlèrent ma gorge nue avant de s'entremêler tendrement dans ma chevelure, son pouce dessinant une ligne sur ma joue. Comme je ne m'écartais pas, il approfondit son baiser avec une faim et une ferveur qui donnaient l'impression qu'il s'agissait de notre dernier et non notre premier baiser. Il se dégagea enfin, mais il ne s'éloigna pas. Il posa son front sur le mien et il ferma les yeux.

— Je suis désolé, murmura-t-il.

Mes mains s'enroulèrent autour de son cou. Mes ongles dessinèrent le contour de son dos et de ses épaules et je sentis ses muscles se raidir lorsque je le touchai. Je respirai son odeur, essayant de tout absorber de sa personne. Pendant un instant, j'oubliai la bête qui pouvait détruire mon âme et la seule chose que je craignis fut de le perdre et de ne jamais revoir son visage. Si je mourais avant de devoir combattre l'Enshi, je ne voulais pas perdre le souvenir de son visage ni de sa voix, ni de ce que je ressentais à son toucher. Je ne pouvais pas me laisser l'oublier encore une fois.

— Ne le sois pas, dis-je, mes mains remontant dans ses cheveux.

— Je n'aurais pas dû faire cela, dit-il dans un souffle, repoussant une mèche de mes cheveux derrière mes épaules.

— Il n'y a rien à regretter, insistai-je.

Il s'éloigna jusqu'à ce qu'il ne me touche plus du tout et j'eus très envie qu'il revienne. Je mis toutes mes forces à ne pas tendre la main vers lui.

Son expression était atrocement vulnérable et peinée ; il semblait essayer désespérément de ne pas s'effondrer.

— Tu dois comprendre à quel point c'est difficile pour moi, dit-il enfin. Je te suis dévoué depuis tellement longtemps. J'ai fait de mon mieux pour te servir et te protéger. Et ceci — ce que je ressens — va à l'encontre de trop de règles. Je sais que c'est mal et je sais que c'est stupide, mais en fait, je m'en fous.

J'observai son visage plusieurs instants, fouillant l'intensité dans ses yeux, à la recherche d'un signe.

— De qui viennent ces règles?

— De l'ange qui a fait de moi ton Gardien, dit-il. Je pense que c'était un archange. Il m'a dit que je devais te protéger et rien de plus. Je ne suis pas censé ressentir ce que je ressens.

— Que... ressens-tu exactement? demandai-je avec prudence. Que veux-tu dire?

Il ferma les yeux et tourna la tête.

— J'ai les idées tellement embrouillées.

Nous ne parlâmes pas pendant un instant, nous contentant de rester debout à côté de l'entrepôt effondré. Enfin, il se tourna vers moi.

— Nous devrions partir d'ici, suggéra-t-il. Quelqu'un a sûrement entendu tomber le bâtiment.

Je hochai la tête.

— Que faisons-nous avec le sarcophage?

Il réfléchit un instant.

— Je peux le transporter à quelque distance d'ici. Appelle Nathaniel. Dis-lui de venir en camion. Nous pouvons le déménager, mais je ne sais pas où.

— Où veux-tu que j'aille?

— Conduis jusqu'au premier panneau d'arrêt et vire à droite. Suis cette route jusqu'au cul-de-sac. Je vais te rejoindre là.

Je lui lançai un regard perplexe.

— Tu connais vraiment le coin.

— J'ai dû étudier le site et son entourage, y compris toutes les routes, les intersections et les bâtiments dans la région.

Il sourit quand il remarqua mon air interrogateur.

— Mieux vaut prévenir que guérir.

— Exact.

Il y eut une pause gênée avant que l'un de nous ne bouge. Je pouvais encore sentir sa bouche sur la mienne alors que je restais là muette. Enfin, je montai dans ma voiture et me rendis exactement à l'endroit qu'il m'avait indiqué. Je ne sais pas si je fus étonnée de constater qu'il avait raison à propos du cul-de-sac. Je me garai, éteignis le moteur et téléphonai à Nathaniel, lui disant où venir nous rejoindre. Une seconde à peine après que j'eus raccroché, Will apparut de nulle part, laissant tomber le sarcophage sous la lueur de mes phares. Je sortis pour aller le retrouver au moment où des sirènes résonnaient au loin, répondant probablement à des appels à propos de la récente débâcle de l'entrepôt.

— Nathaniel devrait arriver sous peu, dis-je.

— Bien.

Il n'ajouta rien de plus. Cela m'agaça un peu de ne pas pouvoir dire à quoi il pensait. Il semblait éviter le sujet de l'événement qui s'était passé entre nous quelques minutes avant, mais je ne l'avais pas mentionné non plus. J'étais déchirée entre en parler ou non. Je souhaitais le questionner là-dessus, car je me sentais extrêmement vide à l'intérieur pour une raison inconnue. Je voulais — en fait, je devais — savoir ce qu'il ressentait pour moi. Puis, je me demandai si nous avions déjà été ensemble avant. M'avait-il déjà embrassée dans mes vies antérieures?

— À quoi penses-tu? demanda-t-il d'une voix douce, interrompant mes pensées, ce pour quoi je lui fus reconnaissante.

— Veux-tu vraiment le savoir ? dis-je d'un air abattu.

Il marcha vers moi et s'appuya contre ma voiture, croisant les bras sur son torse.

— Oui, j'aimerais ça. Tu te déformes le visage d'une drôle de façon lorsque tu es en réflexion profonde.

— Merci pour l'observation.

Je plissai les yeux.

— À quoi penses-tu que je pense ?

Sa mâchoire se contracta une fraction de seconde avant que la tension ne s'évanouisse.

— J'en ai une bonne idée.

— Allons-nous simplement prétendre qu'il ne s'est rien produit ? demandai-je.

Il aspira sa lèvre supérieure.

— Je ne pense pas que ce serait sage.

— Eh bien, tu es bien parti.

J'examinai méticuleusement son expression. Il ne révéla rien de ses pensées.

— Je ne l'avais pas planifié, si c'est ce que tu te demandes.

Il paraissait sincère.

— M'as-tu déjà embrassée auparavant ?

— Veux-tu dire avant que tu ne sois Ellie ?

Peu importe ce que cela voulait dire.

— Ouais.

— Non.

Je souhaitais lui demander s'il l'avait déjà désiré, mais je me décidai pour une question différente.

— Alors, qu'est-ce que ça signifie ?

— Je ne comprends pas.

Je soupirai.

— Qu'est-ce que ça signifie pour nous ?

Il ne répondit pas tout de suite. Ni l'un ni l'autre ne parla pendant quelques instants et plus le silence s'étirait, plus j'avais la nausée. Mon corps se raidit.

— J'ai une profonde affection pour toi, dit-il. Simplement, je ne crois pas...

À ce moment-là, une grosse fourgonnette blanche arriva et s'arrêta devant nous. Nathaniel et Lauren bondirent dehors. Je me renfrognai. Will avait eu de la chance... pour l'instant. J'avais bien d'autres questions pour lui une fois que nous serions seuls.

— Est-ce que ça va, les amis? demanda Nathaniel, la voix tremblante.

— J'ai vraiment faim, dit Will sur un ton théâtral.

Nathaniel rit.

— Je peux l'imaginer. Ellie, est-ce que tu es indemne?

Je haussai les épaules.

— Je suis guérie. Ragnuk est mort. C'est la seule chose qui importe.

Lauren m'observa, un étrange mélange d'émotions dansant sur son visage. Je n'arrivais pas à déterminer ce qu'elle ressentait. C'était presque comme si elle comprenait exactement à quel point j'étais secouée — par bien plus que seulement Ragnuk. Brièvement, je me demandai jusqu'où s'étendaient ses talents de médium.

— Nous allons apporter le sarcophage chez moi, suggéra Nathaniel. Je pense qu'il y sera caché de manière sûre jusqu'à notre départ pour Puerto Rico.

— Ils ne te retrouveront pas là? m'enquis-je d'un ton sceptique. Ragnuk a suivi notre piste jusqu'à l'entrepôt.

— Si les virs de Bastian se trouvaient dans les parages, nous serions déjà morts et ils tiendraient l'Enshi, dit-il.

— Ils ne resteront pas dans l'ombre à nous surveiller. Ce qu'ils veulent se trouve juste ici.

Je sentis que c'était le signal pour foutre le camp de là.

— Alors le sarcophage ne devrait pas être ici.

Will hocha la tête.

— Mettons-nous en route. C'est du suicide de traîner dans les environs.

Will et moi roulâmes dans ma voiture à la suite de la fourgonnette. Il ne dit rien et moi non plus. La fourgonnette se glissa dans une rue paisible avec des maisons à bonne distance les unes des autres. Nous la suivîmes le long d'une longue allée boisée jusqu'à une belle maison surplombant un lac. Nathaniel ouvrit les portes d'un garage pour trois voitures et Will descendit du véhicule pour l'aider à décharger le sarcophage.

— Est-ce ta maison, Nathaniel ? demandai-je, admirant la vue sur le lac.

— Oui, dit Nathaniel en fermant les portes du garage.

Je me souvins que Will avait dit qu'il vivait ici et je l'imaginai assis dans le salon, jouant de la guitare. Je ne pus m'empêcher de lui jeter un coup d'œil et de sentir une bouffée de chaleur au souvenir de notre baiser. Pendant un moment, il me fut difficile de respirer.

— Tu ferais mieux d'avoir de la nourriture, dit Will avec un grand sourire.

Lauren rit, posant une main sur son épaule.

— Va voir dans la cuisine.

Il courut jusque dans la maison.

— Ne vide pas le garde-manger, par contre ! cria-t-elle dans son dos. Ou le réfrigérateur ! S'il te plaît, ne m'oblige pas à me rendre à l'épicerie deux fois en une semaine.

— Je vais m'en assurer, proposa Nathaniel en suivant Will à l'intérieur.

— Donc, tu vis aussi avec Nathaniel ? demandai-je à Lauren alors que nous entrions dans la maison.

Elle secoua la tête.

— Non, je m'assure simplement que ces garçons mangent bien et prennent soin d'eux-mêmes. J'ai un appartement en copropriété près du campus. Mes parents contribuent avec moi au loyer pendant que je suis à l'école.

— Es-tu une médium professionnelle ? Lis-tu l'avenir dans les cartes et des trucs du genre ?

Elle rit.

— Oh, non. Je suis étudiante en soins infirmiers.

J'imaginai qu'elle deviendrait un jour une infirmière très gentille.

— Comment as-tu connu Nathaniel ?

Elle sourit gentiment.

— Les faucheurs n'aiment pas cela lorsque nous pouvons les voir. Nathaniel m'a sauvé la vie. Je lui dois beaucoup et je ressens une profonde affection pour lui.

Avant que je puisse lui demander ce qui s'était passé, elle prit ma main et me guida dans la cuisine où Will se préparait un sandwich. Nathaniel le réprimandait pour avoir gâché un autre chandail.

— Je reviens tout de suite, dit Lauren.

Je fixai Will pendant qu'il dévorait son sandwich.

— Tu ne blaguais pas à propos d'avoir besoin de manger, n'est-ce pas ?

Il secoua la tête et engloutit une autre bouchée.

— Non.

Lauren reparut et lui tendit un t-shirt rouge et propre.

— Mets ça, dit-elle. Tu as l'air dégoûtant.

Il rit et le lui prit des mains sans poser son sandwich sur le comptoir.

— Merci, Lauren.

Elle croisa les bras sur sa poitrine.

— Sois reconnaissant de ma grande générosité. J'ai failli t'en apporter un rose.

Will rit.

— Il doit appartenir à Nathaniel. Je ne possède pas de chandail rose.

Nathaniel roula les yeux.

— Qu'est-ce qui te fait penser que moi si?

Lauren leva un doigt.

— Sois sage. Toi, termine ton sandwich.

Will sourit à travers sa dernière bouchée, enfila le chandail et alla se préparer un second sandwich. Je m'avançai pour l'aider et son regard attira le mien. Je lui souris chaleureusement. Il toucha mon bras tendrement, laissant sa main glisser sur ma peau. Une autre onde de chaleur me parcourut et je combattis l'envie de m'appuyer sur lui.

— Je vais rester ici et surveiller l'Enshi et Lauren, dit Nathaniel. J'aurai notre itinéraire de vol demain. Nous devrons sûrement expédier le sarcophage par un avion-cargo séparé du nôtre.

— Exact, acquiesçais-je.

— Je vous donnerai des nouvelles.

Nathaniel sourit.

29

Will et moi ne dîmes pas grand-chose pendant le trajet vers ma maison. Je sortis de la voiture et il disparut, je le supposai, sur le toit. Mon premier geste en entrant, après être montée en hâte à ma chambre, fut de téléphoner à Kate. La douche pouvait attendre.

— Kate ? demandai-je quand elle décrocha.

— Hé, répondit-elle rapidement. Quoi de neuf ?

Je m'armai de courage.

— J'ai besoin que tu me rendes un immense service, du genre héroïque, qui changera ma vie.

— Oh-oh.

— Vas-tu dans le nord pour l'Action de grâce ?

— Ouais, pourquoi ?

— Je viens avec toi.

Elle marqua une pause.

— Ah... oui ?

— Pas vraiment. Il faut que tu me serves d'alibi pour ce week-end.

Je tressaillis.

— Pourquoi ?

— Si mes parents te demandent où je suis ce week-end ou bien n'importe quoi, s'il te plaît, s'il te plaît, peux-tu leur dire que nous montons dans le nord jusqu'à dimanche ?

Elle marqua une pause.

— Pourquoi ? Où seras-tu vraiment ?

Je savais ce que je devais dire pour l'amener à se porter garante de moi.

— Je vais être avec Will.

— Oh mon Dieu ! s'écria-t-elle d'un ton perçant. Je le savais.

J'éloignai mon téléphone cellulaire de mon oreille pendant qu'elle se mettait dans tous ses états.

— Pars-tu pour une escapade romantique ?

Elle était beaucoup trop enthousiaste.

— Je savais qu'il était ton petit ami. Ellie Marie, je ne peux pas croire que tu m'aies menti, espèce de garce !

— Je suis réellement désolée, Kate, dis-je franchement. Seulement, je ne voulais pas que cela revienne aux oreilles de mes parents. Il est plus vieux, tu sais, et ils paniqueraient. Particulièrement s'ils savaient que je quitte la ville avec lui pour le week-end. Donc, s'il se trouve que mes parents ne me croient pas pour une raison ou une autre, peux-tu s'il te plaît me servir d'alibi ?

Elle grogna quelque chose d'incompréhensible.

— Euh, ouais. Tu es ma meilleure amie. Je mentirais n'importe quand pour toi.

Je lâchai un long soupir de soulagement et émis un petit rire gêné.

— Merci beaucoup.

— Tu es mieux de tout me raconter ! pépia-t-elle.

Sa voix se fit soudainement plus basse et plus sérieuse.

— Penses-tu que vous allez... tu sais?

Mes yeux sortirent de leurs orbites.

— Probablement pas.

— Je parie cinq dollars que vous le ferez.

— Quoi? Tu paries sur ma virginité?

En fait, je n'étais pas si choquée.

— Tu iras en enfer, tu sais.

— Je n'en doute pas.

— C'est bien d'avoir accepté ton sort avec autant de grâce.

— Allez, gémit-elle. Je présume que maintenant, tu l'as enfin embrassé, puisqu'il est ton petit ami. Tu es nulle de ne pas me l'avoir dit, mais peu importe. Tu seras seule avec lui pendant un week-end complet à faire Dieu sait quoi... D'accord, avec de la chance, Dieu ne sait pas vraiment quoi...

Je levai les yeux au ciel.

— Ouais, eh bien, de ton côté, tu ne m'as jamais rien dit.

Elle ne répondit pas tout de suite.

— Je ne sais pas de quoi tu parles.

Je ris.

— Oh ouais, tu le sais. Toi et Landon?

— Ellie, je te jure qu'il ne s'est rien passé.

— Ne va pas te faire des idées, insistai-je. Ça ne me pose pas de problème si vous êtes... ensemble.

— Je n'ai pas couché avec lui, dit-elle. Il ne s'est rien passé. Nous nous sommes embrassés, c'est tout. J'étais trop ivre pour savoir ce qui se passait.

— Est-ce qu'il te plaît?

J'essayai de ne pas paraître trop curieuse, au cas où elle en conclurait que j'espérais qu'elle dise non.

— Je n'en suis pas vraiment certaine, avoua-t-elle. Un peu. Peut-être. Je ne sais pas. Je suis vraiment contente qu'il ne se soit rien passé à l'Halloween, par contre. Si j'en suis contente, alors ça doit vouloir dire que je ne suis pas vraiment amoureuse de lui, n'est-ce pas?

Je souris, même si elle ne pouvait pas me voir.

— Si tu l'admettais, je pense que tu te sentirais mieux.

Elle rit.

— Il n'y a rien à admettre, fais-moi confiance.

Je reculai d'un pas et me cognai contre un corps chaud et poussai un cri. Je me tournai et vis Will debout derrière moi, me regardant les sourcils froncés.

— Ell? demanda Kate. Ça va?

— Ouais, j'avais cru voir une araignée.

J'agitai mon poing vers Will et me renfrognai.

— Une grosse araignée, vraiment laide. Désolée.

— C'est compréhensible, dit-elle. Je te vois demain à l'école, d'accord?

— D'accord, salut!

Je levai un regard furieux vers Will, craignant ce qu'il avait pu entendre de ma conversation téléphonique.

— Pourquoi l'entrée furtive à la ninja? Est-ce réellement nécessaire?

— Je croyais que tu savais que j'étais ici, dit-il.

L'air contrit et offensé dans ses yeux verts me fit oublier à quel point j'étais agacée.

— Ça va. Essaie d'être un peu plus bruyant la prochaine fois.

Il rit doucement.

— Je ne pense pas que je serais capable de faire beaucoup de bruit même si j'essayais. Tu devrais être un peu plus perspicace.

Je plissai les yeux.

— Tu es un garçon. En fin de compte, vous êtes tous bruyants. Tu trouveras la manière. Que fais-tu ici, de toute façon ?

— Je voulais voir comment tu allais.

— Ha ! criai-je, faisant immédiatement claquer ma main sur ma bouche, embarrassée d'avoir parlé aussi fort.

Je baissai le ton et murmurai d'une voix rauque.

— Tu es un menteur. Tu t'ennuyais assis là haut, sur le toit, en solitaire. Admets-le.

Il fronça les sourcils. Il paraissait affreusement vulnérable à cet instant.

— Je ne t'ai jamais menti.

Le regret me remonta à la gorge.

— Je suis désolée. Je n'aurais pas dû dire cela.

— Ne t'en fais pas.

Il me jeta un regard de biais.

— Vas-tu te doucher ?

Je rougis violemment et émis un petit rire nerveux.

— Qu'est-ce que ça veut dire ?

— Je ne fais que lire dans ton esprit.

Mes yeux devinrent deux fentes.

— Ne me fais pas peur en disant cela. Je pourrais te croire.

Il rit.

— Je te connais assez bien pour savoir qu'une douche est ta plus haute priorité en ce moment.

Je maugréai parce qu'il avait raison, comme toujours. Je pris mon peignoir sur le crochet et marchai vers la salle de bain, où je pris une douche d'une longueur indécente. L'eau chaude courait sur moi, lavant la saleté, la poussière et le sang séché. J'aurais aimé que l'eau puisse laver la douleur dans mon cœur, mais elle ne faisait qu'apaiser mes muscles endoloris. Pour l'instant, cela devrait suffire. J'appuyai ma tête contre la porte de verre de la douche et fermai les yeux, absorbée par mes pensées. Le visage à moitié brûlé de Ragnuk me hantait dans l'obscurité derrière mes paupières, projetant de la chair ratatinée et des os blancs. J'essayai de chasser l'image, en vain.

Je savais que je devais penser à autre chose que lui. Il y avait des trucs plus effrayants dont je devais m'inquiéter à présent, comme perdre mon âme pour l'éternité. Et l'Apocalypse.

Je terminai, m'essuyai, revêtis mon peignoir et séchai mes cheveux avant de reprendre la direction de ma chambre. Will était assis au bout de mon lit, penché en avant avec les mains croisées. Timidement, je serrai un peu plus mon peignoir autour de moi et lui décochai un petit sourire.

— Ça va ?

Son regard rencontra le mien.

— N'est-ce pas là ma réplique ? demanda-t-il d'une voix faible et fatiguée.

— Habituellement.

Je me laissai choir à côté de lui.

— J'imagine que c'est mon tour, à présent.

Il ne réagit pas immédiatement. Nous restâmes assis en silence un certain temps. Je ne me sentais pas assez sûre de moi pour dire quoi que ce soit. Donc, je patientai.

— Ce qui s'en vient sera difficile, dit-il doucement. Pas simplement cette semaine, mais dans les semaines à venir. Nous ne pouvons pas échouer.

Je hochai lentement la tête.

— C'est notre seule option, à moins que nous le fassions exploser.

Il haussa les épaules.

— J'ignore à quel point ce serait efficace. Si c'est un ange, alors je ne sais pas du tout comment le tuer. S'il gît au fond de l'océan, au moins rien d'autre ne pourra l'atteindre pour le réveiller. Rien ne peut survivre à dix mille mètres sous la surface de la mer. Rien n'est totalement indestructible.

— Et si Bastian l'intercepte ? demandai-je.

Sa voix prit un timbre sinistre.

— Alors, nous devrons le combattre. Je veux éviter Bastian jusqu'à ce que l'Enshi se retrouve au fond de cette fosse. Nous ne pouvons pas courir le risque de tomber sur lui ou sur Geir et les autres avant ce moment-là. Nous ne le pouvons pas.

Le désespoir dans ses derniers mots provoqua une étincelle de peur en moi.

Je ne voulais pas penser aux conséquences possibles si cela se produisait. Nous devions le faire sortir — de l'État — dès que possible. Will n'était pas le seul qui ne voulait pas combattre les virs de Bastian. Je savais que je n'étais pas prête. Ils ne battraient et je connaissais seulement la moitié de ce qui m'attendait. Je n'avais rien vu de ce dont Ivar était capable et seulement un peu de la puissance de Geir. Nous avions eu de la chance lorsque nous nous étions enfuis. Je ne pouvais même pas imaginer ce que les autres dans leur genre étaient réellement en mesure de faire.

Je m'emparai de mon pyjama sur un tas de vêtements sur le plancher et entrai dans mon placard pour me changer. Quand j'en sortis, Will n'avait pas bougé. La concentration acharnée dans son expression avait froncé ses sourcils et serré ses lèvres. Il fixait le sol.

— As-tu assez mangé chez Nathaniel? lui demandai-je, soulevant ses cheveux sur ses yeux.

Il ne répondit pas.

— J'imagine que non, dis-je à sa place. Je sais que tu avais besoin de manger après le combat de ce soir.

— Je ne veux pas vraiment manger maintenant.

Je souris.

— Ne bouge pas.

J'allai dans la cuisine et explorai le réfrigérateur. J'eus la chance d'y trouver une bouteille de racinette à moitié pleine et un carton de crème glacée à la vanille dans le congélateur. Je préparai un flotteur, souriant pour moi-même avec tendresse alors que j'enfonçais la cuillère et la paille dans le verre et emportais le mélange sucré à l'étage.

Will n'avait toujours pas bougé.

Je m'arrêtai devant lui et lui tendis le verre. Il leva la tête, les yeux brillants, et il me fit un grand sourire.

— Ellie...

— Tu ne vas pas refuser un fabuleux flotteur à la racinette, non?

Je lui fis un clin d'œil joyeux. Il lâcha un petit rire doux et accepta le verre. Je m'assis sur le lit à côté de lui et le regardai manger.

— Comme je l'ai préparé, dis-je, j'ai droit à une gorgée et à une bouchée.

Son beau sourire s'élargit.

— Entendu.

Il me donna la cuillère et je pris un peu de crème glacée, puis je bus une grosse gorgée de racinette pour l'avaler.

— Hum, c'est sûrement le flotteur le plus foutrement délicieux que tu as mangé.

— C'est le cas, crois-moi.

Il me regarda un moment avant de reprendre la paille et de remuer la racinette.

— Cependant, c'est encore meilleur quand la crème glacée fond. Un petit truc pour toi.

Il remua le mélange jusqu'à ce que presque toute la crème glacée eût fondu et que la racinette eût pris une couleur brune crémeuse, comme le chocolat chaud.

— Essaie, maintenant.

Il tint la paille immobile pendant que je buvais une autre gorgée. La racinette était adoucie par la vanille crémeuse et presque tout le gaz carbonique avait disparu. Le résultat était peut-être l'une des choses les plus délicieuses que j'avais goûtées.

— C'est incroyable, dis-je.

Je pris une troisième gorgée.

— Je te l'avais dit.

Nous partageâmes ce qui restait et je déposai le verre vide et mousseux sur un sous-verre sur ma table de nuit.

Mon cœur battit fort quand je me tournai vers lui, sentant la chaleur de ses yeux dans mon dos.

— Merci, dit-il. Je me sens beaucoup mieux.

— Tu ne pouvais pas me tromper.

Je m'avançai doucement jusqu'à lui et mon cœur se serra quand l'expression soucieuse reparut sur son visage.

— Will, est-ce que tu regrettes tout cela ? Le combat ? Avoir tué le faucheur démoniaque ?

— Je ne le regrette pas, non.

— Mais cela te dérange, dis-je. C'est pourquoi tu portes le crucifix offert par ta mère. Et parce qu'elle te manque.

Il leva les yeux vers moi et son front s'éclaircit.

— J'imagine que tu peux lire les gens mieux que je ne le pensais.

Je lui souris chaleureusement et fis glisser ma main sur ses cheveux.

— Seulement toi. Malgré tous tes efforts, tu ne peux pas me tromper.

— Je ne suis pas censé le faire.

Mon sourire s'évanouit.

— Tu sais qu'il y a des pouvoirs supérieurs, que le Paradis et les Enfers existent, mais tu ne sembles pas très religieux.

— Je ne pense pas que la religion soit basée sur la foi, dit-il. Je n'ai pas besoin d'avoir la foi pour savoir ce que j'affronte tous les jours. Je sais qu'il y a Dieu et que Lucifer le défie. Je sais qu'il y a les déchus et qu'il y a des anges qui les combattent. Je sais qu'il y a des créatures qui traînent d'innocentes âmes humaines dans les Enfers pour se préparer à l'Apocalypse et que j'ai été créé pour lutter contre ces créatures. La foi n'a rien à voir avec mon existence. Mais oui, tu as raison. Je n'aime pas tuer, mais je dois m'y résigner parce que c'est mon devoir. Protéger les âmes humaines est le devoir de tout faucheur angélique. Te protéger est mon devoir. Je suis un soldat dans une guerre et la seule différence entre notre guerre et celles entre les humains, c'est que cette lutte fait rage depuis le début des temps et qu'elle ne se terminera pas de sitôt.

— Pourquoi ta mère t'offrirait-elle un crucifix si les faucheurs ne sont pas religieux?

Il refit son truc de la lèvre et j'eus des papillons dans le ventre.

— Ma mère était très pieuse dans sa croyance que nous agissons pour la bonne cause. Elle luttait fermement contre les démons et je pense que porter une croix lui donnait l'impression d'être plus proche des archanges qu'elle servait et de Dieu. Parfois, nous ressentons beaucoup de solitude et nous perdons de vue nos buts après autant de siècles de combat. Je pense que cela lui permettait de garder les deux pieds sur terre.

— Cela a-t-il le même effet pour toi?

— C'est toi qui me gardes les deux pieds sur terre, dit-il. Et ce crucifix me rappelle qu'il y a des trucs plus importants que toi et moi qui se passent dans l'univers. Qu'il y a un monde au-delà du fait de te protéger, même si, en vérité, tu es tout ce que je connais. La seule chose que je regrette est de manquer à mon devoir envers toi, de te laisser mourir.

Je continuai de caresser ses cheveux et je ne dis rien. Pour être franche, je ne savais pas vraiment quoi dire.

— Et oui, poursuivit-il, ma mère me manque.

— Penses-tu qu'elle te protège depuis le Paradis?

Il se raidit et ne me répondit pas immédiatement.

— Les faucheurs n'ont pas de vie après la mort. Le Paradis et les Enfers sont pour les âmes humaines. Quand un faucheur meurt, c'est fini. Alors, non. Ma mère est partie.

Mon cœur donna un coup dans ma poitrine et la tristesse m'enveloppa comme une neige lourde et glaciale, tandis que le sang quittait mon visage. J'avais toujours ressenti un peu de réconfort à savoir que lorsque je mourrais, mon âme serait en sécurité. Rien ne m'effrayait plus que la possibilité de l'Enshi détruisant mon âme afin qu'après ma mort, je disparaisse à jamais. Et là, pendant tout ce temps, tout au long de son existence, Will savait que s'il était tué, il finirait de la même manière que si mon âme était mangée. Mes Gardiens avant lui étaient tous morts pour moi et avaient mis fin à leur existence. Will savait depuis le début que son ultime sacrifice pour moi ne ferait que lui apporter le vide éternel et, malgré cela, il risquait sa vie pour moi chaque nuit, à chaque combat. S'il mourait en me protégeant, en se battant pour moi, il sacrifierait tout. Il n'y aurait pas de Paradis pour lui afin de se reposer et de trouver la paix. Tout ce qu'il connaîtrait, c'était la guerre, la mort, la perte et la tristesse.

Comment pouvais-je me montrer aussi égoïste ? Pourquoi acceptais-je de le laisser mettre autant de choses en jeu pour moi ? Mes pensées suscitèrent la colère envers moi-même pour ne m'être souciée de personne sauf de moi-même.

Mais il était là. Il était là jour et nuit pour moi, risquant son existence pour me protéger d'une guerre qui exigeait le prix de ma vie encore et encore. Il ne faiblissait jamais, ne flanchait pas, ne craignait jamais pour sa propre sécurité. Il était battu, poignardé, maltraité et torturé à répétition et pourtant, il restait à mes côtés, ignorant la possibilité qu'il finisse par mourir. Ce n'était pas correct. Je ne méritais pas tout ce qu'il sacrifiait pour moi. Je ne valais pas un prix aussi élevé.

Je recourbai une main sur son visage et tournai son regard vers moi tandis que je repliais mes jambes sous moi. M'agenouillant, je glissai ma main sur sa joue rude et dans ses cheveux. Je me penchai en avant et embrassai doucement ses lèvres, simplement pour me sentir un peu plus proche de lui. Son baiser avait le goût de la vanille et du sucre, chaud et délicieux sur mes lèvres. La douleur dans mon cœur me rappela à quel point je l'aimais et je pressai mes lèvres sur les siennes plus désespérément, comme si je craignais qu'il puisse disparaître juste là, à côté de moi. Je réprimai une larme qui était peut-être heureuse ou triste — je ne le savais pas moi-même — et m'écartai.

— Tu es incroyable, fut tout ce que je pus lui dire.

Son regard tomba.

— Je suis loin de l'être.

Il se pencha vers moi, posant son front contre mon épaule, et sa main glissa en haut de mon bras. Il me tint près de lui et pressa ses lèvres sur mon bras, frôlant ma peau avec son nez pendant que je faisais courir mes doigts dans ses cheveux. Je me mordis la lèvre pour arrêter mes larmes.

Je levai son visage et ses yeux s'ouvrirent pour regarder les miens. Je ne pus empêcher un sourire de se former lorsque je constatai que je l'avais mis mal à l'aise.

— Oui, tu l'es. Tu dois te détendre. Pour une fois, cesse de te faire du souci.

Son expression préoccupée commença à s'évanouir.

— Je ne le fais pas exprès.

— Laisse-moi t'aider, lui offris-je.

Je contournai mon lit et grimpai dessus, tendant la main vers la sienne. Il me laissa la prendre et je le tirai vers moi.

— Allonge-toi avec moi. Dors un peu. Il n'est pas nécessaire que tu restes assis dans le froid glacial sur mon toit. Tu te le dois à toi-même. Oublie tout le reste. Tu es toujours si préoccupé à prendre soin de moi. Pour une fois, laisse-moi prendre soin de toi.

Il s'allongea sur le côté, le matelas s'enfonçant sous le poids d'une manière très intime, et il glissa timidement un bras autour de mon ventre. Je ne dis rien tandis que nous étions étendus là, et je m'endormis en sentant son haleine chaude et sucrée dans le creux de mon cou.

30

Nathaniel avait organisé un vol pour nous et un transport aérien par cargo pour le sarcophage jusqu'à Puerto Rico via Miami. Mes parents gobèrent l'histoire du week-end passé avec la famille de Kate dans leur maison sur le lac dans le nord puisque j'y étais allée des centaines de fois auparavant, et tout se mit en place. Malgré la préférence de Nathaniel pour travailler dans l'ombre au lieu de se battre sur la ligne de front, il nous accompagnerait pour nous fournir du renfort. Je ne l'avais pas vu en action encore, mais j'étais intriguée. Il ne se défendait pas avec les lames traditionnelles que nous avions l'habitude d'utiliser, Will et moi. Nathaniel avait un penchant pour les fusils.

Il réussit à faire classer la boîte contenant le sarcophage comme un artefact archéologique et nous n'eûmes aucune difficulté à l'expédier par avion-cargo. Nathaniel, craignant avec raison de laisser l'Enshi seul, dissimula sa présence au personnel de l'aéroport en demeurant dans les Ténèbres et se glissa en douce avec succès sur le vol sans être vu — l'invisibilité s'avéra un truc de faucheur pratique. Il resterait avec le sarcophage jusqu'à ce que nous arrivions dans les

Caraïbes. Heureusement, nous n'avions pas besoin d'enregistrer nos épées avec les fusils de Nathaniel. Cela aurait été tout un plaisir à expliquer.

Nous arrivâmes à Miami après vingt-deux heures le mercredi soir. Après une escale, nous montâmes dans un autre avion à destination de San Juan. Je me sentais totalement épuisée quand nous atteignîmes enfin notre petit motel à presque quatre heures du matin. Nous nous procurâmes une chambre dans le motel et non dans l'un des hôtels de luxe que j'aurais préférés ; Will dit que c'était pour notre sécurité et celle des résidents du coin que nous demeurions dans un petit bâtiment avec une sortie facilement accessible au cas où Bastian apprendrait où nous étions. Le motel était situé sur une rue étroite à seulement quelques pâtés de maisons de l'aéroport. Il était un peu délabré et le pavé dehors arborait des touffes de mauvaises herbes pointant dans les fissures. Quand l'avion-cargo de Nathaniel arriva à San Juan, il loua un gros camion pour transporter le sarcophage et se gara derrière le motel. Il surveillerait le camion avec un regard d'aigle jusqu'à l'aube, au cas où nous serions attaqués.

Will me laissa dormir jusqu'à onze heures, ce qui était le paradis après la rude semaine et la nuit précédente. Après une douche dans la jolie petite salle de bain, j'anticipai avec excitation de sortir et de voir à quoi ressemblait vraiment la petite ville. Tandis que je séchais mes cheveux, je passai la tête hors de la salle de bain et repérai Will debout au-dessus de sa valise en train de retirer son chandail. Je sentis mon visage s'enflammer quand je le vis torse nu et je détournai presque le regard. Presque. Il passa un nouveau t-shirt d'un mouvement d'épaules et les muscles de son abdomen se contractèrent pendant qu'il lissait le coton.

— Nathaniel est-il encore dehors dans le camion? m'enquis-je.

Il se tourna et s'avança doucement vers moi.

— Non, répondit-il. Il a pris un taxi jusqu'à la marina pour se procurer un bateau. J'ai pensé que nous pourrions aller dîner lorsqu'il reviendrait. Ça te convient?

Je fis un grand sourire.

— Absolument. Vient-il avec nous?

— Non, il reste avec le camion. Nous ne pouvons pas laisser la boîte seule.

Il semblait sincèrement déçu.

— Je lui ai apporté de la nourriture avant son départ, par contre. Nous avons tous les deux besoin de beaucoup manger pour ce soir, juste au cas.

— Tu veux dire que tu as déjà mangé?

— Un peu.

Son ton se voulait nonchalant, comme si tout le monde mangeait avant d'aller au restaurant.

— Et tu vas manger encore?

— Ouais, dit-il. Je t'ai dit que je ne souhaitais pas que tu voies la quantité de nourriture que je mange réellement. Cela te donnerait des cauchemars, je te l'assure.

Je roulai les yeux.

— Oh, merci de me protéger de la douloureuse réalité sur la quantité de nourriture que vous, les gars, vous avalez vraiment lorsque les filles ne regardent pas.

Il rit.

— As-tu terminé de la salle de bain?

— Maquillage.

— Dépêche-toi.

Je n'en fis rien. Je pris tout mon temps pour appliquer le ligneur et le mascara sur une ombre à paupières rosée. La journée était ensoleillée et mon humeur, anormalement bonne. Je tentai de ne pas penser aux heures à venir dans la journée, lorsque nous partirions en bateau pour laisser tomber l'Enshi au bout du monde.

— Es-tu sérieux? entendis-je Will crier au fond de la pièce.

Je sortis ma tête.

— Il n'y a personne d'autre?

Il marqua une pause.

— D'accord, ça va.

Will ferma mon téléphone et fit courir une main rageuse dans ses cheveux.

— Qu'est-ce qui se passe? demandai-je, faisant glisser du baume sur mes lèvres.

— Nathaniel a trouvé un bateau de pêche à louer, répondit-il d'une voix agacée. Le problème est qu'il ne sera pas disponible avant dix-sept heures. Personne d'autre n'accepte de nous laisser naviguer leurs bateaux assez loin. Que fais-tu là-dedans? Tu prends une éternité.

— Maquillage! répétai-je en me renfrognant.

Je mis une couche supplémentaire et inutile de baume pour les lèvres simplement pour l'énerver.

— Cela ne t'inquiète-t-il pas de savoir que nous devons partir si tard?

— Eh bien, dix-sept heures, ce n'est pas si mal, insistai-je. Le coucher du soleil n'est pas avant quoi? Dix-neuf heures?

Il fronça les sourcils dans ma direction.

— Nous devons naviguer presque cent trente kilomètres pour atteindre la fosse de Milwaukee.

Je haussai les épaules.

— Et alors ? Qu'est-ce que ça prend ? Une heure ?

— Ellie, nous n'y allons pas en voiture. C'est un très gros et vieux chalutier de mer. Nous aurons beaucoup de chance s'il avance à un maximum de quinze nœuds.

— Je ne sais pas ce que cela veut dire !

— C'est environ vingt-sept kilomètres à l'heure.

Je ne tentai pas de calculer puisque je n'étais même pas capable de compter mes orteils sans m'embrouiller.

— Est-ce que cela nous emmènera à destination pour dix-huit heures ?

— Non, nous y mettrons probablement quatre heures et demie.

Ma mâchoire se décrocha.

— Nous serons là-bas après la tombée du jour ?

Il lâcha une longue inspiration.

— C'est ainsi que les choses se présentent.

— Ne pouvons-nous pas attendre à demain ? demandai-je avec espoir.

Il secoua la tête.

— Notre avion décolle à neuf heures et nous ne pouvons pas courir le risque de passer un jour de plus ici.

— Super.

— Je sais.

Je me hérissai. Tout irait bien, me répétai-je à moi-même plusieurs fois. Les démons virs n'avaient aucune façon de savoir que nous étions à Puerto Rico. Nous étions en sécurité.

— Ne nous inquiétons pas de cela. Tout ira bien.

Il me lança un regard perplexe.

— Depuis quand es-tu devenue mademoiselle Optimiste?

— Depuis que je suis aussi affamée, alors allons-y.

Will héla un taxi pour nous conduire dans le vieux San Juan. Je fus totalement charmée. Les rues flamboyaient de toutes les couleurs de l'arc-en-ciel; chaque bâtiment était d'une couleur vive et unique en son genre. Des fenêtres en arches donnaient sur des balcons de fer forgé ornés de jardinières débordant de fleurs odorantes. Chaque entrée était unique, richement décorée et protégée par une belle grille en fer. J'allais devoir revenir en visite un jour, lorsque je ne m'attendrais pas à rencontrer un certain destin au coucher du soleil.

Nous nous arrêtâmes dans un petit café et mangeâmes sur la terrasse. Même si elle portait un nom que je ne pourrais jamais prononcer, je commandai une salade colorée avec toutes sortes de surprises cachées dans les légumes. Will demanda un genre de ragoût au poulet avec du riz et des fèves. Il sentait incroyablement bon et j'en volai quelques bouchées malgré ses protestations. Pendant un petit moment, à mon étonnement, je me sentis de nouveau normale. J'aimais ce sentiment. Je me plus à prétendre être une fille normale en vacances avec un garçon normal — bien qu'extrêmement beau — dans une belle ville.

Lorsque nous terminâmes notre repas, nous ne reprîmes pas tout de suite un taxi pour revenir au motel. Will insista plutôt pour que nous passions une agréable journée. Il semblait excessivement soucieux de savoir si je m'amusais aussi, ce qui ne me mit pas du tout à mon aise. Je soupçonnais que Will pensait que c'était ma dernière journée. Nous marchâmes dans le vieux San Juan, nous frayant un chemin à travers la foule qui entourait les musiciens et les artistes de rue, levant des yeux émerveillés sur les points de vue magnifiques. Nous nous promenâmes le long d'une plage bondée et achetâmes une visite du Castillo San Cristóbal avant de rentrer.

Lorsque la voiture se gara devant le motel, Nathaniel était assis dehors sur une chaise. Il se leva et nous sortîmes du taxi, puis Will paya le chauffeur.

Nathaniel sourit.

— Avez-vous passé une bonne journée?

— Ouais, dis-je avec un grand sourire. C'était agréable.

J'essayai de chérir ce que je ressentais à cet instant parce que je savais que cette émotion ne durerait pas longtemps.

Nous nous empilâmes dans le camion avec le sarcophage et le sac de sport rempli des armes de Nathaniel à l'arrière, puis nous roulâmes jusqu'au port de San Juan, à l'autre bout de la ville. J'étais assise entre Will et Nathaniel et fixais silencieusement l'extérieur à travers le pare-brise, tentant de ne pas réfléchir à la pire chose qui pourrait arriver ce soir-là. Nous dépassâmes une longue file apparemment interminable de bateaux de croisière et de traversiers jusqu'aux quais des bateaux de pêche. Ces navires étaient beaucoup plus petits que les gros bateaux de touristes, mais ils me surplombaient tout de même. Les odeurs caractéristiques de l'eau salée, du poisson, du métal et des filets en nylon assaillirent mon nez d'un seul coup. Des cordes et des fils métalliques étaient attachés partout et des membres d'équipage les esquivaient d'un pas fluide en s'acquittant de leurs tâches. Nous nous arrêtâmes devant un énorme chalutier de mer avec le nom *Elsa* imprimé en lettres décolorées sur la proue. Un homme corpulent, sale et à moitié chauve jogga lourdement sur le quai de chargement pour nous accueillir.

— *Hola*, dit-il en hochant la tête dans notre direction, ses yeux de fouine s'attardant sur moi.

— *Hola*, José, répondit Nathaniel. Désolé pour notre retard.

— Ça va, dit José d'une voix tonitruante. Tu m'as déjà payé, alors je me fous du fait que vous veniez ou pas.

Il rit, son ventre bondissant, et il passa le dos de sa main sur son front sale et couvert de sueur.

Nathaniel s'obligea à sourire. Il était évident qu'il n'aimait pas notre nouvel ami.

— Nous allons prendre ta relève sur l'*Elsa*, maintenant.

Le rire de José résonna encore plus fort.

— Impossible que vous puissiez tenir la barre de mon bateau avec seulement un autre gars et une adolescente et que vous reveniez dans ce port au plus tard à minuit. Et je me fous de la somme que tu me paies, mon équipage ne quitte pas le navire.

La frustration fit plisser le visage de Nathaniel.

— Ce n'est pas nécessaire. Nous nous en sortirons parfaitement bien.

— Pas question, dit José, la voix plus sérieuse. Moi et mon équipage venons avec vous.

— Nathaniel, dit Will d'une voix prudente, nous n'avons pas le choix.

Nathaniel ferma les yeux d'agacement.

— Bien, mais rappelle-toi ce pour quoi je te paie. Cela inclut ne pas poser de questions.

José rit encore une fois.

— Je le sais. Transporte ce que tu veux. Pas de questions.

— Merci. Chargeons afin que nous puissions arriver là-bas dès que possible.

José haussa les épaules.

— C'est un chalutier de trente mètres et il n'est pas très rapide. Il faudrait un miracle pour atteindre la fosse avant la noirceur. Aucune promesse.

— Nous prendrons ce que nous pouvons, intervint Will.

Lui et Nathaniel retournèrent au camion et sortirent le gros sac de sport contenant l'arsenal.

— Vous pouvez les mettre dans la cabine, si vous le voulez, cria José.

Ils s'exécutèrent avant de revenir pour décharger le sarcophage. Quand ils tirèrent la large boîte en bois du camion, l'équipage de l'*Elsa* les observa avec méfiance. Je priai pour qu'ils ne deviennent pas trop curieux.

José n'était pas non plus immunisé contre la curiosité.

— Qu'avez-vous là ? Et pourquoi voulez-vous l'apporter jusqu'à la fosse ? Allez-vous le lâcher par-dessus bord ?

Nathaniel lui jeta brièvement un regard furieux.

— Pas de questions, tu te souviens ?

Le capitaine hocha la tête, déçu.

— Cela ne peut pas peser très lourd, si vous le manipulez facilement comme ça. Et si ce n'est pas lourd, cela ne peut pas être important.

J'avais envie de rire.

— Cela doit aller en bas, dit Will en passant devant lui.

José indiqua la bonne direction.

Je suivis Will et Nathaniel au-delà de la cabine et en bas, sous les ponts, dans une large cale mal aérée qui sentait fortement le poisson. L'eau frappait les côtés d'acier du bateau, provoquant un écho qui résonnait dans l'énorme salle. Ils déposèrent la boîte par terre et la poussèrent contre un mur. Un lourd cadenas verrouillait fermement le couvercle.

— Pensez-vous que ça ira ? demandai-je.

— Ouais, répondit Will. C'est beaucoup plus sûr ici que sur le pont.

— Si nous sommes attaqués, alors cela n'aura pas d'importance.

Il baissa la tête et me gratifia d'un éclatant sourire idiot.

— Nous ne serons pas attaqués.

La voix de José nous appela de quelque part en haut.

— *Amigos*, nous levons l'ancre bientôt.

Nous remontâmes sur le pont principal, restant hors du chemin de l'équipage. Ils levèrent et rangèrent la passerelle d'embarquement et nous appareillâmes enfin. Le solide chalutier quitta le port en grondant et se dirigea vers la mer. Je regardai par-dessus la rambarde dans l'eau sombre, observant les vagues. Je m'aventurai à parcourir le périmètre du bateau pour l'explorer. Quand José apparut au détour d'un coin, je m'arrêtai.

Il avança vers moi, sentant le poisson et la fumée de cigarette. Je ne réussis pas à empêcher mon nez de se plisser devant son odeur désagréable.

— Alors, que prévoyez-vous faire, les jeunes, lorsque vous serez à la fosse ? Vous n'allez pas nager, n'est-ce pas ?

Vous êtes des chercheurs de sensations fortes ? Où sont vos parents ?

Je secouai la tête et mon pouls s'accéléra.

— Je pensais que vous n'étiez pas censé poser de questions.

Il haussa les épaules.

— Je n'ai pas de mauvaises intentions. Tu ne veux pas entrer dans ces eaux, ma petite fille. Il y a des requins plus gros que l'*Elsa* qui nagent là-dedans. Comme des monstres sortant d'un cauchemar.

— Je n'ai pas prévu d'aller dans l'eau, le rassurai-je.

En vérité, ce n'était pas les requins qui me donnaient des cauchemars.

— Vous allez pêcher ? insista-t-il. Pourquoi ne pas embarquer sur l'un des luxueux bateaux de pêche pour le faire ? Pourquoi payez-vous un vieux fou comme moi pour quelques heures sur ce vieux chalutier ?

— Je ne sais pas exactement pourquoi, dis-je.

Je me détournai pour marcher d'un bon pas vers la proue, souhaitant qu'il ne me suive pas.

— Vous êtes mieux de ne rien faire d'illégal ! cria José derrière moi. J'espère que cette boîte ne contient pas de corps et vous feriez mieux de ne pas faire partie de la CIA !

Je tournai le coin devant la cabine pour m'éloigner de lui. Je trouvai Will et je restai collée à lui le reste du voyage. Il semblait sentir que l'équipage me paraissait étrange et son côté protecteur se mit en branle à plein régime. Si quelqu'un devenait trop amical avec moi, je pouvais sûrement le battre à plate couture par moi-même, puisque j'avais l'habitude de combattre des monstres beaucoup plus gros qu'un tas de mecs puants, mais je laissai Will faire son boulot. Il semblait plus heureux lorsqu'il jouait les gardes du corps.

Après une heure sur le bateau, je commençai à m'ennuyer. Je me penchai sur la rambarde à côté de Will pendant que le vent fouettait mes cheveux autour de ma tête comme une tornade. Mes boucles naturelles pointaient lentement leur sale nez et j'avais oublié d'apporter une pince à cheveux pour les dompter. Agacée, je coinçai mes cheveux derrière mes oreilles, mais les mèches ne restèrent pas en place.

Je regardai par-dessus bord et mes yeux s'élargirent quand je vis des dauphins, au moins une demi-douzaine, entrant et sortant de l'eau, leurs dos gris scintillants disparaissant et réapparaissant à travers les vagues. Je ne pus retenir le cri perçant qui franchit mes lèvres.

— Des dauphins ! m'écriai-je, les montrant du doigt pour que Will les voie.

D'un air apathique, il scruta l'horizon par-dessus mon épaule sans rien dire.

— Ils nous suivent. Cela doit être un signe de chance, n'est-ce pas ?

J'entendis un vilain rire moqueur dans mon dos. Je me tournai pour apercevoir José qui passait.

— Ne t'emballe pas trop, grommela-t-il, jetant un regard noir sur les dauphins. Ils espèrent que nous trouverons des crevettes qu'ils pourront voler. Salopards gourmands. *Carroñeros !*

Il frappa furieusement le côté du bateau et je fus contente que le bruit fort qui en résulta ne les effraya pas. Quand José fut hors de portée de voix, Will se pencha vers moi.

— Ne le laisse pas t'embêter, dit-il.

— Il me donne la chair de poule.

Le capitaine m'avait laissé un mauvais goût dans la bouche. J'attendais avec impatience que nous nous débarrassions de l'Enshi et que nous foutions le camp de San Juan. Et ensuite, que nous rentrions à la maison.

— Avant, c'était moi qui te donnais la chair de poule, dit Will.

Il sourit.

Je retins son regard d'un air de défi.

— Avant ?

Son sourire s'élargit davantage.

— Je ne te dérange plus autant, maintenant.

Je me hérissai.

— N'y compte pas trop.

Nathaniel apparut au coin de la cabine, le regard mauvais.

— Ces hommes sont vraiment affreux.

— Pourquoi ? demandai-je.

Il secoua la tête.

— Ils aiment parler... On n'en dira pas plus.

J'avais une idée de ce qu'il voulait dire par là. Je sentis soudainement le froid et l'humidité, et j'aurais aimé avoir apporté mon kangourou pour le porter à bord. Ou même un sac-poubelle.

— Allons en bas ? suggéra Nathaniel, me voyant frissonner.

Will et moi acceptâmes et nous nous rendîmes dans la cuisine sous les ponts. La salle était peinte en blanc terne et contenait uniquement des appareils électroménagers en acier inoxydable, de la rouille et quelque chose de noir qui poussait sur les murs à titre de touche décorative. La pièce sentait le moisi. Je plissai le nez en signe de désapprobation. Will s'assit à la table de cuisine bancale et je le rejoignis. Nathaniel sortit un jeu de cartes crasseux de la poche de son jean et le disposa sur la table en se laissant choir sur une chaise.

— Où l'as-tu eu? demandai-je, heureuse que nous ayons quelque chose à faire pendant le voyage.

— Le lieutenant me l'a donné, expliqua-t-il, sortant les cartes jaunies et les battant. À quoi devrions-nous jouer?

— Poker, répondis-je.

— Pas de jetons.

Je levai un doigt.

— Des jetons imaginaires.

Il rit.

— D'accord, alors. Tu es partant, Will?

Will hocha la tête et sourit.

— Passe-moi des cartes.

Nous jouâmes quelques parties. Nathaniel n'arrêtait pas d'essayer de parier plus d'argent imaginaire qu'il n'en avait, ce qui devint agaçant. Will était plutôt bon et il avait un visage impassible, efficace au point d'en être gênant, mais je les écrasai tout de même tous les deux. Je me lassai après quelques parties et les quittai pour aller en haut. Will me suivit.

Sur le pont principal, certains membres de l'équipage étaient assis à une petite table, deux d'entre eux fumant de gros cigares. Je souris aimablement lorsque je passai devant eux et me dirigeai vers la poupe. Quand je vis le soleil tomber à l'horizon, j'adjurai inutilement le bateau d'aller plus vite. Un sillage géant courait derrière le bateau et des bandes tourbillonnantes d'eau blanche dansaient à la surface sombre de la mer. L'eau n'était plus du bleu saphir brillant du littoral portoricain, mais d'un bleu-noir trouble s'étendant sans fin sous mes yeux. En se couchant, le soleil du crépuscule des Caraïbes jeta une lumière dorée flamboyante sur les nuages au-dessus de lui. Je me surpris à fouiller l'horizon à la recherche de silhouettes de monstres ailés. J'eus la vision épouvantable de faucheurs plongeant vers nous, comme l'armée de singes volants de la méchante sorcière de l'Ouest, nous mettant en pièces et repartant avec le sarcophage.

Will s'avança très près derrière moi et il posa les mains de chaque côté de moi sur la rambarde et son menton sur mon épaule.

— Ça ira, m'assura-t-il. C'est la partie la plus effrayante de la soirée, mais nous nous en sortirons.

Sa joue toucha la mienne par inadvertance et des papillons dansèrent légèrement dans mon ventre. Je restai immobile comme une statue, craignant de bouger.

— Détends-toi, dit-il en embrassant ma nuque.

Sa caresse chaude provoqua un frisson dans mon corps et je ne fus pas très attentive à ce qu'il dit ensuite.

— Il ne se passera rien. Nous sommes presque arrivés et nous allons pousser cette foutue boîte en bas du bateau. Elle explosera jusqu'à ce qu'il ne reste plus rien avant même qu'elle ne touche le fond de l'océan.

Je souris et expirai, essayant de me détendre. Je me tournai pour regarder Will en face; il garda les bras de chaque côté de moi, mais son corps se raidit. Je m'appuyai le dos contre la rambarde.

— Tu prononces toujours les mots justes, n'est-ce pas?

Je levai un sourire taquin vers lui.

Le vent souffla dans ses cheveux.

— Je préfère une Ellie heureuse à une Ellie triste.

— Il faudra plus que cela pour me rendre heureuse.

Il me gratifia d'un sourire éclatant et espiègle et se détendit. Il inclina sa tête bien bas, mais ses lèvres s'arrêtèrent à quelques centimètres des miennes.

— Que faudra-t-il, alors?

Je m'efforçai de respirer et de parler en même temps, fixant sa bouche.

— Tu possèdes une bonne imagination. Je pense que tu peux trouver quelque chose.

— Puis-je? murmura-t-il.

Je hochai stupidement la tête, incapable d'articuler un «oui». Ses lèvres frôlèrent les miennes, déclenchant de minuscules feux d'artifice sur ma peau. Ses mains s'installèrent sur ma taille et il m'attira un peu plus près de son corps.

J'entendis un cri et Will pivota brusquement, me relâchant. Un deuxième cri me transperça le crâne. Will lança un bras devant pour me protéger et je m'avançai vers lui.

Un corps vola dans les airs et atterrit sur le pont, devant nous. Quand il s'arrêta, je le reconnus comme l'un des membres de l'équipage. Il saignait abondamment du torse. Il cracha et tendit la main vers moi, ses yeux fous et injectés de sang. Mon corps se figea de peur alors que je regardais l'homme mourir. J'entendis un autre hurlement perçant.

Nous étions attaqués.

31

Ma respiration se fit superficielle et rapide. Les cris devinrent plus forts et se multiplièrent, m'emplissant la tête. J'entendis un rire, perçant et chantant, démentiel comme celui d'un clown prenant du *crack*. Soudainement, la tête me tourna et la nausée me submergea. Je me pressai contre le dos de Will, me sentant faible.

— Ellie, dit fermement Will en se retournant vers moi. M'entends-tu ? Nous devons appeler nos armes et nous battre. Nous ne sommes pas encore à la fosse.

Je ne dis rien, mais fixai devant moi la clarté éblouissante jetée par les lumières du bateau, qui se reflétait sur la brume s'élevant de la mer à la tombée de la nuit. Au-delà, il y avait l'obscurité et d'autres cris. J'entendis les coups de feu et vis les éclairs blancs comme ceux de pétards de l'autre côté de la cabine.

Will bondit devant moi et m'attrapa par les deux épaules, ses yeux verts devenant plus flamboyants.

— Reprends tes esprits, Ellie ! Si tu restes ici, tu mourras et tout le monde avec toi. Tu ne peux pas laisser tout le monde mourir !

— J'ai besoin de mes épées, dis-je faiblement.

— Là je te reconnais, dit-il en me caressant la joue.

J'invoquai mes épées. La lumière tombante s'attarda sur les inscriptions énochiennes courant le long des deux lames. Je pris une profonde inspiration et fermai les yeux. Je croyais en moi-même. J'avais foi en mon pouvoir.

Nous nous baissâmes au maximum et filâmes à travers la porte de la cabine. Will traîna l'étui à fusil rigide hors du sac de sport et l'ouvrit d'un seul coup. Dedans, il y avait deux pistolets et un fusil de chasse, ainsi que de nombreuses munitions.

— Je n'ai jamais tiré du fusil auparavant, dis-je d'une voix mal assurée.

— Ne t'inquiète pas, m'affirma-t-il. Ils ne te sont pas destinés.

Il chargea les armes et coinça les pistolets dans son jean et tint le fusil de chasse dans une main.

— Mais les fusils ne tueront pas les faucheurs, dis-je.

— Il faut tirer assez de balles pour détruire la tête. Elle se transformera en pierre une fois qu'il sera mort.

Je hochai lentement la tête en signe de compréhension.

— Où est Nathaniel ? demandai-je, ma voix se calmant.

Will secoua la tête et se leva avec moi.

— Je n'en ai aucune idée. Probablement en train de se battre. Il aura besoin de ça. Es-tu avec moi ?

Je hochai la tête.

— J'ai besoin de toi, Ellie.

— Je suis avec toi.

Il observa mon visage pendant quelques insoutenables secondes de plus, l'expression sévère.

— Allons-y. Des gens meurent.

Je le suivis à l'extérieur de la cabine jusqu'à l'étage, sur le pont principal. Les cris étaient chaotiques et perçants, inondant mes oreilles. La première chose que je vis lorsque j'émergeai fut Nathaniel qui était debout, dos à moi, Ivar le surplombant. Ses ailes imposantes étaient pleinement déployées et ses yeux pâles devinrent brillants comme deux pleines lunes jumelles profondément enchâssées dans son crâne. Son pouvoir déferla, fouettant ses cheveux cendrés violemment autour d'elle. Elle assena un coup du revers de la main sur le visage de Nathaniel et il s'écrasa au sol.

— Nathaniel! hurla Will en lui lançant le fusil de chasse.

Nathaniel l'attrapa, se retourna, actionna une fois la pompe et tira Ivar en pleine poitrine, la faisant tomber quelques pas en arrière. Elle se redressa et fixa le trou dans sa cage thoracique. Elle regarda Nathaniel de nouveau et gronda férocement, dévoilant ses crocs, puis la plaie se referma.

— Tu as gâché ma robe, siffla-t-elle en marchant à pas lourds vers lui.

Il réarma le fusil, perçant un trou dans son épaule au moment où elle écartait brusquement sa tête du trajet de la balle, ce qui fit bouger son corps de côté, mais elle continua à avancer.

Quelque chose émit un bruit de métal au-dessus de moi et je relevai la tête brusquement pour voir le visage de Geir, souriant d'une manière démente avec ses dents de requin, se penchant par-dessus le toit de la cabine. Ses ailes s'étendaient comme une voile au-dessus de moi. Il bondit en bas du toit et atterrit entre moi et Will.

— Tu pensais pouvoir fuir, hein, Preliator ? demanda-t-il, se léchant les lèvres avec une faim diabolique.

Sa bouche sourit plus largement que la biologie aurait dû le permettre.

Une vague de courage me traversa et je courus vers lui, brandissant mes épées, mais il disparut de ma vue en un clin d'œil. Quelque chose me cogna dans le dos et je tombai sur le sol. Je me retournai et vis que les mains de Geir s'étaient transformées encore une fois en griffes de monstre. Il tendit un bras vers moi et me serra à la gorge. Son autre bras tira sur mes épées et, vif comme l'éclair, il me souleva de toutes ses forces au-dessus de sa tête et me projeta contre le mur de la cabine. Il me tenait trop haut pour que mes orteils touchent le sol et ses griffes se resserrèrent autour de ma gorge. Il me pressa plus fortement contre le mur jusqu'à ce que je puisse à peine respirer.

— Où est l'Enshi ? gronda-t-il férocement.

Devant mon silence, il me tira brusquement en avant et m'enfonça encore plus profondément dans le mur, faisant craquer le métal. Je criai lorsque la douleur se propagea dans mon corps.

— Où est le sarcophage ? cria-t-il dans mon visage, ses yeux jaunes flamboyant.

Il rugit et me lança dans les airs. Je frappai le sol durement et glissai jusqu'à ce que je me cogne sur le plat-bord. La main griffue de Geir s'empara de ma cheville et me tira vers lui. Il me retourna sur le dos, tint mes poignets au-dessus de ma tête d'une seule main, puis s'accroupit au-dessus de moi, enfonçant ses griffes dans ma joue et ma gorge avec son autre main.

Un membre de l'équipage plongea une tige de métal sur Geir, mais le faucheur le frappa avec ses griffes et ouvrit largement le torse du pauvre homme.

— Comme je le disais, dit le faucheur, donnant de petits coups avec sa langue pâle sur la pointe de ses dents en aiguille. Même si nous devons mettre cette boîte de conserve en pièces écrou par écrou, nous allons quand même tous vous tuer.

Je libérai un de mes bras d'un violent mouvement de torsion et frappai Geir au visage. Il me lâcha et se plia en deux, sifflant des injures contre moi. Je me tortillai pour lui échapper, mais une main attrapa une poignée de mes cheveux et tira ma tête en arrière. Je fixai mon regard sur le beau visage fantomatique d'Ivar.

— J'en ai assez de toi, gronda-t-elle, sa chevelure flottant violemment autour de nous dans le vent brumeux de la mer.

Ma peur se changea en colère et je lançai mon poing vers elle, mais elle me saisit par la gorge, me retourna au-dessus de sa tête et me lança la tête à l'envers, comme une poupée de chiffon, sur la cheminée du bateau. Le métal émit un bruit et craqua sous l'impact, et je glissai sur le pont la tête la première, m'écrasant en tas. Je levai les yeux pour voir Ivar décoller vers moi, les ailes largement ouvertes, les mains allongées pour m'attraper, et je vis l'une de mes épées sur le sol entre nous.

Je bondis pour la prendre, agrippai la poignée à deux mains et la brandis très haut dans les airs. Ivar siffla et plongea à gauche, mais ma lame trancha l'une de ses ailes. Elle hurla d'une voix perçante et perdit la maîtrise, tournant en spirale sur la rambarde. Je bondis sur mes pieds pendant qu'elle reprenait ses esprits et je levai mon épée très haut avant de fendre l'air vers le bas. Ses mains enserrèrent mes poignets et nous fûmes engagées dans une bataille se jouant sur la force brute. Ivar gronda férocement comme un animal, ses lèvres bleues cadavériques s'incurvant et faisant briller ses crocs de vipère. Ses ailes se déployèrent et je jurai en regardant l'aile endommagée parfaitement régénérée. Son pouvoir m'explosa au visage et m'envoya voler dans les airs. J'atterris sur le dos assez durement pour faire craquer la surface en métal du pont sous moi.

— Ellie! hurla Will quand il me vit frapper le sol.

Il combattait Geir et je les avais perdus de vue dans l'hystérie générale.

— Où est Nathaniel? criai-je en me remettant péniblement sur pied.

Ma peur pour sa vie me faisait oublier la douleur dans mon dos.

Les yeux pâles et disproportionnés d'Ivar brillèrent d'un blanc vif jusqu'à ce que ses pupilles disparaissent presque entièrement, et un sourire cruel grandit sur ses lèvres.

— Il n'est plus nécessaire de t'inquiéter pour lui, gronda-t-elle en faisant un pas vers nous, ses larges ailes bloquant la lumière.

Le mouvement de ses ailes et le vent qui tourbillonnait firent remuer le bas de sa robe sur ses chevilles et je pus voir qu'elle était pieds nus.

— Tu as tué Ragnuk et je te remercie de nous avoir débarrassés de cette nuisance. Cependant, je dois avouer que je ne t'en croyais pas capable.

— C'est ton erreur de continuer à me sous-estimer, rétorquai-je, ma poigne se resserrant sur mon épée.

Je fouillai le pont du regard à la recherche de l'autre épée et la repérai, reposant contre la porte de la cabine.

Ivar se moqua.

— Ne sois pas si présomptueuse, mon enfant. Bastian semble avoir une très haute opinion de toi, par contre. En fait, il veut même te rencontrer.

— Pardonne mon manque d'enthousiasme, grondai-je. Le sentiment n'est pas réciproque.

Ivar fit la moue.

— Il sera tellement déçu.

— Essaie de m'attraper, répliquai-je sèchement.

Ses lèvres se recourbèrent en un sourire sensuel et éloquent.

— Je peux faire ça.

Elle fondit sur moi, mais je me tournai, m'élançant vivement vers mon épée près de la porte de la cabine. En deux longues enjambées, je l'atteignis. J'attrapai la poignée de ma main libre et l'illuminai de feu d'ange en me retournant. Ivar me rentra dedans et nous envoya nous écraser ensemble à travers la porte en bois de la cabine, des éclats volant partout autour de nous. Je m'écroulai sur une table en bois et Ivar atterrit sur moi. J'enfonçai une lame dans sa gorge et elle tenta de mordre mon visage, faisant claquer ses dents comme un loup et grondant férocement. Ses doigts m'attrapèrent, tirant sur mon chandail et mes cheveux, ses griffes me tranchant la peau. Mon pouvoir la frappa de plein fouet, la propulsant au plafond et emplissant la cabine d'une vive lumière blanche. Son corps démolit la fibre de verre ; la surface vitreuse se brisa en gros morceaux et l'intérieur retomba comme des flocons de neige, couvrant Ivar de poudre. Elle battit des ailes et se déposa gracieusement sur le plancher. La salle était beaucoup trop petite pour que ses ailes puissent se déployer à leur pleine envergure. Elle agrippa mes deux épaules, me lança sur un filet de pêche suspendu, puis m'écrasa contre une série d'étagères. Les doigts d'Ivar se refermèrent sur mon chandail et me soulevèrent jusqu'à ce que mon regard soit à la hauteur du sien.

— Je vais éprouver du plaisir à te tuer, se moqua-t-elle. Et quand tu reviendras, je vais avoir du plaisir à te tuer encore. Si l'Enshi ne mange pas ton âme, je vais manger ton cœur avec bonheur.

Au lieu de répondre, je la poignardai au ventre avec un khépesh. Ses yeux sortirent de leurs orbites et elle me lâcha. Je tirai pour dégager l'épée enflammée et m'élançai, mais elle m'attrapa le poignet avant que la lame ne touche sa peau. Elle siffla, écartant les lèvres méchamment.

— Mauvaise décision.

Sa chair se referma, ne laissant qu'une vilaine cicatrice marbrée. Elle propulsa son pouvoir sinistre vers moi, me frappant à la poitrine comme un coup de fouet, et je chancelai en reculant. Je me remis du coup et la vis fondre sur moi à travers les restes fumants de son attaque. Mon propre pouvoir jaillit violemment avec une explosion assourdissante de lumière blanche et entra en collision avec le sien. Il la souffla à l'autre bout de la cabine, puis elle s'écrasa à travers le mur et vola dehors de l'autre côté du pont dans une éruption de fibre de verre et d'acier.

Ivar frappa le pont et se remit difficilement sur ses pieds en chancelant pendant que j'enjambais les décombres de la cabine. Au lieu de revenir vers moi, elle tourna sèchement les yeux de côté et mon regard suivit le sien. Will se tenait là, les deux mains sur les flancs.

— William! se moqua-t-elle, sa voix résonnant au-dessus des vagues qui déferlaient. C'est si bon de ta part de te joindre à nous!

Will ne dit rien et lança ses bras vers le ciel, puis tira sur le corps d'Ivar avec les deux pistolets de Nathaniel. Les balles lui déchirèrent la poitrine, faisant gicler le sang comme des confettis, l'obligeant à reculer. Elle se crispa violemment et poussa un cri perçant quand il vida deux autres chargeurs sur elle. Quand les fusils furent vidés, Will lâcha les chargeurs, rechargea sans effort et recommença à tirer.

Une main tomba sur mon épaule et je brandis une épée. Nathaniel m'attrapa le bras.

— Hé, c'est moi.

Je soupirai de soulagement et l'étreignis.

— Je pensais que tu étais mort.

Il secoua la tête quand je le relâchai.

— Je vais bien. Est-ce que toi, ça va?

— Ouais.

Je regardai derrière lui pour trouver Will et le repérai en train de mener un combat à mains nues contre Ivar. Sa robe était criblée de trous ensanglantés, mais elle semblait indemne.

— Où est Geir? demandai-je désespérément à Nathaniel en lui attrapant l'épaule.

— Il doit être en bas.

Nous dépassâmes Ivar et Will en hâte et je prononçai une prière silencieuse pour qu'il soit en vie la prochaine fois que je le verrais. Nathaniel donna un coup de pied sur la porte pour la maintenir ouverte. Elle s'ouvrit largement et nous descendîmes dans la faible lumière bleu verdâtre. L'odeur d'humidité de la pièce emplit mes narines et j'entendis un faible gémissement rauque quelque part dans l'obscurité. Je tentai de distinguer quelque chose et repérai le sarcophage intact. Mais qui d'autre était ici?

Nathaniel lança un bras sur ma poitrine et je me figeai. Une silhouette sombre s'éleva et une tête pivota vers nous, dévoilant le visage à la bouche de requin de Geir, les dents tachées de rouge, ses yeux jaunes fous comme ceux d'un animal sauvage. La lumière filtrant par la porte jetait une lueur pâle sur sa peau blême et ses ailes couleur de boue. Tenu fermement contre le torse du faucheur se trouvait José, ses yeux inanimés fixant le plafond, son teint couleur de cendre. Un morceau de sa gorge avait été déchiré, mais l'imposante plaie était loin de laisser couler autant de sang qu'elle l'aurait dû. Geir avait tout bu.

— Ton Gardien m'a gravement blessé, dit Geir d'une voix rauque, du sang dégoûtant de ses lèvres et sur son menton. J'avais besoin de me nourrir afin d'en finir avec toi, Preliator. Je suis beaucoup plus fort lorsque j'ai mangé une collation.

Un écœurement écrasant me fit reculer en chancelant et je m'effondrai presque au sol. Geir lança le corps de José à côté, mais avec tellement de force que le pauvre homme vola à trois mètres de nous et s'écrasa contre le mur. Geir se tourna carrément vers nous et je pus voir que ses vêtements en lambeaux étaient trempés d'un liquide sombre qui n'était pas son propre sang. La seule satisfaction que j'éprouvai fut de savoir que c'était Will qui lui avait infligé cela.

Nathaniel leva son fusil de chasse, mais Geir fut là en un éclair. Ses mains de monstre arrachèrent le fusil à Nathaniel et le propulsèrent sur le mur assez durement pour scinder le baril et le canon en deux. Il attrapa Nathaniel par la gorge et le lança violemment contre le même mur. Avant que je puisse le voir, Geir fut debout au-dessus de Nathaniel et lui assena coup de poing après coup de poing. Nathaniel l'esquiva, puis le poing de Geir plongea à travers le mur d'acier de la coque. Il le retira et l'eau jaillit à l'intérieur. Le métal écorcha les mains de Geir jusqu'à les transformer en lambeaux et son sang ruissela dans l'eau salée qui se déversait à l'intérieur, mais la peau du faucheur guérit rapidement. L'eau entra vivement dans la cale en grondant. Le bateau allait couler.

Une vague de rage me submergea, se fracassant lourdement en moi. J'étais fatiguée de tout cela. Le monstre devant moi avait massacré des gens innocents seulement parce qu'il le pouvait. Il m'avait blessée et terrifiée, il avait fait du mal à Will qui avait tenté de me défendre, il avait tué des humains qui avaient aussi tenté de prendre ma défense alors qu'ils ne pouvaient même pas se défendre eux-mêmes. Tout cela prendrait fin. J'allais y mettre un terme ce soir.

— Ellie !

La voix de Will provenait de derrière moi. Je jetai un coup d'œil par-dessus mon épaule, décidée à ce qu'il n'intervienne pas. Il pouvait sentir ce qui bouillonnait en moi, mais je n'allais pas le laisser m'arrêter, cette fois. Je pouvais maîtriser mon pouvoir. Je pouvais garder ma maîtrise de soi. Il n'y avait pas de folie courant dans mes veines, seulement la fureur dans sa forme la plus pure et la plus sinistre.

Ma puissance tournoya autour de moi, repoussant l'eau à mes pieds.

— Non.

Je dirigeai ma puissance contre Will et elle se dressa devant lui comme un mur, l'empêchant de s'approcher davantage de moi.

Il jeta son épaule contre la barrière, mais je ne lui accordai pas un centimètre de plus. Ses yeux, brillants dans l'obscurité, rencontrèrent les miens, mais son regard était calme, comme s'il pouvait lire dans mon esprit et qu'il savait qu'il était inutile de tenter de me ramener dans mes limites. Même s'il souhaitait m'arrêter et me calmer, cela lui serait impossible. À ce moment-là, alors que mon pouvoir résonnait à l'intérieur de chaque centimètre de ma peau, voulant désespérément être libéré, je fus très conscient des blessures graves que je pouvais lui infliger, ainsi qu'à tout ce qu'il y avait sur ce bateau.

— Va chercher le sarcophage ! rugit Nathaniel en combattant le vir démoniaque. Lance-le par-dessus bord avant qu'Ivar s'envole avec !

Le regard de Will quitta enfin le mien et il hocha la tête. Il bondit jusqu'à la boîte en bois contenant le sarcophage, le soulevant au-dessus de sa tête sans effort. Il remonta l'escalier en courant.

— Non ! hurla Geir d'un ton perçant.

Il s'éloigna précipitamment de Nathaniel, mais je le surpris avec mon épée dans son ventre avant qu'il puisse s'enfuir. Il gronda férocement, dévoilant ses dents pointues, et il m'attrapa à la gorge en serrant fortement. Son autre main empoigna mon poignet et tira mon épée hors de son corps pendant que les flammes du feu d'ange léchaient son torse.

Le temps ralentit et tout s'embrouilla autour de moi, à l'exception de Geir. Il donna des coups de griffes vers mon visage, mais je bondis en arrière et balançai mes épées. Les flammes tranchèrent l'obscurité, jetant des éclairs de lumière tordus et des ombres sur nos visages. Mes lames entaillèrent son ventre, mais pas assez profondément pour le tuer. Je lui donnai un coup de pied dans le torse aussi violent que possible et il vola en arrière, frappant le mur le plus éloigné.

— Nathaniel! criai-je.

Il se tourna vers moi, les yeux fous.

— Va aider Will! Je vais occuper Geir.

Sa mâchoire se décrocha.

— Mais...

— Vas-y!

Il obéit, disparaissant de la cale. Je pivotai pour faire face au faucheur qui me souriait largement alors que ses blessures au ventre se refermaient et cicatrisaient en quelques secondes.

— Maintenant, il n'y a plus que toi et moi, bébé, se moqua-t-il, ses yeux froids et pourtant éblouissants comme la lumière du soleil.

Je reculai sur mes talons, convoquant mon pouvoir. Le chalutier frissonna et gémit.

Geir plongea vers moi et, au moment où je levais mon épée, il disparut juste sous mes yeux. Je m'élançai, fendant l'air, et il réapparut à ma droite. Je donnai un coup de mon autre épée vers lui, mais ne rencontrai que son rire désincarné résonnant dans la cale alors que sa silhouette s'évanouissait dans l'obscurité.

— Tu vas mourir ici, petite fille, dit sa voix moqueuse.

Mes yeux fouillèrent l'espace autour de moi et mon cœur palpita de peur. Si je ne pouvais pas le voir, alors comment me battre avec lui ? Je laissai la fureur m'envelopper, noyant toute autre distraction — chaque craquement et chaque gémissement du bateau, le jaillissement de l'eau —, tout sauf les battements de cœur de mon ennemi qui m'attendait quelque part dans le noir. Je ne sentis rien du goût du sang incontrôlable qui m'avait consumée pendant mon ultime combat contre Ragnuk ; mon esprit était à présent clair au point d'en être inquiétant, tandis que je mourais d'envie de libérer ma puissance. À présent, elle m'obéissait, et pas l'inverse.

Je sentis une énergie vaciller derrière moi et je pivotai comme une tornade, relavant le khépesh enflammé d'un mouvement de balancier. La lame trancha la gorge de Geir. Il recula en chancelant, crachant du sang, faisant des gargouillis et serrant sa plaie. Comme sa peau n'explosa pas en flammes, je sus que mon coup n'avait pas suffi à le tuer. Avec un hurlement, j'enfonçai mon autre épée dans son ventre et remontai à l'intérieur de sa cage thoracique, détruisant son cœur. Il s'effondra sur moi, me trempant de son sang. Je le repoussai, dégoûtée, et arrachai mon épée de son corps. Je sentis que le crochet au dos de la lame s'accrochait dans ses côtes, et des choses à l'intérieur se déchirèrent et s'écrasèrent pendant que j'effectuais un violent mouvement de torsion pour libérer le khépesh.

Geir avança vers moi en titubant, son visage tordu par l'horreur et l'agonie. Une main tomba de sa gorge et agrippa son torse déchiré. Un flot sombre et saumâtre se répandit à partir de ses blessures et des flammes jaillirent sur chaque centimètre de son corps, léchant sa peau et le noyant dans la lumière. Ses griffes donnèrent des coups vers moi, engouffrées sous le feu d'ange, jusqu'à ce qu'elles retombent en cendres. En quelques instants, son corps se consuma, ses ailes battantes disparaissant enfin, jusqu'à ce qu'il ne reste rien du faucheur à part des cendres flottant dans l'eau à mes pieds.

Je me figeai. Quelque chose de lourd s'installa sur mes épaules, comme une formidable puissance, mais pas la mienne. Elle pesait sur moi comme un lourd manteau de neige et elle était tout aussi froide, avec une force gigantesque qui semblait ralentir tous mes sens, même le temps. Je tournai la tête pour regarder derrière moi, craignant ce que je pourrais voir, et mon corps suivit mon regard.

Une silhouette d'homme se tenait dans l'entrée de la cale en bas de l'escalier. Sa forme sombre se découpait dans la lumière venant du pont et des ailes à plumes s'ouvraient largement, comme s'il venait d'atterrir. Il s'avança vers moi, la lumière ondulant autour de lui, de sorte que je pus enfin voir son visage. Il ne paraissait pas beaucoup plus âgé que Will ou moi. Ses ailes blanches se replièrent dans son dos et disparurent. Son pouvoir roula autour de lui comme une tempête, mais il donnait l'impression d'être un trou noir, aspirant chaque parcelle d'oxygène, et j'en arrivai à me sentir étourdie et malade.

— Salut, Ellie, dit le faucheur, sa voix douce et fraîche comme du beurre froid. Je suis Bastian.

32

Impuissante, je fixai le visage obsédant de Bastian. Son pouvoir noir cendré tirait sur le mien, comme des doigts peignant ma chevelure et caressant doucement mon visage, tels des battements de cils. Ses yeux étaient du bleu le plus vif, le plus atypique que j'avais vu, d'un bleu azur toxique. Il me semblait très familier, comme si je l'avais déjà rencontré auparavant, mais je ne me rappelais ni où ni quand. Son énergie elle-même, à un niveau beaucoup plus profond que celui que je sentais en surface, me paraissait familière.

— Le rouge te va bien, dit-il enfin.

La bile me monta à la gorge. J'étais trempée du sang de Geir. L'odeur infecte et salée me dégoûtait. Je retins mon souffle, voulant désespérément ne pas vomir devant Bastian.

— Où est Ivar? Où sont mes amis?

— Ivar est en train de détruire les virs angéliques sur les ponts supérieurs. Ils sont perdus, maintenant.

«Non!» voulus-je crier, mais aucun mot ne franchit mes lèvres.

Je hurlai et me précipitai en avant, brandissant ma lame, mais un mur aveuglant de pouvoir noir me frappa encore une fois et me propulsa dans les airs vers l'arrière. Je m'écrasai contre la paroi opposée et me remis difficilement sur mes pieds, mes bras et mes jambes me faisant souffrir. Le pouvoir de Bastian avait entraîné des contusions sur ma peau et déchiré le tissu de mon chandail, mais la douleur de mes blessures disparut en quelques secondes.

— Je ne suis pas ici pour te tuer, dit-il.

Je lui lançai un regard noir.

— Non ? Eh bien, je vais quand même te botter le cul.

Il m'observa, ses yeux m'examinant si attentivement que je me sentis comme un animal au zoo.

— Comme c'est charmant. Je suis tellement ravi de te rencontrer enfin.

— Nous ne nous sommes jamais rencontrés ? demandai-je, surprise.

Alors, pourquoi éprouvais-je la certitude de le connaître ? Je l'avais sûrement croisé dans une vie antérieure. Son visage... Il m'était tellement familier.

— Non, ma chère, dit-il d'une voix douce, mais je l'entendis parfaitement par-dessus le bruit de l'eau qui jaillissait à l'intérieur de la cale et avalait mes chaussures.

— Donc, tu as pensé venir faire un tour avec tes copains et nous tuer tous ? Mes doigts se resserrèrent sur mon épée.

— Je suis ici pour le sarcophage et c'est tout. Si je te tue aujourd'hui, alors tout cela n'aura servi à rien.

— Où est Cadan ? demandai-je. Il a décidé de passer son tour, pour cette fois ?

J'observai son visage, essayant de trouver une émotion à déchiffrer, mais il ne révéla rien.

— Allez, bats-toi !

Sa silhouette se brouilla et il apparut soudainement juste devant mon visage. Sa voix fut un murmure, bouillant de méchanceté.

— Je sais ce que tu es.

— Quoi? demandai-je sans réfléchir.

Bastian glissa loin de moi, déployant ses ailes à plumes blanches.

— Ta présence en soi brise toutes les règles.

Mon corps se figea jusqu'à ce que j'eus l'impression d'être sur le point de me rompre.

— De quoi parles-tu? demandai-je à travers mes dents serrées.

— Tu te caches parmi les humains que tu aimes et, ce faisant, tu mets leur vie en jeu.

Mon esprit s'échauffa.

— Je ne joue pas avec leur vie!

Son sourire s'assombrit jusqu'à devenir noir comme de l'encre.

— Ne te mets pas en colère. L'égoïsme n'est qu'un des effets secondaires de la vie dans ce monde mortel. C'est très humain, ne le penses-tu pas?

— Les humains m'ont enseigné la compassion, dis-je. Les meilleures parties de moi existent uniquement parce qu'on m'a enseigné à aimer et à être bonne. Que peux-tu dire? Que tu as tué et torturé seulement des créatures plus faibles que toi?

Son sourire s'évanouit.

— Pour un être aussi ancien, tu es certainement naïve. Te crois-tu meilleure que moi? Tu en connais encore moins sur moi que sur toi-même. Petite fille, tu es à peine différente de moi.

Il disparut de ma vue en s'estompant. Je fixai l'espace qu'il venait d'occuper. Mentait-il ? Savait-il réellement ce que j'étais ? La peur me léchait les chevilles sous la forme d'eau de mer froide qui montait. Je secouai la tête, calmai mes nerfs et grimpai sur le pont principal en m'éclaboussant. Je tournai vivement le coin de la cabine et repérai Nathaniel juste au moment où il lançait violemment le sarcophage par-dessus bord. Mon cœur bondit de joie — mais il redescendit immédiatement sur terre quand je vis Ivar plonger dans la mer à sa suite.

Une ombre passa au-dessus de ma tête et je me retournai, me préparant à l'attaque. Will atterrit. Dans son dos, une paire d'ailes ivoire s'ouvrait. Des ailes ! Je m'éloignai de lui, reculant et chancelant sous le choc. Les plumes irisées luisaient sous le clair de lune. Elles étaient d'une beauté parfaite. Il ressemblait à un ange qui me surplombait et ses yeux vert électrique croisèrent les miens pendant un bref et terrible instant. Il replia ses ailes au-dessus de son dos et les écarta largement encore une fois avant de les ramener sur son corps d'une manière hésitante. Je ne pouvais pas bouger, ni respirer. Tout ce que je pouvais faire était de le fixer alors qu'il s'effondrait sur le pont, une main sur le torse. Quand je vis la noirceur s'étaler sur son chandail, je sus qu'il était gravement blessé.

— Will ! m'écriai-je, courant à ses côtés, frappée de terreur.

Il se plia en deux et ses ailes s'étirèrent au-dessus de nous, nous protégeant dans l'ombre. Quand je le rejoignis, il s'écarta de moi, son visage affichant bien plus que sa seule douleur physique. Je voulais le frapper violemment pour m'avoir caché le fait qu'il avait des ailes, mais dès que je les vis, je me souvins d'elles comme si c'était hier.

Il éloigna son visage de mes mains et frissonna.

— Ne...

— Laisse-moi voir, dis-je.

Ses ailes tremblèrent et frissonnèrent.

— Je ne veux pas...

Je posai une main sur la sienne et l'écartai de sa blessure.

— Laisse. Moi. Voir.

Il ferma les paupières sous l'atroce douleur et il me permit de déplacer sa main. C'était pire que je ne l'avais pensé. Du sang coulait de la plaie sur son torse. Je paniquai et roulai son chandail vers le haut. Il grimaça et lâcha un juron étouffé. Mes lèvres s'engourdirent quand je constatai l'étendue de ses blessures. Un trou plus gros que mon poing avait été percé au centre de son torse. Je m'obligeai à détourner les yeux quand la nausée bouillonna dans mon ventre. Il haleta et s'étouffa comme s'il ne pouvait pas respirer.

— Mes poumons, cracha-t-il.

Je le regardai désespérément, touchant son visage.

— Je ne sais pas quoi faire. Je ne sais pas comment t'aider!

Il saisit ma main et la serra fortement.

— Peux pas respirer... attends un peu...

La lueur dans ses yeux s'était affaiblie et ma pire crainte se fit entendre comme un murmure au fond de mon esprit. S'agissait-il de l'une de ces blessures trop graves pour guérir?

— Tu ne peux pas mourir, lui dis-je. Je ne peux pas faire cela sans toi!

— Attends un peu, répéta-t-il, fermant les yeux et grimaçant.

Le trou dans son torse commença à se remplir et sa peau recouvrit de plus en plus l'espace. Sa respiration devint moins irrégulière et sa poigne sur ma main se relâcha.

— J'ai dit... attends un peu...

Mon sourire s'élargit et le soulagement me submergea. J'avais totalement oublié le sarcophage. Je lissai le chandail de Will en le déroulant et pris une profonde inspiration.

— Tu vas bien, soupirai-je, transportée de joie.

— Évidemment, dit-il d'une voix faible. Mais je ne voulais pas que tu me voies ainsi. Je ne voulais pas que tu les voies... pas avant que tu t'en souviennes.

Il n'y avait pas de temps pour les questions. Une autre ombre planait au-dessus de nous et je m'étirai le cou vers l'arrière pour voir Bastian perché sur le toit de la cabine, nous observant en silence, Will et moi, avec un visage inexpressif. J'entendis un gros bruit d'éclaboussement au moment où j'aidais Will à se relever. Ses ailes disparurent et nous nous retournâmes. Ivar refit surface sans le sarcophage, ses cheveux complètement trempés et emmêlés, semblables à des cordes, avec un bras pendant mollement dans un angle bizarre. Je la regardai plus attentivement et, alors qu'Ivar laissait retomber sa tête en arrière et hurlait de fureur, je vis pourquoi son bras avait l'air si étrange. Son omoplate était exposée et son bras, arraché de sa cavité. La grande ouverture dans son corps faisait ressortir sa clavicule, clairement visible. Elle tint sa main indemne courbée autour de sa poitrine et tira sur son épaule démise pour la remettre en place. Les muscles et les veines se tendirent ensemble, puis s'entremêlèrent en repoussant la chair morte et en refermant ce qui restait jusqu'à ce qu'elle soit complètement guérie. Sa gorge était d'un rouge profond, comme si quelqu'un l'avait serrée sauvagement afin de lui arracher le bras, mais cette blessure aussi disparut lentement.

Je la fixai, horrifiée. Mes yeux trouvèrent Will, dont les mains étaient couvertes de sang. Un sentiment glacial se propagea dans mon corps. Avait-il causé ces dommages?

— Rends-toi, Preliator! cria Bastian du haut de la cabine.

Je le regardai de nouveau et il sauta du bord. Il atterrit sur le pont avec la légèreté d'une plume, ses ailes se repliant dans son dos.

— Tu as perdu, Bastian! criai-je. Geir est mort et l'Enshi est au fond de l'océan!

Bastian m'ignora et regarda Will. Un sourire cruel et subtil s'étala sur son visage.

— C'est tellement bon de te revoir, William. Je vois que tu es content d'être réuni à ta pupille, bien qu'il me semble que les choses aient changé entre vous.

Will le fixa à son tour, le regard sombre et provocant.

Ivar s'avança, le visage tordu par la colère, mais le pouvoir de Bastian la frappa à la poitrine. Elle recula en chancelant, ses ailes frissonnant autour d'elle sous la douleur et non à cause de ses vêtements glacés et trempés.

— Laisse-les, la prévint Bastian.

Ivar gronda férocement et dévoila ses dents.

— Mais pourquoi?

— Si tu la tues maintenant, elle ne fera que revenir. Nous devons attendre. Sois patiente.

Les yeux azurés de Bastian rencontrèrent les miens.

— Ne doute pas, Preliator, que ce ne soit pas la fin, pas encore. L'Enshi se réveillera et consumera ton âme.

La tête d'Ivar s'inclina d'un côté comme celle d'un oiseau, ses cheveux pâles et trempés se déversant sur ses épaules.

— As-tu déjà regardé une âme mourir ? demanda-t-elle. Attends de voir comment tu te sentiras lorsque ta propre âme mourra.

Je la fixai audacieusement en retour, mais ma bravade commença à perdre son aplomb lorsque je réfléchis à ce que l'Enshi était capable d'accomplir.

Du coin de l'œil, j'aperçus un éclair d'ailes gris argenté. Je titubai et reculai sur Will au moment où un autre vir descendait sur le pont.

Cadan. Ses yeux opalins flamboyèrent alors qu'il faisait passer son regard de Bastian à moi, puis vers Bastian à nouveau. Ses ailes tannées se secouèrent et se replièrent dans son dos, mais elles ne disparurent pas.

— Un peu tard, non ? lui demanda Bastian calmement.

Cadan se redressa et épousseta le devant de sa chemise.

— Mieux vaut tard que jamais.

Bastian s'évanouit dans l'air et réapparut directement devant Cadan. Il lui saisit le menton.

— Les répercussions de ton... geste de provocation seront grandes, siffla-t-il tout près du visage de Cadan. Je ne ressentirais rien si je te tuais.

Leurs regards plongèrent l'un dans l'autre jusqu'à ce que Bastian repousse Cadan loin de lui et marche à grands pas jusqu'à Ivar. Elle fixa Cadan avec une étrange expression endurcie. Les ailes à plumes d'un blanc éblouissant de Bastian s'ouvrirent en grand, puis il décolla et disparut. Cadan détourna les yeux d'Ivar comme si son regard le blessait, ses cheveux d'or pâle fouettant l'air, ses poings fermement serrés. Ivar déploya ses ailes et s'envola pour suivre Bastian.

— Le sarcophage, commença Cadan en esquissant un pas vers moi. Où est-il?

L'instant suivant, l'épée de Will trancha l'air entre nous et s'arrêta carrément entre les deux yeux de Cadan. Will était épuisé et haletait, mais il n'abandonnerait jamais le combat.

— Un pas de plus et je transforme ton visage en beignet.

Cadan fixa la lame avec des yeux ronds.

— Je suis assez certain que cette épée couperait ma face en deux, si on parle d'un point de vue technique.

— Il n'y a qu'une façon de le découvrir.

— Will! hurlai-je en attrapant son bras libre. Nous n'avons pas le temps pour cela. Cadan, le sarcophage n'est plus. Impossible que tu puisses...

— Bien, dit-il brusquement. Bastian ne peut pas laisser sortir cette chose.

— Qu'est-ce que ça peut te faire? m'enquis-je. Tu travailles pour lui, même s'il semble bien que tu pourrais être renvoyé.

Il laissa échapper un rire étonnant.

— Si seulement. Les choses sont un peu plus compliquées que cela.

— Oublie le sermon, dis-je froidement. Le bateau est en train de couler et nous devons foutre le camp d'ici.

— J'adore ça quand tu deviens autoritaire, dit-il avec une pointe de tranchant dans la voix.

Je roulai les yeux et Will poussa son épée un peu plus près du front de Cadan.

— As-tu fini?

Il donna un petit coup de tête brusque.

— Tout à fait.

Will retira son épée, mais il ne s'écarta pas de moi. Il me toucha le bras.

— Nous devons partir.

— Ouais, acquiesçai-je.

— Donc, le sarcophage, dit Cadan. Il n'est plus?

— Nathaniel l'a lancé par-dessus bord, dit Will, la voix empreinte de froideur. Maintenant, va-t'en.

Cadan le fixa pendant un très long moment avant de déployer ses ailes.

— Alors, ce voyage n'aura pas servi à rien.

Il battit des ailes et s'envola dans le ciel noir.

L'épuisement me consuma soudainement et je regardai autour de moi, aveuglée par les cadavres humains — tout ce qui restait de l'équipage de l'*Elsa* — jonchant le pont. Le sarcophage n'était plus et j'étais émotionnellement et physiquement épuisée et, à présent, nous étions en rade sur un bateau qui coulait.

Nathaniel se précipita vers moi.

— Nous devons faire descendre le canot de sauvetage. Le bateau coule!

— Nous sommes-nous rendus jusqu'à la fosse? cria Will.

— Assez proche! hurla désespérément Nathaniel. Impossible que le sarcophage ait survécu, mais nous devons partir d'ici, sinon nous coulerons avec lui!

Will se précipita pour récupérer nos épées et il disparut dans la cabine.

«Gabriel.»

La voix était un murmure dans mon esprit, s'infiltrant dans mes veines et dans chaque partie de mes entrailles. Je sentis mon collier ailé devenir chaud et je haletai en baissant les yeux sur lui, l'écartant de ma peau nue.

— Will? demandai-je. Est-ce toi?

«Gabriel», murmura encore la douce voix dans ma tête. «Ferme les yeux.»

Ce n'était vraiment pas Will.

Le monde devint éclatant très rapidement, si éclatant que je ne pus qu'obéir, sinon — je le savais au plus profond de moi — mes yeux brûleraient dans leurs orbites. Je portai mes mains à mon visage au moment où la nuit d'encre s'illuminait comme en plein jour. Je frissonnai, mes paupières serrées, alors que la température baissait et qu'une énergie roulait sur le pont — une puissance pure comme je n'en avais jamais vu avant. Je tombai à genoux sous l'attaque.

— Ellie! cria la voix de Will quelque part autour de moi.

La luminosité diminua assez pour que j'ouvre les yeux. Une lumière éthérée d'un blanc doré rayonnait tout autour d'une silhouette, comme le soleil pointant son nez derrière les nuages. Bastian était-il revenu? Mon pouls résonna dans mon crâne alors que je tentais de rétablir mon équilibre et je levai des yeux émerveillés sur la chose au-dessus de moi.

Une silhouette apparut : la forme fantomatique d'un homme entouré de trois paires d'ailes d'un blanc crémeux, couvertes d'une fine couche d'or flamboyant, comme si les plumes avaient la couleur de l'aube sur un champ de neige fraîchement tombée. Sa tête était couronnée de boucles dorées coupées près de la tête et il portait une armure faite d'or luisant par-dessus sa robe ondulante d'un blanc éclatant. Le poids de son pouvoir pesait sur moi comme un soleil d'été, la gloire trop pure et trop divine pour être réelle. Mes membres s'engourdirent et je fus incapable de m'empêcher de sangloter.

— Gabriel, répéta la créature, la voix aussi moelleuse qu'un bon vin. Tu ne dois pas laisser le méchant s'emparer de la Bête. Lucifer ne doit pas obtenir le pouvoir. Il n'y a pas de prix trop élevé à payer pour empêcher cela.

Je mis des lustres à faire fonctionner ma voix.

— À qui parles-tu ?

Son beau visage déterminé m'observa un moment. Il hocha lentement la tête vers moi.

— À toi.

Je secouai la tête, perplexe.

— Ce n'est pas mon nom. Je m'appelle Ellie.

— Tu es Gabriel, dit-il. La main gauche et la force de Dieu. Le Preliator.

Je le fixai du regard. Ses ailes ne bougèrent pas, mais elles restèrent largement ouvertes dans toute leur gloire lumineuse, comme s'il flottait au-dessus de moi. La révélation de cette mystérieuse créature à mon égard me frappa comme une inondation. Je ne pouvais plus respirer. Je ne pouvais plus bouger. Je ne voulais pas le croire, mais je savais... Quelque chose remua dans mes entrailles, quelque chose de radieux, quelque chose d'effrayant.

Il n'était pas un faucheur. Il était un archange. Comme moi.

— Qui es-tu ? lui demandai-je enfin.

— Je suis Michel et je suis ici pour te guider, Gabriel, ma sœur.

Une lourdeur tomba sur moi et je sentis mon corps s'affaisser — le fragile corps humain qui ne m'appartenait pas. Je me surpris à en être contrariée, à désirer quelque chose de différent, quelque chose qui m'appartenait vraiment et qui était sans limites.

Michel s'avança, ses six ailes se repliant dans son dos, et il tendit une main fantôme vers la mienne. Je regardai fixement son visage et je pus presque voir à travers lui. Son corps était comme un voile transparent suspendu devant une aube estivale, sa peau luisant grâce à une source de lumière invisible. Je posai ma main sur la sienne et perçus le magnétisme entre nous. Au contact, je ressentis les vibrations de l'électricité ; il semblait fait d'énergie pure au lieu de chair. Il m'aida à me lever sans me toucher. Je sentis, sans trop savoir comment, que mon corps se tirait vers le haut sur mes pieds.

— Tu as du travail à accomplir, Gabriel. Le malin récupérera la Bête du ventre de la mer et tu dois être là pour l'empêcher de se réveiller. Tout sera perdu si tu échoues. La Deuxième Guerre est proche.

— La Bête, c'est l'Enshi, n'est-ce pas ?

Michel hocha la tête.

— Gardien, gronda-t-il en regardant à ma droite.

Je suivis son regard pour découvrir Will debout à mes côtés, nous regardant tous les deux, bouche bée d'incrédulité.

— Gardien, répéta Michel.

Enfin, Will arracha son regard au mien pour fixer l'archange.

— Je t'ai donné mon épée afin que tu puisses protéger ma sœur, dit Michel, le visage aussi dur qu'une pierre. Rien de plus. Elle n'est pas à toi. Tu lui appartiens.

Will ouvrit la bouche, mais il ne dit rien. Ses yeux brillaient encore plus vivement que Michel dans toute sa gloire.

— Michel ! appelai-je.

L'archange se tourna de nouveau vers moi.

— Si tu es censé me guider, alors pourquoi ne me parles-tu plus ? Il y a longtemps, tu avais l'habitude de me donner des ordres, de me dire où aller. Pourquoi as-tu cessé de m'aider ? Ai-je fait quelque chose de mal ?

— Tu as oublié comment écouter.

Je me soulevai sur mes pieds, incertaine de pleinement comprendre ce qu'il disait.

— Est-ce toi qui me renvoies constamment ici ? Chaque fois que je meurs, est-ce toi qui me fais renaître ?

— Tu renais par ton propre pouvoir, dit-il. Nos prophètes ont prévu la venue de la Bête et tu as choisi de rester au Paradis pour t'entraîner et augmenter ta force pour les épreuves à venir.

— Pourquoi est-ce que je me sens comme ça ? demandai-je. Pourquoi est-ce que je ressens autant de colère dans la bataille? Comment puis-je être Gabriel si je suis aussi méchante?

Son expression était remplie de bonté, sa sympathie, infinie.

— Ce qui est divin n'a jamais été destiné à devenir mortel, ma sœur. Les émotions que tu ressens maintenant sont une chose que tu n'étais pas destinée à ressentir. Tu n'es pas tombée en disgrâce, car ta grâce est avec toi pour l'éternité. Tu dois rester forte et vigilante et ne pas t'oublier, sinon tu ne comprendras jamais ton pouvoir. Les humains sont des créatures étonnantes, mais leur capacité à haïr est aussi grande que leur talent pour aimer. Permets à ton humanité de devenir une force, et non une faiblesse.

— Si j'ai passé tout ce temps au Paradis à m'entraîner, alors pourquoi ne suis-je pas plus forte qu'avant? Pourquoi est-ce que je n'écrase pas mes ennemis? Je vais échouer si je ne suis pas assez forte!

Sa gloire m'enveloppa comme un voile de lumière et de chaleur.

— Dieu a foi en toi. Ne perds pas ta foi en Lui.

Il disparut et je fus momentanément aveuglée par l'absence soudaine de lumière. Quand je vis de nouveau, le regard de Will rencontra le mien, ses yeux ronds d'incrédulité. Il tendit la main vers moi et toucha mes cheveux, son regard s'arrêtant sur chaque centimètre de mon visage. Puis, il tomba à genoux devant moi.

— Qu'ai-je fait?

Il ferma les yeux et inclina la tête.

— Will, le suppliai-je. Ne…

— Je t'ai touchée de certaines façons qu'il ne fallait pas et je t'ai désirée...

— Will.

Je m'agenouillai devant lui et levai son menton dans ma main. Ses yeux étaient rouges et irrités.

— Hé. C'est moi, Ellie. Je suis encore moi !

— Mais, j'ai...

— Hé ! J'ai besoin de toi. Ne pique pas une crise de nerfs.

— Qu'ai-je...

— Will ! Je suis Ellie, pas un quelconque archange. Pas la main gauche de Dieu ou peu importe comment Michel m'a appelée. Je suis juste moi et tu es juste toi.

— Comment puis-je ne pas tenir compte de cela ?

Sa voix se cassa sous la douleur tandis qu'il me fixait, le visage plein de tristesse.

— Ce que j'ai fait et ce que j'ai ressenti pour toi sont interdits. Tu es...

— S'il te plaît, Will, le suppliai-je en l'interrompant. Je dois comprendre tout cela. S'il te plaît, pour moi ? Je ne suis pas encore prête à affronter tout ça.

Il ferma fortement les yeux encore une fois et prit une longue et pénible inspiration. Sa mâchoire se crispa violemment pendant qu'il reprenait ses esprits, mais il ne dit rien.

Je me tournai pour voir Nathaniel qui nous regardait, le même choc inondant son visage.

— Nous devons partir.

Ma tête se mit à tourner soudainement et je m'effondrai d'épuisement. Will me recueillit dans ses bras avant que je touche le sol. Je me recroquevillai sur lui, m'abandonnant, et tout à coup, je n'eus qu'une envie : dormir. Notre sac de sport était à ses pieds, beaucoup plus rempli qu'avant. Nathaniel prépara le canot de sauvetage, son jaune austère brillant presque sous le clair de lune, et il lança le sac de sport dans ses entrailles. Will me porta dedans et nous installa tous les deux avec précaution dans le petit bateau pendant que Nathaniel faisait gronder le moteur.

Pendant que nous nous éloignions à toute vitesse, je jetai un coup d'œil en arrière, frissonnant à cause de la mer glaciale et de mes vêtements trempés, et j'observai l'*Elsa* couler plus profondément dans les Caraïbes. Will tendit la main vers le sac de sport et en sortit une lourde couverture puante qu'il enroula autour de nous. La chaleur et l'épuisement fondirent sur moi au moment où je m'appuyai contre lui, sentant à peine le vent souffler au-dessus de ma tête et la brume de l'océan se déposer sur moi. Malgré l'avertissement de Michel, j'imaginai la pression de la mer réduisant l'Enshi en miettes, jusqu'à ce qu'enfin, je m'endorme.

33

Lorsque je me réveillai, l'aube pointait à l'horizon et nous entrions dans une petite lagune bordée de modestes maisons colorées. Nathaniel accosta au quai, lança le sac de sport sur son dos et débarqua. Will me souleva, encore enroulée dans mon cocon d'édredon poussiéreux, et me transporta hors du canot de sauvetage.

Un homme que je ne pouvais pas voir s'exprima en espagnol quelque part à proximité et j'entendis Nathaniel lui répondre avec aisance dans cette langue. Je jetai un petit coup d'œil dehors et j'aperçus l'homme qui avait parlé. Il nous regarda d'une drôle de façon, ses yeux voletant de nous à l'embarcation de secours accostée à son quai. Il ajouta autre chose et cela sembla marquer la fin de la conversation.

Nathaniel se pencha près de Will et dit :

— Je lui ai dit qu'il pouvait garder le canot s'il se taisait.

Je desserrai un peu mes mains autour du cou de Will et les laissai glisser sur mon ventre pendant qu'il me tenait contre lui. Mes paupières pesaient encore une fois une tonne et je me rendormis sans tarder.

Je me réveillai une deuxième fois dans le lit du motel et, quelques instants après avoir ouvert les yeux, Will se pencha vers moi. Je tirai l'édredon plus haut sur moi et m'inclinai vers lui pour profiter de sa chaleur.

— Veux-tu prendre une douche ? me demanda-t-il, ses cheveux frôlant mon visage.

— Non.

Ma voix se cassa pitoyablement. Je ne désirais pas parler de ce qui s'était passé sur le bateau après le départ de Bastian parce que j'avais peur d'apprendre que ce n'était pas un rêve. Cependant, même si c'était réel, qu'est-ce que ça voudrait dire ? Ce n'était même pas concevable. Comment pouvais-je être un ange ?

— Nous devons partir pour l'aéroport dans une heure. Nathaniel va rapporter le camion avant que nous quittions le motel.

J'examinai les croûtes de sang sur ma peau et mes vêtements et décidai qu'une douche s'avérait en fin de compte une bonne idée. Je m'assis lentement, à la manière d'un zombie, et je me rendis à la salle de bain en chancelant. Je refermai la porte derrière moi et me déshabillai, puis j'ouvris le robinet d'eau chaude et entrai en tirant le rideau. L'eau coula sur mon corps, formant des traînées de sang, de poussière et de saleté indéfinissable. Je sentais le poisson et le sang. Mes jambes cédèrent sous moi et je glissai le long du mur jusqu'à ce que je sois assise au fond de la baignoire et que l'eau se déverse sur ma tête. Je pleurai.

J'entendis frapper à la porte.

Quelques instants plus tard, Will appela doucement :

— Ellie ?

Je ne dis rien.

— As-tu besoin de quelque chose ?

J'étais contente qu'il ne me demande pas si j'allais bien. S'il l'avait fait, j'aurais peut-être éprouvé une trop forte envie de lui arracher la langue.

Je l'entendis glisser le long de la porte et s'asseoir avec un bruit sourd.

— Je sais ce que tu ressens, dit-il.

Je fixai l'eau couleur de rouille qui s'écoulait par le conduit pendant que le pommeau de la douche m'éclaboussait comme une pluie chaude.

— Nous avons tous les deux ressenti cela un million de fois, continua-t-il. L'impuissance, l'abattement, le sentiment — la certitude — que la fin approche. Nous réussirons à nous en sortir.

— Bastian va quand même revenir pour me chercher, dis-je enfin, ma voix sèche et dénuée d'émotions. Il n'abandonnera pas.

— Ellie, dit-il d'une voix plus ferme, nous n'avons pas perdu. Ouais, nous avons été pas mal malmenés, mais nous avons gagné. L'Enshi est au fond de la mer. Il faudrait un miracle pour garder ce truc intact, encore plus pour le retrouver. Pour autant que nous le sachions, ils ignorent comment ouvrir le sarcophage et le réveiller. Il est détruit et il ne se réveillera jamais.

— Mais Michel a dit que Bastian le récupérerait.

Il resta silencieux un moment.

— Il doit avoir tort. Sinon, nous arrêterons Bastian avant qu'il réveille l'Enshi.

Les paroles de Will me rendirent un peu d'espoir. Bastian n'avait pas l'Enshi et nous n'étions pas au bout de nos peines. Ce qui était allongé et enfermé à l'intérieur du sarcophage pouvait-il vraiment détruire mon âme ? Je ne voulais pas mourir, mais je craignais encore plus de ne pas poursuivre mon existence dans un autre monde. Comment Will et Nathaniel réussissaient-ils à accepter de disparaître après la mort ? Si l'Enshi mettait la main sur moi, comment serait-ce de me faire dévorer l'âme ?

— Ellie ?

Je me levai et finis de me laver les cheveux. Quand je sortis et me séchai, j'enroulai une serviette autour de moi. J'ouvris la porte pour découvrir Will assis de l'autre côté, levant la tête vers moi. Il se leva et me regarda en face, ses yeux s'attardant sur le coton humide de la serviette bien serrée sur mon corps.

— Je n'ai pas fini de me battre, dis-je d'une voix mal assurée. Je ne veux pas que ce monstre détruise mon âme ou celle de n'importe qui d'autre. Je ne peux pas laisser tomber Michel. Aucun prix n'est trop élevé pour empêcher cela.

Will sourit et l'espoir qui emplit ses yeux gonfla un peu la lueur d'espoir en moi.

— Ça ira, dit-il.

Il s'approcha de moi et mon dos toucha le mur froid. Même si je ne ressentais plus d'embarras en sa présence, je tremblais quand il s'approchait de moi. Je n'étais pas simplement attirée par lui de la façon dont je l'avais été un mois auparavant. J'étais maintenant amoureuse de lui. Quand il se trouvait aussi proche, l'idée qu'il caresse ma peau nue réveillait plus que des émotions en moi. Quand sa main toucha mon bras, un frisson me parcourut et je m'enfonçai plus profondément dans le mur pour tenir debout. Je m'obligeai à chasser le souvenir de l'avertissement de Michel. J'appartenais bien à Will. Je l'aimais et j'étais à lui.

— Je vais te protéger, dit-il à voix basse sur ma joue. Je ne laisserai rien t'arriver de mal.

Je voulais le croire et j'essayai. L'atroce vision de l'épaule d'Ivar à moitié déchirée surgit dans mon esprit et je détournai les yeux.

— Qu'est-ce qu'il y a?

Son visage fut tout à coup empreint de douleur alors qu'il sentait mon inquiétude en raison de ce lien étrange qui nous liait depuis des siècles.

Je parlai lentement, choisissant mes mots avec précaution, observant son visage pour y déceler une réaction.

— Quand je suis montée de la cale, j'ai vu l'épaule d'Ivar. As-tu fait cela?

Ses yeux retinrent les miens un moment, la pause s'éternisant douloureusement. Il mordilla sa lèvre supérieure et il laissa son front reposer contre le mur à côté de moi avant de répondre.

— Oui.

— Tu lui as presque arraché le bras. Comment sommes-nous censés être des êtres qui combattent pour le bien si nous pouvons nous montrer tout aussi horribles que les monstres contre qui nous nous battons?

Il ferma les yeux et prit une profonde inspiration.

— Le pouvoir du faucheur est grand. Peu importe qui nous servons, les anges ou les déchus. Cependant, c'est la manière dont nous choisissons de l'utiliser qui fait la différence. Je te sers toi, mon ange, ma Gabriel, mon Ellie. Tu es plus forte que moi. Ce que je t'ai vu accomplir va au-delà de tout ce que j'aurais pu imaginer.

Mon cœur se serra.

— Ne me dis pas cela.

— Tu vas t'en souvenir.

— Je me fais déjà foutrement peur à moi-même, avouai-je. Je ne veux pas te faire peur à toi aussi.

Il sourit, mais légèrement.

— J'y suis habitué.

— Mais moi, je n'y suis pas tout à fait habituée.

Un poids invisible pesa sur mes épaules, me fatiguant.

— Mais nous savons maintenant ce que tu es et les choses seront différentes. Tu es Gabriel, dans ta forme humaine, l'archange de l'Apocalypse, de la miséricorde, de la résurrection et de la mort. Il n'y a rien d'impossible pour toi.

Ses paroles déclenchèrent la peur en moi. Je n'étais pas prête à pleinement comprendre ce que j'étais et ne savais pas comment l'accepter ni ce qui se passerait une fois que ce serait fait.

— Je vais prendre une douche avant notre départ, dit-il. Entre-temps, pense à de nombreuses histoires imaginaires à raconter à tes parents pour les amuser à propos de tes aventures dans le nord avec Kate.

Je m'obligeai à sourire.

— Absolument.

J'enfilai un jean et un débardeur, me débarrassant de la serviette en la jetant sur le plancher. Je me rallongeai sur le lit sur le côté, ramenai mes genoux sur ma poitrine et fixai le mur. Je fis de mon mieux pour ne pas songer à la nuit précédente, mais je me sentais terriblement mal pour le pauvre équipage de l'*Elsa*. À cause de notre tâche, à cause de moi, ils étaient tous morts. Le visage inexpressif de José me regardait fixement quand je fermais les yeux. Une vision fugitive différente — celle de mon propre corps serré entre les mains monstrueuses de Geir — me frappa, provoquant des frissons jusque dans mes orteils nus. Will m'avait promis que ma pleine force reviendrait de concert avec ma mémoire, mais j'avais peur que tout me revienne d'un coup, me causant un traumatisme, m'endommageant. Au cours de cette dernière bataille, j'avais été capable de garder la maîtrise de cet autre côté de moi que mon pouvoir avait créé. Cependant, si ce n'était qu'une fraction de ce dont j'étais capable, alors il était possible que je ne réussisse pas à le maîtriser totalement. Je n'étais pas certaine de pouvoir supporter la vérité sur mon passé et sur ma raison d'être. Tout semblait beaucoup trop simple : tuer quelques faucheurs, mourir, revivre, tuer quelques faucheurs, mourir — faites mousser, rincez, recommencez...

Et si ce n'était pas tout? Et s'il y avait quelque chose de plus? Et si j'étais vraiment un ange... Gabriel, l'archange, la main gauche de Dieu?

Ce que m'avait dit monsieur Meyer le dernier jour où je l'avais vu résonna dans mon esprit :

«La vie va vous mettre à l'épreuve comme jamais auparavant. Ne laissez pas votre avenir changer la bonne personne que vous êtes ou vous faire oublier qui vous êtes.»

La porte de la salle de bain s'ouvrit et Will en sortit, vêtu seulement d'un jean. Lorsqu'il me frôla en passant devant moi, je surpris son odeur de propreté et me redressai, mes cheveux à demi trempés et emmêlés. Il fouilla dans son sac à la recherche d'un t-shirt brun chocolat, qui faisait ressortir le vert de ses yeux, et il l'enfila d'un haussement d'épaules sur son torse mince. L'idée qu'il m'était interdit de le toucher de la manière dont j'en avais envie, tout comme ce l'était pour lui, était absurde. Il était impossible de ne pas vouloir explorer chaque centimètre de son corps. Il s'assit sur le bord du lit pour mettre une paire de chaussettes, puis ses chaussures. Il tourna la tête pour me regarder tout en glissant la chaîne de son crucifix par-dessus sa tête et en la rangeant sous son t-shirt.

Je me traînai vers l'avant et m'agenouillai à côté de lui sur le lit. J'étais loin d'être la vision infaillible et parfaite de l'ange dont Will m'avait parlé. Je me sentais comme une fille assise à côté du garçon que j'aimais plus que toute autre chose au monde. Seulement une fille idiote qui aimait magasiner et manger de la crème glacée. Toute cette histoire dépassait mon entendement et ce que je pouvais maîtriser. Quelques mois auparavant, je n'étais même pas certaine que Dieu existait, mais aujourd'hui, les gens parlaient de Lui comme si nous étions de vieux amis. Comment se comportent les archanges ? Devrais-je arrêter de jurer ? De regarder des films d'horreur ? Quoi d'autre allais-je devoir abandonner, si vraiment je devais abandonner quelque chose ? Je mentais assez fréquemment. Ce n'était pas du tout angélique. Était-ce possible pour moi de poursuivre ma vie comme si elle était normale en sachant ce que j'étais — *qui* j'étais ? Je ne voulais pas me sentir différente. Je ne voulais pas qu'on me traite comme si j'étais différente. Je voulais que Will me regarde comme il l'avait toujours fait. Je ne voulais pas qu'il me regarde comme si j'étais un phénomène de la nature encore plus étrange que je l'étais déjà. Je ne pouvais pas le supporter, merde, et je n'allais foutrement pas cesser de dire « merde » ou « foutrement ».

— As-tu terminé ta valise ?

Le souffle de Will était frais et mentholé à cause du dentifrice. L'humidité dans sa chevelure faisait ressortir son éclat érable et elle était sauvagement ébouriffée après avoir été vigoureusement séchée avec une serviette.

— Ouais, dis-je. Je n'avais pas apporté grand-chose. Ce n'était pas exactement des vacances, alors…, dis-je en laissant ma voix s'estomper.

Il sourit de guingois.

— Désolé pour ça. Peut-être un jour.

— Me promets-tu de véritables vacances un de ces jours ?

L'espoir palpita en moi, faisant chanter mes mots.

— Peut-être, dit-il avec une trace de tension dans la voix.

— Avec des chevaux ?

— Peut-être.

Il courba une main sur ma joue, caressant le coin de mes lèvres avec son pouce aussi doucement que si une plume m'effleurait. Mon pouls s'accéléra et quelque chose palpita dans ma poitrine.

— Je t'avais dit que je ne les laisserais pas te tuer, murmura-t-il.

Puis, ses yeux changèrent soudainement et il retira sa main, se détournant de moi.

Je fronçai les sourcils et descendis du lit pour marcher jusqu'à la commode, puis je me tournai pour lui faire face. Mes ongles pianotèrent impatiemment sur le bois bon marché. Mes idées embrouillées sur ce que Will ressentait pour moi m'avaient distraite des horreurs de la nuit précédente et de ce qui allait venir. Je ne pouvais pas m'empêcher de penser que c'était en fait Bastian qui avait fait obstacle à ma mort — mais, bien sûr, seulement afin de pouvoir me tuer plus tard. Il avait bénéficié de l'occasion parfaite d'en finir avec moi dans la cale de ce bateau, mais il n'avait même pas essayé. Je savais que Bastian s'efforçait en fait de trouver une façon de ravoir l'Enshi, de le réveiller et de détruire mon âme afin que je ne puisse plus jamais renaître. Je ne pouvais pas laisser faire cela.

— Qu'est-ce qui ne va pas ? demanda Will.

La question était amusante puisqu'il n'y avait rien qui n'allait pas chez moi. J'aurais dû lui demander ce qui n'allait pas chez lui.

— Penses-tu que Bastian trouvera d'autres sbires pour faire son sale boulot puisque nous les avons presque tous tués ?

Il hocha la tête.

— J'imagine qu'à mesure que la nouvelle se répandra, d'autres se joindront à lui. Il est impossible de prédire quel genre de monstres il dénichera.

— J'ai peur de Bastian, avouai-je. Mais je suis prête à me battre contre lui.

Il se leva du lit et marcha vers moi.

— Je sais que tu le feras.

Il glissa une main hésitante autour de ma taille, mais il ne m'attira pas plus près de lui et ne me tint pas plus serrée. Sa main était simplement — *atrocement* — présente. J'avais envie d'enrouler mes mains autour de son cou et de l'entraîner dans un baiser, mais je pouvais voir le combat dans son regard et sentir la rigidité de son corps. Avait-il peur de me toucher?

La porte d'entrée s'ouvrit — Will et moi nous écartâmes d'un bond — et Nathaniel apparut, ayant l'air plus fatigué que je ne l'avais jamais vu. Des cernes noirs bordaient ses cils inférieurs et son visage était aussi blanc que celui d'un fantôme. Je me demandai s'il avait mangé quelque chose depuis ses blessures de la nuit précédente.

— J'ai réglé notre départ et le taxi est ici. Il est temps de partir.

Il nous offrit un hochement de tête avant de quitter la chambre. Quand il referma la porte, je m'aperçus que je n'avais pas respiré depuis qu'il l'avait ouverte.

— Nous devrions y aller, dit Will.

Alors qu'il faisait un pas pour me contourner, je posai une main sur son torse.

— Will. Était-ce vraiment Michel, sur le bateau? Ce qu'il t'a dit était-il vrai?

Son regard erra un moment.

— C'était l'ange qui m'est apparu il y a des siècles. Celui qui m'a dit de te protéger.

— Tu l'as reconnu?

Il hocha la tête.

— Le fait d'être mortelle depuis si longtemps a dû te le faire oublier. Tu t'éloignes de plus en plus de celle que tu es véritablement.

— Le crois-tu vraiment?

Il s'écarta de moi et fit courir une main dans ses cheveux.

— S'il te plaît, ne me dis pas que c'est oui, gémis-je.

— Nous devrions aller dans le taxi.

— C'est tout, alors? Tu vas simplement m'exclure et me traiter comme une lépreuse après ce que tu as découvert sur moi?

— Il n'est pas question de cela.

— Ah non? dis-je sèchement pour le défier. Tu me regardes et je sais que tu veux me toucher, mais tu te retiens. Pourquoi le fait de savoir qui je suis change-t-il les choses?

— Michel m'a donné un avertissement. Je ne sais pas comment te l'expliquer.

— C'est parce que tu ne le peux pas. J'ai accepté ce que tu es lorsque tu me l'as révélé. Pourquoi ne peux-tu pas faire de même pour moi?

La couleur dans ses yeux brilla vivement et je pouvais voir qu'il était en colère, mais c'était comme s'il était furieux contre lui-même et non contre moi.

— Ellie, il n'est pas question de ce que je veux et de ce que je pense. Tu es un archange.

— Ai-je une quelconque ressemblance avec Michel? demandai-je. Regarde-moi. Pas d'ailes, pas de rayonnement, rien du tout.

Je lui pris les deux mains et les déposai sur mes hanches.

— Ce corps est humain, Will, solide et chaud, et je sais que tu peux le sentir.

Je serrai ses mains lorsqu'il tenta de les retirer. Je m'approchai de lui et inclinai la tête vers l'arrière lorsque nos corps se touchèrent.

— Je ne suis qu'une fille avec quelques côtés étranges, mais tout ce que tu peux voir, c'est une fille — la même fille que tu connais depuis des siècles. La même fille pour qui tu te bats. La même fille que tu as embrassée. Je ne suis pas différente. Dans un autre monde, je suis peut-être ce que dit Michel, mais en ce moment, ici, avec toi, je suis seulement Ellie. Je me fous de ce qu'il t'a dit. Seul le présent m'importe.

Il baissa le regard vers moi, les lèvres écartées comme s'il voulait dire quelque chose, mais il garda le silence. Puis, il retira ses mains et recula d'un pas en détournant les yeux.

— Tu te comportes en crétin, dis-je.

Il s'arrêta et me fixa, puis il fit courir sa main dans sa chevelure. Il semblait abasourdi. J'en ris presque. J'allais lui donner une raison d'être abasourdi.

En une seule grande enjambée, je glissai vers lui, m'étirai sur la pointe des pieds, pris son visage en coupe entre mes mains et l'embrassai fougueusement. Au début, il se raidit, et dès qu'il se fondit en moi, que ses doigts s'enroulèrent autour de ma taille et tirèrent sur la ceinture de mon jean, je le lâchai et passai devant lui, refusant de regarder en arrière.

J'allais le laisser réfléchir là-dessus pendant un petit moment.

34

Lauren vint à notre rencontre à l'aéroport métropolitain de Detroit. Elle semblait particulièrement folle de joie que Nathaniel s'en soit sorti en un seul morceau. Elle nous déposa, Will et moi, à ma maison en rentrant chez elle. Will me souhaita bonne chance avant de disparaître sur mon toit et j'allai à l'intérieur affronter mes parents. Ma mère était enjouée et impatiente d'entendre mes histoires sur mon voyage. Évidemment, je lui racontai des mensonges édulcorés et bien enrobés. J'y parvins plus facilement que je l'aurais cru, mais leur dire la vérité m'aurait valu d'être enfermée dans l'aile psychiatrique. C'était simplement trop atroce et étrange — je leur rendais service en les maintenant à l'écart. Je priai pour que mes parents ne découvrent jamais à quel point je leur avais menti ces deux derniers mois, mais dans mon cœur, je savais que je devais me préoccuper de choses beaucoup plus importantes dans ma vie que des règles familiales et des couvre-feux.

Je téléphonai à Kate pour la remercier d'avoir couvert mes arrières et, par conséquent, je dus lui expliquer plusieurs fois qu'il ne s'était rien passé... du moins, pas comme elle le pensait. J'allais devoir tout recommencer quand je la verrais en classe lundi. Je me sentais trop agitée pour mettre mon pyjama et aller dormir. J'enfilai plutôt un chandail et un jean, grimpai par la fenêtre et escaladai le toit jusqu'à l'endroit où Will était installé. Il observait le ciel avec sérénité, les bras croisés sur ses genoux. Il me jeta un coup d'œil tandis que je rampais pour m'asseoir à côté de lui.

— Alors, est-ce ainsi que tu t'occupes lorsque tu es assis seul ici ? demandai-je en lui donnant un petit coup de coude sur l'épaule. Fixer le vide ?

— Entre autres choses, répondit-il. Habituellement, je ne réfléchis pas autant. Faire le guet occupe mon esprit.

J'examinai son visage à la recherche de signes, mais son regard était doux et sans inquiétude.

— À quoi penses-tu ?

— À trop de choses.

Un vent froid souffla dans mes cheveux.

— Cela te dirait-il de donner des détails ?

Il prit une lente inspiration.

— Je ne sais pas comment gérer cette situation.

— Nous en avons tous les deux appris beaucoup l'un sur l'autre hier soir. Que dirais-tu de nous considérer comme quittes ?

Il sourit presque, mais il se reprit.

— Je suppose que c'est vrai.

— Pourquoi ne m'as-tu pas dit que tu avais des ailes ?

— Je craignais de te faire peur, avoua-t-il.

Je fronçai les sourcils.

— Tu sais, pour quelqu'un qui a autant confiance en moi, tu n'as en fait aucune foi en moi.

— Ce n'était pas mon intention de te faire sentir ainsi, dit-il. J'imagine que je suis une contradiction sur deux pattes. Je ne suis pas parfait.

— Tu m'as dit que tu es mon serviteur. Pourtant, tu décides ce que je dois savoir. Tu ne peux pas me contrôler ainsi, Will.

— Je ne veux pas te contrôler, Ellie. Je veux seulement faire la bonne chose et ce qui est mieux pour toi.

— Comment pourrais-tu savoir ce qui est mieux pour moi? demandai-je sèchement. Tu n'es pas moi. Tu n'as aucun droit de prendre des décisions à ma place.

— Ellie...

— Pourquoi ne pouvais-tu pas être franc avec moi dès le début? Je suis une grande fille. Je peux assurer.

— D'accord, dit-il presque en riant. Tout te dire le premier jour: «Donc, je m'appelle Will. Tu ne te souviens pas de moi, mais nous nous connaissons depuis cinq cents ans. Tu chasses des monstres et j'en suis un, mais je suis aussi ton ami. Oh, je peux voler, aussi.»

— Will, dis-je tristement. D'accord, tu marques un point, mais tu aurais dû m'apprendre ces choses un peu plus tôt. Je n'aurais pas dû le découvrir comme je l'ai fait. C'était comme une gifle. Cela m'a causé un plus gros choc que si tu avais été plus honnête.

— Tu as raison, dit-il. Je suis désolé. Plus de secrets.

— Juré?

— Je le jure.

Je souris et me levai.

— Montre-moi. Montre-les-moi.

Il m'observa d'un drôle d'air. Il savait ce que je voulais dire.

— Pourquoi?

— Je veux les voir.

Il se leva.

— Comme tu veux.

Il enleva son t-shirt et ses ailes apparurent, se déployant, leur couleur ivoire irisé scintillant sous le clair de lune. Je tendis la main pour les toucher et il s'écarta timidement, presque avec embarras. Une plume tomba et s'éloigna en planant dans la brise.

— Qu'y a-t-il? demandai-je. Ne sois pas idiot. Je ne vais pas tirer dessus.

Il sourit faiblement et détourna les yeux de mon visage.

— Je sais. C'est juste que... je les déteste. Je ne veux ressembler en rien à Bastian et aux autres. Je fais beaucoup d'efforts pour me distancier du reste de mon espèce, mais ces ailes me rappellent que je suis un monstre.

La tristesse me submergea. Je ne pouvais pas supporter de constater à quel point il se haïssait.

— Tu n'es pas un monstre. Tu es un ange, pas moi. Mon ange gardien.

Ses yeux se levèrent et rencontrèrent les miens, mais il ne dit rien. Je tendis une main pour toucher une aile et la douceur des plumes m'étonna. J'avais déjà caressé des ailes d'oiseau auparavant; jusqu'à il y a deux ans, Kate possédait un perroquet, mais ses plumes étaient raides et lisses et elles dégageaient un étrange parfum huileux. Celles de Will étaient douces et délicates et leur odeur me rappelait des souvenirs d'une aube chaude et dorée. Je fis courir mes doigts sur la longueur des plumes et l'aile frémit sous ma caresse.

— Elles m'ont manqué, dis-je à voix basse. Elles sont tellement belles.

— T'en souviens-tu, maintenant ?

Sa voix était à peine plus qu'un souffle fragile.

— Oui.

Mon regard revint vers lui et il sourit très légèrement. Je ne désirais rien d'autre que me pelotonner dans ses bras.

— C'est pour cela que je ne crois pas que je suis un ange. Si c'était le cas, ne devrais-je pas avoir des ailes comme Michel ?

— Tu es un ange mortel, insista-t-il. Tu ne peux pas te métamorphoser comme un faucheur. Ton corps n'est pas celui d'un ange non plus, mais tu as son pouvoir. Te souviens-tu à quel point Michel avait l'air d'un fantôme, comme s'il était seulement à moitié là, comme s'il ne pouvait pas complètement apparaître dans le monde mortel ? Cela explique peut-être aussi pourquoi tu renais dans un corps humain. Ta véritable forme, ta forme d'archange, ne peut pas exister ici.

— Possible, dis-je.

J'étais un ange mortel. Y avait-il une façon pour moi de devenir celle que j'étais vraiment ? De reprendre ma véritable forme ? Will m'avait déjà dit qu'une puissante relique pouvait aider les anges et les déchus à se manifester sur le plan mortel ; et si quelque chose comme cela existait vraiment ? Si les Grigori étaient là, quelque part, les gardiens de la magie angélique et des portails entre les mondes, ils étaient peut-être au courant d'une relique qui pourrait rétablir ma forme réelle. Et si des choses plus terribles que les faucheurs, maléfiques ou divines, pouvaient marcher sur terre parmi nous, comme les Néphilims disparus ?

— Will, pourquoi me caches-tu autant de choses ?

Je fis glisser une main sur son bras, retraçant les beaux tatouages avec le bout de mes doigts. J'avais un net souvenir de moi en train d'écrire à l'encre sur sa peau des siècles plus tôt, dans une pièce chaude éclairée aux chandelles, murmurant une prière dans une langue depuis longtemps oubliée de moi, et cela amena un sourire sur mon visage.

— Parce que je suis un idiot, avoua-t-il. J'ai eu tort de te juger. Je ne pensais pas que tu étais assez forte pour tout absorber d'un coup, mais c'était stupide. Tu as plus de force en toi que j'en ai vu chez toute autre personne, et je ne parle pas de ta force physique. Je parle de la force de continuer sans abandonner. Tu le désires peut-être certains jours, mais tu ne le fais pas.

— Et toi ? demandai-je. Tu restes à mes côtés jour et nuit et tu prends les coups les plus rudes de tous. Pourquoi, Will ? Pourquoi es-tu resté avec moi pendant tous ces siècles ? Tu me regardes mourir encore et encore, et pourtant, tu ne pars jamais. Tu continues d'essayer de me sauver, même si tu sais que je suis condamnée. Tout cela parce qu'un ange t'a dit de le faire ? Allons. Plus de secrets, tu as dit. Dis-moi.

Il ne répondit pas, mais son torse se souleva et s'abaissa sous ses respirations plus rapides.

— Pourquoi le ferais-tu ? demandai-je avec impatience. Pourquoi risquerais-tu le néant après la mort pour moi ? Tu ne peux pas aller au Paradis et tu ne connaîtras jamais la paix à cause de cela. Tu ne vivras que cette affreuse et misérable vie de combats. Tu pourrais avoir tellement plus.

— C'est faux, dit-il. Je n'ai pas besoin d'y aller pour trouver la paix. J'ai trouvé la paix avec toi, Ellie, entre les combats et les années où tu n'es pas avec moi. Tu m'as apporté la paix.

Ses paroles firent battre mon cœur plus rapidement et je m'efforçai de ne pas pleurer. J'observai attentivement son visage avant de parler.

— Pourquoi m'as-tu embrassée ?

Son expression se figea, comme s'il était décidé à ne rien révéler par elle.

— Je pensais que cela aurait été évident.

— Ce n'est pas une réponse franche.

Ses yeux s'éloignèrent en papillonnant, puis revinrent sur les miens de façon indécise.

— Est-ce quelque chose dont je suis censée me souvenir par moi-même ?

Il examina intensément mon visage, son regard plongé dans le mien, au lieu de détourner les yeux.

— Non.

— Alors pourquoi ?

— Je déteste…, commença-t-il, sa voix tremblante s'estompant. Je déteste quand tu meurs. Cela me détruit. Je sais que je n'ai aucun droit d'être bouleversé parce que ce n'est pas moi qui perds la vie, mais cela me déchire les entrailles. Je ne suis pas très bon avec les mots et je ne sais pas comment t'expliquer ce que je ressens. Je finis par me sentir seul quand tu n'es pas avec moi. Tu me manques. Et chaque fois que tu meurs, un petit bout de moi meurt avec toi.

Je ne savais pas trop quoi lui dire. Je n'arrivais pas à concevoir que je représentais une source de réconfort pour lui comme il l'était pour moi. Ses mains tremblaient et il se tenait si raide que j'avais l'impression qu'il pouvait éclater en morceaux à tout moment. Je caressai sa nuque d'une main en essayant de l'apaiser.

— J'aimerais pouvoir faire mieux, avoua-t-il. J'aimerais pouvoir te sauver, mais je ne le peux pas.

— Tu m'as sauvée d'innombrables fois, dis-je. Juste hier soir, tu m'as sauvée sur le bateau.

— Mais j'ai manqué à mon devoir envers toi aussi, dit-il d'un ton insistant. Je t'ai regardée tomber tant de fois sans pouvoir intervenir d'aucune façon pour te sauver. J'ignore combien de fois encore je pourrai te regarder mourir, Ellie.

Son regard tomba.

— Pardonne-moi. Je ne devrais pas te dire cela.

— Non, dis-je en secouant la tête. Je suis désolée de te laisser croire que tu ne peux pas me confier ce que tu ressens. Ce n'est pas comme cela que je veux que les choses se passent entre nous. Je t'en prie, sois simplement honnête avec moi.

Il se pencha vers moi, posant sa joue contre la mienne, me faisant totalement oublier ce que je venais de dire. Je fermai les yeux et m'appuyai sur lui tandis que sa peau frôlait la mienne et que sa main caressait ma taille. Son autre main se referma en coupe sur ma joue et son pouce caressa mes lèvres. Ses ailes s'élevèrent très haut au-dessus de nous, nous protégeant de l'air froid.

— Quand Ragnuk t'a tuée, je t'ai cherchée partout, dit-il dans ma joue. Mais, tu n'es pas revenue. Pendant des décennies, je t'ai cherchée, terrifié à l'idée que les anges me punissaient pour t'avoir laissée mourir seule. J'ai pensé que tu ne me reviendrais plus — que je t'avais perdue à jamais.

Le dos de ses doigts glissa délicatement sur mon bras, comme s'il était en verre. Ses lèvres se pressèrent doucement juste sous mon oreille, réchauffant mon cou.

— Quand tu es née à nouveau, quand je t'ai vue pour la première fois depuis si longtemps... Je n'ai jamais ressenti un tel bonheur de ma vie.

— Je reviendrai toujours vers toi, lui promis-je tandis qu'une vague de chaleur me traversait précipitamment.

— Je t'aime, Ellie, souffla-t-il, ses mots mettant le feu à ma peau.

Quelque chose en moi se désintégra, ne laissant qu'un sentiment enivrant dans son sillage.

— Dieu, je t'aime depuis toujours.

Je tournai mon visage vers lui, voulant désespérément croiser son regard, et lorsque je le fis, des siècles de souvenirs de son visage et de tout ce qu'il m'avait sacrifié me traversèrent l'esprit, de tout le sang qu'il avait versé, de tous les tourments qu'il avait endurés pour moi. Son expression était tellement stoïque, si endurcie, mais ses yeux me révélaient tout. Ils le trahissaient toujours.

— Will, dis-je, incapable de formuler un autre mot sur mes lèvres que son prénom.

Son sourire était petit et délicat et ses épaules se détendirent comme si elles avaient été soulagées d'un poids. Il se pencha plus près de moi, sa solide étreinte m'enveloppant. Mon pouls s'accéléra et mon cœur se mit à battre plus fort.

— Tout ce temps, souffla-t-il. Je t'ai toujours aimée et n'en ai jamais rien dit.

Il m'embrassa avec force et replia un bras dans le creux de mon dos, m'attirant vers lui. J'enroulai mes propres bras autour de ses épaules et sentis son autre main sur ma taille. Je dessinai son biceps avec un ongle et le muscle trembla par réflexe sous ma caresse. Il s'écarta et ses lèvres frôlèrent ma mâchoire. Je frissonnai et le tirai plus près de moi.

— N'oublie pas que je t'aimerai toujours, murmura-t-il contre mes lèvres en frottant le bout de son nez sur le mien. Ne l'oublie pas.

Je hochai la tête et me tendis encore une fois vers ses lèvres, n'ayant besoin que de l'air pour respirer. Il m'embrassa de nouveau, plus profondément, avec une lenteur voluptueuse. Ses mains remontèrent le long de mon dos et glissèrent dans mes cheveux pour tenir délicatement ma tête.

Il mit fin au baiser, replia ses ailes et déposa son front contre le mien. L'émotion me submergea et je ne dis rien, comprenant enfin ce qu'il venait de me révéler. Je sus en un instant qu'il disait adieu à son amour pour moi. Il s'écarta et laissa glisser les bouts de ses doigts sur mon bras, comme pour prolonger un peu le moment.

Alors qu'il s'éloignait de moi d'un pas, ses yeux étaient encore de cette frappante couleur émeraude, et je priai pour que cette couleur ne se fane jamais. Il me fallut tout mon courage pour ne pas courir vers lui et le tenir près de moi, sentir toutes les parties de son corps et le fixer avec émerveillement. Je ne savais pas quoi faire. Je ne savais pas si je devais répondre quelque chose.

— Mais mon amour pour toi est mal, chuchota-t-il. Je ne peux pas t'avoir. Pas de cette façon.

Quelque chose d'invisible me poignarda dans le ventre.

— Es-tu réellement en train de faire ça ?

— Tu es un être saint. Je ne peux pas te toucher. Je peux être avec toi tous les jours en tant que ton Gardien parce que c'est mon devoir, mais je ne peux pas te toucher de la manière dont j'en meurs d'envie. Ce n'est pas ce que Michel voulait dire quand il m'a demandé de te protéger. C'est dangereux pour nous deux de trop nous rapprocher.

Je secouai la tête et combattis mes larmes, incapable de parler.

— D'autres Gardiens sont morts en remplissant leur devoir envers toi bien avant que j'entre dans ta vie, dit-il en touchant ma joue et mes cheveux. Je mourrai ainsi un jour.

— Ne dis pas cela, le suppliai-je. Will, je suis amoureuse de toi. Tu es le seul qui comprends ce que je traverse chaque jour, le seul avec qui je peux partager ce monde. Tu es mon meilleur ami et je ne pourrai pas le supporter si tu m'écartes de ta vie ainsi.

Il ferma les yeux, les serrant fortement. Ses mains formèrent des poings et ses ailes frissonnèrent. J'avais l'impression de mourir dans mon cœur.

— Tu ne peux pas m'aimer, dit-il, la voix peinée. Et je ne peux pas t'aimer non plus. Il ne m'appartient pas de t'aimer.

— Je suis à toi…

— Ellie…

— Non ! criai-je, des larmes me montant aux yeux. Tu ne peux pas te rapprocher autant de moi et me repousser ensuite.

— Il le faut.

Ses ailes se déployèrent, le clair de lune brillant sur les plumes, et il bondit dans les airs. Alors que je levais les yeux vers lui, il s'envola et disparut dans les bois derrière ma maison, me faisant savoir à quel point nous étions réellement différents avec cette dernière vision de lui.

La colère m'envahit d'un coup. Je voulais le suivre et le frapper plus fort que je n'avais jamais frappé dans ma vie. Cependant, j'étais trop fatiguée et trop émotive pour agir. Et je ne voulais pas tomber en bas de mon toit. Je fixai l'endroit où il avait disparu et laissai échapper une longue inspiration, de sorte que mes paroles suivantes ne continrent aucune trace de rage.

— Lâche.

35

Mardi, ma mère m'appela dans son bureau dès que je franchis la porte en revenant de l'école. Je me préparai pour un sermon à propos du rapport sur mes progrès que l'un de mes professeurs avait envoyé à la maison, mais quand j'entrai, quelque chose dans son visage me dit qu'elle était beaucoup plus en colère qu'elle aurait dû l'être à cause d'une mauvaise note.

— Viens t'asseoir, Ellie, dit-elle froidement.

Sa voix calme était déplacée venant d'un visage aussi furieux. Elle me pétrifia.

Je m'installai sur la chaise devant sa table de travail. J'étais assez certaine d'être sur le point de mourir.

— Qu'est-ce qu'il y a, maman ?

— Tu ne devineras jamais sur qui je suis tombée au supermarché aujourd'hui.

Des noms virevoltèrent dans ma tête, mais j'essayai de ne pas laisser voir que je réfléchissais ardemment. Mon corps était figé de peur.

— La mère de Kate, dit-elle. Comment as-tu pu, Ellie ? Comment as-tu pu mentir comme ça ?

— Je...

J'ignorais quoi répondre. Pour sauver le monde? Pour sauver mon âme? Je devais faire ce que j'avais à faire, mais je ne pouvais pas le lui expliquer. Elle ne pourrait jamais comprendre.

Elle croisa les bras sur sa poitrine.

— C'était un mensonge foutrement extravagant. Et inciter la pauvre Kate à mentir pour toi? Sans parler du fait que tu as fait une folle de moi quand j'ai remercié sa mère de t'avoir emmenée dans le nord avec eux. C'était très embarrassant quand il est apparu qu'elle ne savait pas de quoi je parlais.

C'était presque impossible d'obliger mes lèvres à bouger suffisamment pour former des mots.

— Je suis désolée.

— Ouais, je ne pense pas que cela suffise, Ellie, dit-elle avec une pointe de gravité dans la voix. Où es-tu réellement allée? Étais-tu avec un garçon? Landon?

Je fermai les yeux avec lassitude.

— Non. J'étais avec Will.

Tout d'abord, elle ne réagit pas.

— Ce garçon de l'université? Ton tuteur?

Je me sentais tellement lourde sur mon siège, si lourde que je n'avais qu'une envie : m'allonger.

— Oui.

Ma mère se leva et se pencha sur sa table de travail.

— Tu as dix-sept ans! À quoi as-tu pensé? Je ne sais même pas comment réagir à cela. Je ne sais franchement pas quoi te dire.

— Je suis tellement désolée, dis-je, même si je savais qu'elle ne voulait pas l'entendre. C'est juste qu'il se passe beaucoup de choses dans ma vie en ce moment et je ne sais pas vraiment comment gérer tout cela. J'ai commis beaucoup d'erreurs.

— Viens me trouver, dit-elle. C'est mon boulot de t'aider lorsque tu en as besoin. La plupart des choses que tu traverses en ce moment, j'y ai survécu. L'école, les garçons, les amis, les filles méchantes. Tu me dis que tu vas bien et que je devrais te faire confiance, mais comment le puis-je alors que tu me mens comme ça, Élisabeth ? Je ne peux pas être ta mère si tu ne me laisses pas entrer dans ta vie.

Je gardai le silence, sachant que tout ce que je lui dirais ne justifierait pas le mal que je lui avais causé. Elle n'avait peut-être jamais dû s'occuper de combattre des monstres mangeurs d'âme, mais j'affrontais aussi toutes ces autres choses d'une manière ou d'une autre.

Elle s'effondra sur sa chaise et pressa une main sur son front.

— Êtes-vous intimes ? As-tu couché avec lui ?

— Non, maman, dis-je. Non, nous ne l'avons pas fait, je le jure. Mais serait-ce si affreux ?

Quand ses yeux croisèrent les miens, le moment fut intense et je refusai de détourner le regard la première.

— Je sais que tu es à l'âge où l'on commence à expérimenter et il n'y a rien que je puisse dire ou faire pour prévenir cela. Seulement, s'il te plaît, pour l'amour de Dieu, quand tu le feras, protège-toi.

— Je le ferai.

— Tu es punie, dit-elle d'un ton épuisé. Je ne veux pas que tu ailles où que ce soit avec Will. Je ne peux pas m'opposer à ce que tu le voies parce que je pense que c'est mal d'essayer de te diriger et de t'empêcher de trouver ta propre voie dans la vie. Toutefois, tu dois comprendre que, techniquement, il est un adulte, Ellie. Si tu dois le fréquenter, ce sera sous mon toit et sous ma supervision.

J'avais envie de protester, mais je savais à quel point ces restrictions étaient indulgentes. Elle aurait dû m'interdire de le voir entièrement et elle avait tous les droits de le faire. Je n'étais pas une mauvaise enfant. Je n'étais pas rebelle. Je ne consommais pas de drogue ; je n'avais pas non plus les mœurs légères. J'avais une terrible responsabilité et je ne savais pas comment équilibrer une vie normale avec elle. Je ne savais même pas si cela était possible.

Ma mère laissa retomber sa main et me regarda enfin.

— Je ne raconterai pas à ton père que tu as menti parce que, franchement, je suis assez certaine qu'il te tuerait. Tu dois être punie, pas assassinée, alors nous allons régler cela entre toi et moi. Pas de fête, pas de soirée cinéma, pas de voiture, pas de téléphone, pas de temps passé avec tes amis pendant un mois. Au moins. Je prends tes clés et te conduirai où tu dois absolument te rendre. Dès que les cours sont terminés, tu dois être à l'intérieur de la maison jusqu'à ce que tu repartes pour l'école le lendemain matin. Mon Dieu, je ne sais pas ce qui se passe avec toi dernièrement. L'alcool, les mensonges, les faibles notes… Comment peux-tu t'attendre à être acceptée à l'Université du Michigan avec des notes semblables ? Et je veux parler à Will. Je veux apprendre à le connaître, s'il doit devenir ton premier amoureux sérieux. Tu dois me mettre au courant de ta vie, Ellie. Aide-moi un peu, ici.

Je hochai lentement la tête, serrant le pendentif ailé autour de mon cou pour me donner du courage. J'aurais aimé pouvoir tout lui dire et j'avais envie de pleurer parce que c'était impossible. Les paroles de Bastian me brûlaient le cœur. Est-ce que je mettais vraiment la vie de ma famille et de mes amis en danger en les gardant aussi près de moi ? Étaient-ils des cibles ? Est-ce que je les mettais en danger ? Pouvais-je renoncer à eux, s'il le fallait ? J'avais complètement oublié que ma mère et moi pouvions parler ensemble. En tenant compte du fait que j'avais été si souvent près de perdre la vie ces derniers mois, je voulais à nouveau me sentir proche d'elle. Je ne voulais pas qu'il lui arrive quelque chose à cause de moi.

— Je t'aime, maman.

— Je t'aime aussi, mon bébé, dit-elle. Vraiment. Je veux que tu sois bien. Les autres choix te reviennent. Je prie Dieu que tu fasses les bons.

— Cela ne te fera sûrement pas sentir mieux, commençai-je, mais… je suis amoureuse de lui. Je le suis.

C'était bon de le dire, sachant que je le ressentais depuis des siècles, mais que j'avais été trop idiote pour le voir.

Elle me fixa pendant ce qui me sembla des heures.

— T'aime-t-il lui aussi ?

— Oui, dis-je sans hésitation en soutenant le regard de ma mère avec assurance. Je ne m'attends pas à ce que tu comprennes jusqu'où il est allé pour le prouver, mais je te jure qu'il n'y a aucune limite à ce qu'il ferait pour moi. Il me l'a montré encore et encore. Je sais que j'ai commis des erreurs terribles et que je t'ai caché des choses, mais c'est une chose pour laquelle tu dois vraiment me faire confiance. C'est la seule chose dont je sois certaine dans tout ce gâchis qu'est devenue ma vie.

Son regard tomba sur mon collier ailé entre mes doigts.

— Est-ce lui qui te l'a offert ?

— Oui.

Elle fixa le pendentif un peu trop longtemps avant de parler.

— Si tu dis que tu es amoureuse de lui, alors je te crois. Je te prie de comprendre, par contre, qu'à ton âge, peu de relations amoureuses perdurent. Tu ignores s'il ne décidera pas un jour de partir, tout simplement. Garde cela à l'esprit, d'accord?

Je maintins une détermination de fer parce que je savais au plus profond de moi que Will n'était pas ce genre de gars. S'il était resté à mes côtés depuis cinq cents ans, s'il avait risqué sa vie et son âme pour moi, alors il en faudrait beaucoup pour qu'il s'en aille. Il était mon Gardien, mon ange gardien.

Quand la première neige tomba avant minuit quelques soirs après, j'étais assise sur le toit d'un édifice à bureaux avec Will à côté de moi. J'avais admis que je devrais perdre quelques soirées de plaisir avec mes amis pour ma punition, mais la chasse n'était pas une chose que je pouvais abandonner. Je relevai le col de mon chandail sur mon menton lorsque le vent glacial d'hiver me mordit la peau. Même les Ténèbres ne pouvaient pas chasser le temps froid.

— Je déteste la neige, grommelai-je. C'est tellement beau, mais pourquoi doit-elle être si froide?

Will rit doucement.

— C'est un mal nécessaire.

Je fronçai les sourcils.

— Alors, où est le mal non nécessaire? demandai-je en parlant du faucheur que nous suivions.

Ses yeux survolèrent le stationnement faiblement éclairé et presque vide plus bas. Des lampadaires à la lumière orange grisâtre parsemaient le terrain en formant une grille, mais ils n'exposaient pas le monstre.

— C'est ici qu'il a tué hier soir. Il devrait revenir.

Les faucheurs étaient de véritables créatures d'habitude. Will ne faisait pas exception, bien que ses habitudes à lui étaient combattre des faucheurs, me rendre folle, s'asseoir sur mon toit, manger quand je ne regardais pas, combattre des faucheurs, me rendre folle...

Un homme vêtu d'un caban noir sortit de l'édifice, faisant teinter ses clés en se rendant à son véhicule. Il sifflait une chanson, heureux de rentrer à la maison après avoir travaillé si tard. Comme sur un signal, une silhouette sombre de la taille d'une petite fourgonnette s'avança pesamment dans l'obscurité. L'homme ne se doutait pas de la présence du faucheur caché.

Will et moi bondîmes en bas de l'édifice, atterrissant deux étages plus bas, sans plus d'effort qu'en pliant légèrement nos genoux. Je me glissai en douce vers l'homme et me tins entre lui et l'énorme faucheur ursidé. Les yeux noirs du monstre me découvrirent et il se lécha les lèvres. Quand il remarqua que je le fixais directement en retour, il inclina la tête d'un air curieux, comme s'il ne me connaissait pas. C'était très étonnant.

L'homme d'affaires m'aperçut. Il lâcha ses clés de peur.

— Que dia...

— Rentrez à la maison, dis-je d'un ton léger.

Je resserrai ma poigne sur mes épées.

Le regard de l'homme tomba sur mes lames et sa bouche s'ouvrit en même temps d'une manière idiote.

Je lui lançai un regard mauvais.

— Montez. Dans. Votre. Voiture.

Il se précipita, se baissant vivement pour ramasser ses clés et filer du côté de la portière du conducteur, puis marmonna quelque chose dans sa barbe qui ressemblait beaucoup à « folle ».

Alors qu'il s'en allait, le faucheur grogna. Il s'avança vers moi, ses pattes griffues égratignant la délicate couche de neige sur la chaussée. Des flocons collaient sur son museau et s'accrochaient sur les pointes des poils épais et noirs comme de l'encre de son dos. Le faucheur s'éloigna de moi en décrivant un cercle, se glissant dans l'obscurité qui, selon lui, dissimulerait son corps. Comme j'avais fait fuir de peur sa cible, il avait dû décider que je ferais un remplacement savoureux. Idiot.

Il plongea vers moi, bondissant environ quatre mètres dans les airs, griffes tendues. Je le dépassai dans un brouillard, enflammant mes épées de feu d'ange, alors qu'il atterrissait sur la chaussée froide. Je me tournai et enfonçai une épée dans sa cage thoracique. Les flammes moururent quand je libérai la poignée et bondis en arrière. Il rugit, faisant vibrer mon cerveau, et il chancela sur ses pattes jusqu'à ce qu'il s'effondre avec une respiration sifflante et douloureuse. Il semblait abasourdi que je l'aie vu venir.

Il courba le dos et se servit de sa bouche pour arracher ma lame dans son flanc. Il la cracha et grogna. Il disparut pendant une seconde et je reculai sur mes talons, attendant qu'il réapparaisse. Son visage surgit devant le mien et j'enfonçai ma main dans son museau, attrapant son nez alors que sa mâchoire claquait dans ma direction. Je l'obligeai à reculer pendant qu'il secouait violemment la tête, puis je levai mon autre épée et la poussai en avant. L'ursidé se tourna d'un côté et mon épée plongea dans son épaule au lieu de son cou. Il arracha son museau de ma poigne et rugit furieusement dans mon visage. Je retirai mon épée d'un coup sec et lui donnai un coup de pied dans le poitrail, l'envoyant valser dans les airs. Il frappa la chaussée et glissa sur la fine couche de neige jusqu'à ce qu'il s'arrête et se remette difficilement sur ses pattes. Il secoua sa fourrure hirsute, faisant tomber des flocons de neige sur le sol.

J'appelai mon pouvoir et il m'avala dans sa lumière blanche. Le sol bourdonna sous mes pieds et mon pouvoir roula dans le vent, faisant fondre les flocons de neige avant qu'ils touchent le sol. Le lampadaire derrière moi lâcha un gémissement métallique, craqua et s'inclina d'un côté, libérant une poussière de flocons blancs brillants. Ma peau donna l'impression de s'étirer tandis que l'énergie s'écoulait lentement de moi en vagues maîtrisées.

Le faucheur siffla et détourna son visage de la lumière vive, dénudant ses immenses canines. Il leva son regard sombre vers moi.

— Tu n'es pas une vir. Comment se fait-il que tu aies autant de pouvoir ? Qui es-tu ?

Je m'avançai jusqu'à lui, mon pouvoir tourbillonnant autour de moi, et je redressai mon autre épée, positionnant la lame enflammée sur son crâne. Je le fixai intensément, mon regard plus froid que le vent hivernal.

— Je suis le Preliator.

Remerciements

Maman, tu es plus extraordinaire que tu ne le sauras jamais. Je serais perdue sans toi. Papa, Tara et Ashley, je vous aime. Danielle, Mike, Janet et Tom Pulliam, pour avoir été une merveilleuse seconde famille et m'avoir toujours offert un foyer loin de ma maison. Mon agente, Elizabeth Jote, pour avoir été la première personne à aimer ce livre et à vraiment croire qu'il irait aussi loin. Merci de m'avoir aidée à réaliser mon rêve d'une vie et pour avoir bossé comme une dingue pour faire de moi une meilleure écrivaine. À mon éditrice, Sarah Shumway, pour ta confiance et ta patience et pour avoir su quoi faire chaque fois. Un merci particulier à Katherine Tegen et aux autres membres de l'équipe de Katherine Tegen Books pour leur soutien et leur dur labeur. Merci à mes entraîneurs d'équitation Kim Carey, Sheila Tobaczka, Melissa Hirt, Nancy Whitehead et Julia Houle, qui m'ont enseigné la discipline, la patience et, par-dessus tout, à aimer ce que je fais et à m'amuser en le faisant. Leah Clifford, alias « l'autre faucheuse ». Que puis-je dire ? Tu m'as empêchée de devenir folle tout au long de l'été 2009 et après. Merci d'être une amie aussi extraordinaire et super. Kody Keplinger, tu es super. Soirées d'écriture, bonne musique, blagues idiotes, garçons mignons... Je suis tellement contente de t'avoir demandé un jour par hasard si tu aimais les pâtés au poulet. Même si tu as répondu non (et je te pardonne), c'était l'une des meilleures questions que j'aie posées. Sarah J. Maas, Amy Lukavics et Kaitlin Ward, pour avoir été de merveilleuses amies et des écrivaines avec autant de talent. Je vous aime, les filles. Eleanor Boyall et Robert Truppe, vous avez été mes incroyables premiers lecteurs. Ce livre en serait encore à sa première mouture sans vos conseils. Je vais garder en moi toute la vie ce que j'ai appris de vous deux. Mes amis de purgatoire dans AbsoluteWrite, merci pour les nombreuses heures de rire et pour votre soutien. Mes professeurs d'anglais au cours de mes années d'études secondaires pour avoir lu mes histoires étranges en m'encourageant constamment. Tous ceux de deviantART et PI qui ont encouragé mon écriture et mon art. Je me suis fait quelques amis géniaux. Un autre merci particulier à Yue Wang qui a créé une iconographie aussi géniale pour ce livre. Ton talent me stupéfie. Il y a peu de chance que cela réussisse, mais je lance un cri d'appel aux filles de BTRS et PTSRS, peu importe où vous êtes dans le monde, particulièrement à Alyssa et Becka. Cela me manque de veiller après cinq heures en écrivant avec vous. Si par quelque hasard de la vie il se trouve que vous preniez ce livre entre vos mains et que vous reconnaissez ces acronymes et vos noms, essayez de me joindre. Lisa, Mattie et Teagen, vous êtes le groupe de filles le plus génial que j'ai connu. Les garçons du chapitre Sigma Kappa de ΔKE, merci pour le million de moments déchaînés et pour avoir été (pour la plupart) bons pour Smiles. Kyle, tu es ma plus grande source d'inspiration. Je t'aime. P.-S. : Je ne suis pas désolée de t'avoir donné une raclée à Mario Kart le jour où nous nous sommes rencontrés. P.-P.-S. : Je pense que j'ai officiellement eu le dernier mot.

Ne manquez pas
le tome 2

Les ailes
du mal

Un roman de la série Feu d'ange
COURTNEY ALLISON MOULTON

AdA

1

Je frappai le pavé glacial sur le dos et l'air fut expulsé de mes poumons. Je restai allongée là quelques moments seulement, mais assez longtemps pour que quelques flocons de neige se déposent sur mon visage. La douleur dans mon dos se propagea par vagues jusqu'à mes orteils et ricocha dans mon crâne. Cette forte odeur de moisi et de soufre émanant de la fourrure de la faucheuse m'étouffa alors que son grondement rauque secouait le sol et faisait vibrer mes oreilles. Je me demandai pourquoi elle n'avait pas déjà tenté de me mordre le visage — elle se trouvait certainement assez proche pour tenter le coup. J'ouvris un œil et vis qu'elle avait cessé de surveiller mon Gardien, Will, qui luttait contre son compagnon à quelques mètres, au fond de la ruelle.

Me remettant sur pied avec difficulté, je levai les yeux pour voir la faucheuse de la famille des ursidés se retourner vers moi, la haine se répandant sur son affreux visage. Je raffermis ma poigne sur mes deux épées khépesh en forme de faucille et elles s'embrasèrent de feu d'ange, les flammes d'un blanc éclatant léchant les lames. La lumière dansa sur les traits de la faucheuse, accentuant les reflets et les ombres et la faisant ressembler encore davantage à la créature infernale qu'elle était.

— Cela va faire très mal lorsque je te ferai payer ça, promis-je, la voix altérée par la douleur.

— Je ne pense pas.

Ses lèvres noires se retroussèrent, dévoilant des dents de sabre aussi longues que mon avant-bras. Elle claqua ses mâchoires et rit, enfonçant ses griffes dans le pavé.

— Je suis abasourdie que tu sois de retour sur tes pieds après ça, Preliator, se moqua-t-elle.

J'ignorais comment les faucheurs émettaient ce grondement ronronnant chaque fois qu'ils prononçaient mon titre, mais cela ne manquait jamais de hérisser les poils sur ma nuque. Je pris une profonde respiration, me débarrassant de la malveillance de sa voix

— Ne t'excite pas trop. J'ai été frappée plus durement par des choses bien pires que toi.

Les lèvres de la faucheuse se courbèrent en un sourire monstrueux, dévoilant ses dents géantes autant que possible. Elle roula les épaules comme un chat, s'accroupissant sur son arrière-train, prête à bondir. Je reculai sur mes talons, mon regard fixé sur ses yeux de requin noirs et vides.

Elle se propulsa en l'air, les griffes largement écartées. Je me laissai tomber au sol, pivotai sur le pavé lisse et balançai mes lames en forme de faucille avec précision dans l'air — et à travers la chair. Le corps de la faucheuse se transforma en une boule de feu avant de toucher le sol et sa tête enflammée tournoya dans l'air comme l'hélice d'un hélicoptère au-dessus de moi. Rapidement, il ne resta d'elle que des cendres.

Je pris une profonde respiration et me levai juste à temps pour voir Will plonger son épée dans le flanc de la poitrine du second faucheur. Il ressortit sa lame et le faucheur tomba, mort, sa peau durcissant comme la pierre au lieu d'exploser sous les flammes, une réaction que seul mon feu d'ange provoquait.

Will me rejoignit, essayant de reprendre son souffle, et il toucha ma joue de son pouce et releva mon menton. Je m'étais habituée à ce qu'il m'examine, à la recherche de blessures. Son toucher fut impersonnel au début, mais lorsqu'il constata avec satisfaction que je n'avais pas été blessée trop gravement, ses mains devinrent plus douces.

— Est-ce que ça va ?

Je hochai la tête et laissai mourir mon feu d'ange.

— Ouais. Elle m'a cognée avec à peu près tout ce qu'elle avait et j'ai atterri assez durement, mais rien ne s'est brisé. N'as-tu pas l'impression qu'ils sont de plus en plus nombreux à voyager en meutes, ces jours-ci ?

Ses lèvres se serrèrent un instant, la dureté passant sur ses beaux traits.

— Oui. Tu n'aurais pas dû lui donner l'occasion de frapper un si bon coup.

Je roulai les yeux.

— Ouais, tu as bien raison, Batman. La prochaine fois, j'apporterai un bazooka. Au diable ces épées. Pouvons-nous dire que ça suffit pour ce soir ?

Tout mon corps souffrait comme si j'avais été renversée par une camionnette — une faucheuse de la taille d'une camionnette, pour être plus précise.

Avant qu'il puisse répondre, quelque chose atterrit juste derrière lui, faisant vibrer la terre sous nos pieds. Will se retourna et se tint au-dessus de moi comme un bouclier. Une créature — un faucheur encore plus gros qu'un ursidé, couvert d'un épiderme sombre et tanné — s'était posée dans la rue. La peau de son visage était très étirée sur ses os saillants, et son long museau ratatiné était rempli de dents jaunes irrégulières. Ses yeux étaient des globes oculaires vitreux, pâles et écœurants, nous fixant sans nous voir, et de larges oreilles surmontaient son crâne. Au lieu de vrais bras, des os étaient étirés en ailes membraneuses gigantes-ques, comme celles d'une chauve-souris, avec des griffes crochues de trente centimètres de longueur qui creu-saient le pavé en guise de support. Ses pattes de derrière étaient fortement musclées et le faucheur arborait une longue queue reptilienne munie d'épines, qui fouettait l'air à l'instar d'un chat dont les yeux ont repéré un oiseau à portée de patte — sauf que ces yeux-là ne voyaient rien.

Mes lèvres tremblèrent et je reculai d'un pas effrayé.